「十三五」国家重点出版物出版规划项目

中国中药资源大典

广东卷

5

黄璐琦 / 总主编
廖文波　凡　强　赵万义　潘超美 / 主　编

北京科学技术出版社

图书在版编目（CIP）数据

中国中药资源大典. 广东卷. 5 / 廖文波等主编.
北京 : 北京科学技术出版社, 2024. 6. -- ISBN 978-7
-5714-4007-7

Ⅰ. R281.4

中国国家版本馆CIP数据核字第2024PJ0799号

责任编辑：侍　伟　李兆弟　王治华　庞璐璐　吕　慧
责任校对：贾　荣
图文制作：樊润琴
责任印制：李　茗
出 版 人：曾庆宇
出版发行：北京科学技术出版社
社　　址：北京西直门南大街16号
邮政编码：100035
电　　话：0086-10-66135495（总编室）　0086-10-66113227（发行部）
网　　址：www.bkydw.cn
印　　刷：北京博海升彩色印刷有限公司
开　　本：889 mm × 1 194 mm　1/16
字　　数：954千字
印　　张：43
版　　次：2024年6月第1版
印　　次：2024年6月第1次印刷
审 图 号：GS京（2023）1758号
ISBN 978-7-5714-4007-7

定　　价：490.00元

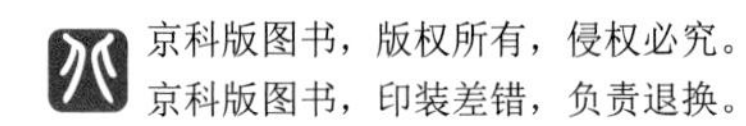

《中国中药资源大典 · 广东卷》

总编写委员会

总主编 黄璐琦（中国中医科学院）

主　编 潘超美（广州中医药大学）

叶华谷（中国科学院华南植物园）

廖文波（中山大学）

夏念和（中国科学院华南植物园）

晁　志（南方医科大学）

黄海波（广州中医药大学）

严寒静（广东药科大学）

童毅华（中国科学院华南植物园）

童　毅（广州中医药大学）

赵万义（中山大学）

凡　强（中山大学）

编　委（按姓氏笔画排序）

凡　强（中山大学）

王亚荣（中山大学）

王英强（华南师范大学）

邓旺秋（广东省科学院微生物研究所）

叶华谷（中国科学院华南植物园）

叶幸儿（广东药科大学）

付　琳（中国科学院华南植物园）

白　琳（中国科学院华南植物园）

刘基柱（广东药科大学）

严寒静（广东药科大学）

李泰辉（广东省科学院微生物研究所）

肖凤霞（广州中医药大学）

何春梅（广东省林业科学研究院）

张宏伟（南方医科大学）

陈　娟（中国科学院华南植物园）

陈秋梅（广州中医药大学）

林哲丽（韶关学院）

赵万义（中山大学）

秦新生（华南农业大学）

夏　静（广州白云山和记黄埔中药有限公司）

夏念和（中国科学院华南植物园）

晁　志（南方医科大学）

黄海波（广州中医药大学）

梅全喜（深圳市宝安区中医院）

彭泽通（广州中医药大学）

童　毅（广州中医药大学）

童家赟（广州中医药大学）

童毅华（中国科学院华南植物园）

曾飞燕（中国科学院华南植物园）

楼步青（广东省中医院）

廖文波（中山大学）

潘超美（广州中医药大学）

《中国中药资源大典·广东卷5》

编写委员会

主　　编　廖文波　凡　强　赵万义　潘超美

副主编　叶华谷　王亚荣　曾飞燕　彭泽通

编　　委（按姓氏笔画排序）

丁明艳　凡　强　王　妍　王亚荣　叶华谷　叶育石　刘忠成　李绪杰
沈静娜　张　忠　张代贵　张记军　张星月　陈功锡　陈再雄　陈志晖
陈京锐　陈春莲　陈秋梅　陈素芳　赵万义　胡　亮　龚琼凤　梁文星
彭泽通　曾飞燕　廖文波　熊亲戴　潘超美

摄　　影　叶华谷　廖文波　赵万义　凡　强　陈志晖　张记军　张　忠　潘超美
陈再雄　陈功锡　张代贵　胡　亮

《中国中药资源大典·广东卷 5》

编辑委员会

中药资源是中医药事业传承和发展的物质基础，是关系国计民生的战略性资源。为促进中药资源保护、开发和合理利用，国家中医药管理局组织开展了第四次全国中药资源普查。广东省得天独厚的地理环境，孕育了丰富多样、具有岭南特色的中药资源。《中国中药资源大典·广东卷》对广东省中药资源现状的总结，也是广东省中药资源普查成果的集中体现。

本书分上、中、下篇，上篇介绍了广东省中药资源概况、中药资源普查工作及中药资源产业现状等，中篇介绍了广东省23种道地、大宗中药资源的栽培面积、分布区域、资源利用等，下篇为广东省3 514种中药资源的基本信息。本书充分反映了广东省中药资源的最新研究成果，内容丰富，体例新颖，图文并茂，为一部具有较高学术价值和实用价值的工具书。

相信本书的出版可为进一步开展中药品质研究与评价、推动中药产业的健康和可持续发展、为地方制定中药产业政策提供支撑，为推动区域经济社会高质量发展贡献力量。

欣闻本书即将付梓，乐之为序。

中国工程院院士
中国中医科学院院长
第四次全国中药资源普查技术指导专家组组长
黄璐琦

2024年4月

序言

中药资源是中医药事业发展的物质基础，国家高度重视中药资源保护及其可持续利用。我国已开展了4次全国范围的中药资源普查，其中第四次全国中药资源普查工作起止时间为2011—2021年。第四次全国中药资源普查确认了我国共有18 817种药用资源，与第三次普查相比增加了6 000多种，其中，3 151种为我国特有的药用植物，464种为需要保护的物种；还发现196个新物种，其中约100种具有潜在药用价值。

广东省第四次中药资源普查工作于2014年开始、2021年11月结束，历时近8年，普查区域实现了对全省全部县级行政区域的覆盖。为推广中药资源普查成果，更好地服务于广东省中药产业发展，广东省第四次全国中药资源普查（试点）工作办公室（以下简称广东省普查办）、广东省中药资源普查（试点）工作技术专家指导委员会组织相关专家、学者和技术人员，从广东省中药资源概况、重点中药资源情况、中药资源监测体系建设、中药材种植生产区划、传统医药知识收集、种质资源圃建设等方面入手，进行了数据统计和细致的整理研究工作，汇总了广东省在中药资源保护、科研和产业等领域取得的一系列成果。一是基本摸清了广东省中药资源家底，为编制《中国中药资源大典·广东卷》提供了翔实的数据。本次普查共发现药用植物3 443种，其中涵盖栽培药用植物185种；发现新种8种，新分布记录属和新分布记录种共11种；对区域内水生和耐盐药用资源、菌类药用资源、瑶药资源等进行了专项调研，构建了广东省岭南中药资源信息管理系统。二是建立了广东省中药资源动态监测信息和技术服务体系，形成了区域内中药资源动态监测网络，与国家中药资源动态监测信息和技术服务体系实现了数据共享，形成了长效机制，可实时掌握广东省中药材的产量、流通量、价格和质量等的变化趋势，促进中药产业的健康发展。广东省中药资源普查过程中开展了区域内重点道地药材品种的标准化建设，开展了中药材产业扶贫行动，使中药材生产成为推进乡村振兴的重要抓手，为加快区域中药材产业的发展贡献了力量。三是建立了省级中药材种子种苗繁育基地、省中药药用植物重点物种保存圃和种质资源圃，保存广东省活体中药药用植物种质资源 2 639 份，从源头上保证了中药材的质量，促进了珍稀、濒危、道地药材的繁育和保护，凸显了中药资源保护和可持续利用工作的重要性。四是在汇总广东省中药资源相关传统知识调查成果的基础上，梳理了广东省岭南地区独特地理气候条件下的人群体质特点，形成了具有地域特色的岭南中医药学体系亮点，如广东凉茶、罗浮山百草油、沙溪凉茶、冯了性风湿跌打药酒、跌打万花油、乌鸡白凤丸等具有岭南特色的中药配伍应用；整理出岭南民间特色治疗验方 554 首，挖掘、传承、保护与中药资源相关的传统知识。五是汇编出版了《广东省中药资源志要》《梅州中草药图鉴》《乳源瑶医瑶药志要》《岭南采药录考释》等专著。

《中国中药资源大典·广东卷》是对广东省第四次中药资源普查工作成果的全面汇总，是全体普查人员经过多年努力，获得的广东省中药资源现状的第一手资料。《中国中药资源大典·广东卷》由广州中医药大学、中国科学院华南植物园、中山大学、南方医科大学、广东药科大学、华南农业大学等 17 个普查技术单位的 200 多位普查技术人员共同编撰完成。全书分为上篇、中篇、下篇，共 12 册。上篇全面介绍了广东省中药资源生态环境、分布概况，梳理了广东省中药资源和产业现状，对比广东省第三次中药资源普查结果，对广东省野生药用资源分布、人工种植（养殖）中药资源物种的变化、中药材市场流通情况、岭南民间用药特点等进行了分析，并提出了广东省中药资源区划和发展建议；中篇详细地介绍了广东省 23 种道地、大宗中药资源的资源情况、分布情况、栽培情况、采收应用等内容，为中药材产业的高质量发展提供了技术服务，为中药材生产布局提供了参考；下篇对广东省境内 3 514 种中药资源物种（药用植物、药用动物、药用矿物）做了图文并茂的介绍，展现了广东省中药资源领域的最新数据信息成果。《中国中药资源大典·广东卷》的出版客观真实地反映了广东省中药资源的整体情况，对广东省乃至全国中药资源的保护、合理利用、开发、科研、教学以及产业规划等将发挥重要的指导作用。

《中国中药资源大典·广东卷》编写委员会

2024 年 3 月

前言

广东省位于我国大陆最南端，北回归线横穿其中部。全省地势北高南低，山脉大多呈东北—西南走向。气候从北向南分别为中亚热带、南亚热带和热带气候，受海洋上的湿润气流影响，夏季高温多雨、多台风，冬季多干旱且有冷空气侵袭。广东省年平均气温为18.9～23.8 ℃，气温呈南高北低的特点，南端雷州半岛年平均气温最高，为23.8 ℃，粤北山区年平均气温最低，为18.9 ℃；历史极端最高气温为42.0 ℃，极端最低气温为−7.3 ℃。

广东省光、热、水资源丰富，得天独厚的地理环境和气候为生物的生长创造了优越的条件，动植物种类繁多，药用植物资源非常丰富。广东省的植被类型有纬度地带性分布的北亚热带季雨林、南亚热带季风常绿阔叶林、中亚热带典型常绿阔叶林和沿海的热带红树林，还有非纬度地带性分布的常绿落叶阔叶混交林、常绿针阔叶混交林、常绿针叶林、竹林、灌丛和草坡，以及水稻、甘蔗和茶树等栽培植被。

2014年，广东省启动了第四次中药资源普查工作，到2021年11月普查结束。广东省本次中药资源普查共记录调查信息445 240条、中药资源4 692种（已确认的药用植物3 443种），调查中药材栽培面积14.3万 hm^2，涵盖药用植物栽培品种185种；记录病虫害种类351种，调查市场主流药材品种852种，记录传统医药知识信息629条。通过统计分析现有典籍专著和文献记载的广东省药用资源种类信息，结合广东省本次中药资源普查结果，确定广东省现有中药资源种类为3 587种。广东省本次中药资源普查调查代表区域 368 个，调查样地 4 056 个，调查样方套 20 273 个，记录有蕴藏量的中药资源 330 种，收集药材标本 4 977 份、中药材种质资源 2 639 份。此外，本次普查还对广东省菌类和水生、耐盐等药用植物资源进行了专项调研，收载大型药用真菌 217 种，隶属 26 科 46 属；记录水生药用植物资源 160 种、耐盐药用植物资源 269 种。

广东省是我国南药的主产区，与第三次中药资源普查相比，其道地药材和岭南特色药材的生产现状发生了很大的变化。广东省目前生产的道地药材品种主要有春砂仁、何首乌、广藿香、巴戟天、白木香、檀香、穿心莲、肉桂、广陈皮、芡实、山柰、益智等，珍稀野生药材品种有金毛狗、桫椤、青天葵、华南龙胆、蛇足石杉、金线兰等，岭南特色药材品种有莪术、红豆蔻、草豆蔻、甘葛、广山药、猴耳环、溪黄草、凉粉草、九节茶、鸡骨草、广金钱草、牛大力、千斤拔、黑老虎、铁皮石斛等。

广东省是中成药、中药配方颗粒、凉茶的生产大省，每年消耗的中药原料达数千吨，而许多中药原料主要来源于野生资源，导致野生药用资源品种数和蕴藏量均急剧减少。为了保证国家基本药物所需中药原料的可持续利用，广东省大部分制药企业建立了配套的中成药原料基地，还建立了野生中药资源转家种的药材原料基地，主要种植品种有黑老虎、吴茱萸、猴耳环、九里香、白花蛇舌草、溪黄草、紫茉莉、岗梅、毛冬青、两面针、三桠苦、草珊瑚、南板蓝根、山银花、鸡血藤、虎杖、龙脷叶、金樱子、金毛狗、钩藤、土牛膝、佩兰、千年健、山豆根、桃金娘、五指毛桃、无花果、地胆草、紫花杜鹃、裸花紫珠等稀缺原料药材，这些药材种植基地的建立对广东省中药资源的保护和可持续利用具有重要意义。

广东省第四次中药资源普查为广东省中药材产业提供了准确的资源信息，已有的成果数据信息可以更好地服务于产业发展，同时也为区域内主管部门制定相关法规政策提供了数据支撑。我们对广东省近 8 年来的普查数据进行了系统、严谨的梳理和统计，这对促进区域内中药资源的保护和可持续利用、促进地方中药资源产业和国民经济的发展具有重要意义。

《中国中药资源大典·广东卷》编写委员会

2024 年 3 月

凡例

（1）本书分为上篇、中篇、下篇，共12册。上篇内容包括广东省自然地理概况、广东省第四次中药资源普查实施情况、广东省第四次中药资源普查成果、广东省中药资源发展存在的问题与建议；中篇重点介绍广东省23种道地、大宗中药资源；下篇是各论，共收载植物、动物、矿物等药用资源3 514种，以药用资源物种为单元进行介绍。本书主要参考《中国药典》《中国药材学》《中华本草》《中国植物志》《全国中草药汇编》等，以及历代本草文献等权威著作。为检索方便，本书在第1册正文前收录1～12册总目录，在页码前均标注了其所在册数（如“[1]”）。同时，还在第12册正文后附有1～12册所录中药资源的中文笔画索引、拉丁学名索引。

（2）植物分类系统。蕨类植物采用秦仁昌1978年分类系统。裸子植物采用郑万钧1975年分类系统。被子植物采用哈钦松分类系统。少数类群根据最新研究成果稍作调整；属、种按拉丁学名的字母顺序排列。

（3）本书下篇各品种按照其科名及属名、物种名、药材名、形态特征、生境分布、资源情况、采收加工、药材性状、功能主治、用法用量、凭证标本号、附注依次著述，资料不全者项目从略。

1）科名及属名。该项包括科、属的中文名和拉丁学名。

2）物种名。该项包括中文名和拉丁学名。

3）药材名。该项介绍药用部位及药材的别名。未查到药材别名的则内容从略。

4）形态特征。该项简要介绍物种的形态。

5）生境分布。该项介绍物种的生存环境及其在广东省的分布区域，栽培品种则介绍其主产地及道地产区。分布中的地级市专指其城区范围，不涵盖其管辖的县域范围，正文中采用“地级市（市区）”的形式表示，如“茂名（市区）”。

6）资源情况。该项介绍物种的蕴藏量情况，野生资源以丰富、较丰富、一般、较少、稀少表示，并说明药材来源于栽培资源还是野生资源。

7）采收加工。该项简要介绍药材的采收时间、采收方式及加工方法。

8）药材性状。该项主要介绍药材的性状特征。对于民间习用的鲜草药或冷背药材，则此项内容从略。

9）功能主治。该项介绍药材的味、性、毒性、归经、功能和主治。

10）用法用量。该项介绍药材的使用方法及用量范围。

11）凭证标本号。该项为第四次全国中药资源普查收载的物种标本号或补充收录物种的馆藏标本号。依据文献记载补充的经确认广东省已有、普查未收录的物种同时附上中国科学院华南植物园标本馆（IBSC）、深圳市中国科学院仙湖植物园植物标本馆（SZG）、广东省韩山师范学院植物标本室（CZH）等的标本号。补充收录的动物和矿物药用资源的标本号引用《广东中药志》《广东省中药材标准》《中国药用动物志》等文献的记录；菌类药用资源的标本号引用广东省科学院微生物研究所标本馆（GDGM）的标本号。

12）附注。该项简述物种的品种情况、民间使用情况、资源利用情况等内容。

目录 Contents

被子植物

杜英科 Elaeocarpaceae 杜英属 *Elaeocarpus*

中华杜英 *Elaeocarpus chinensis* (Gardn. et Champ.) Hook. f. ex Benth.

| 药 材 名 | 高山望（药用部位：根。别名：华杜英、小冬桃）。

| 形态特征 | 常绿小乔木。叶互生，卵状披针形，长 5 ~ 8 cm，宽 2 ~ 3 cm，全缘或边缘有锯齿，下面或有黑色腺点；叶柄长 1.5 ~ 2 cm。总状花序生于无叶老枝上；花两性或单性；萼片 5，披针形；花瓣 5，长圆形，先端不裂；雄蕊多数，花药先端无附属物；子房 2 室，胚珠 4。核果椭圆形，直径 5 mm。花期 5 ~ 6 月。

| 生境分布 | 生于海拔 350 ~ 850 m 的常绿林中。分布于广东乳源、新丰、乐昌、南雄、南澳、新会、信宜、封开、德庆、高要、博罗、龙门、大埔、蕉岭、连平、阳山、连山、英德、饶平及广州（市区）、深圳（市区）、梅州（市区）、河源（市区）、阳江（市区）等。

| 资源情况 | 野生资源一般，栽培资源较少。药材来源于野生和栽培。

| 采收加工 | 冬季采挖，洗净，切片。

| 功能主治 | 辛，温。活血化瘀，散瘀消肿。用于跌打损伤、瘀肿。

| 用法用量 | 内服煎汤，3 ~ 9 g。外用适量，鲜品捣敷。

| 凭证标本号 | 441622200923046LY。

杜英科 Elaeocarpaceae 杜英属 *Elaeocarpus*

杜英 *Elaeocarpus decipiens* Hemsl.

| 药 材 名 | 杜英（药用部位：根皮）。

| 形态特征 | 常绿乔木。叶革质，披针形或倒披针形，先端渐尖，基部下延，两面无毛，侧脉 7 ~ 9 对，边缘有小钝齿。总状花序生于叶腋及无叶老枝上，花序轴细，有微毛；花白色；萼片披针形；花瓣倒卵形，与萼片等长，上半部撕裂，裂片 14 ~ 16；雄蕊 25 ~ 30，花丝极短，花药先端无附属物；花盘 5 裂，有毛；子房 3 室，每室有 2 胚珠，花柱长 3.5 mm。核果椭圆形，长 2 ~ 2.5 cm，外果皮无毛，内果皮骨质，有多数沟纹，1 室；种子长 1.5 cm。花期 6 ~ 7 月。

| 生境分布 | 生于海拔 400 ~ 700 m 的山地常绿阔叶林中。分布于广东连州、连南、博罗、丰顺、蕉岭等。

| **资源情况** | 野生资源较少，栽培资源丰富。药材来源于野生和栽培。

| **采收加工** | 冬季采收。

| **功能主治** | 辛，温。散瘀消肿。用于跌打损伤、瘀肿。

| **凭证标本号** | 441422190126339LY。

杜英科 Elaeocarpaceae 杜英属 *Elaeocarpus*

褐毛杜英 *Elaeocarpus duclouxii* Gagnep.

|**药材名**| 冬桃杜英（药用部位：果实）。

|**形态特征**| 常绿乔木。幼枝被褐色茸毛。叶聚生于枝顶，革质，长圆形，长 6 ~ 15 cm，先端骤尖，基部楔形，下面被褐色茸毛，边缘有钝齿。总状花序生于无叶老枝上，长 4 ~ 7 cm，被褐色毛；萼片 5，披针形；花瓣 5，长 5 ~ 6 mm，两面被毛，上半部撕裂，裂片 10 ~ 12；雄蕊 28 ~ 30，长 3 mm，花丝极短；花盘 5 裂；子房 3 室，被毛，每室有 2 胚珠，花柱长 4 mm，基部有毛。核果椭圆形，无毛，内果皮坚骨质，厚 3 mm，多皱纹，1 室；种子长 1.4 ~ 1.8 cm。花期 6 ~ 7 月。

|**生境分布**| 生于海拔 700 ~ 950 m 的常绿林中。分布于广东曲江、始兴、仁化、翁源、乳源、新丰、乐昌、高州、信宜、封开、龙门、连平、阳山、

连山、英德、郁南、罗定及广州（市区）、茂名（市区）等。

| **资源情况** | 野生资源较少，栽培资源较少。药材来源于野生和栽培。

| **采收加工** | 秋、冬季采摘，晒干。

| **功能主治** | 苦，寒。清热解毒。

| **凭证标本号** | 441224180612035LY。

杜英科 Elaeocarpaceae 杜英属 *Elaeocarpus*

山杜英 *Elaeocarpus sylvestris* (Lour.) Poir.

| 药 材 名 | 羊屎树（药用部位：根皮。别名：羊仔树）。

| 形态特征 | 小乔木。高达 10 m。幼枝无毛。叶纸质，倒卵形，成熟叶长 4 ~ 8 cm，幼树叶长达 15 cm，宽 6 cm，无毛，先端钝，基部窄而下延，侧脉 5 ~ 6 对，边缘有波状钝齿；叶柄长 1 ~ 1.5 cm。子房圆锥状，高 3 mm，无毛，花柱丝状，长 3 mm，基部具关节，柱头头状，2 浅裂，具乳突。核果椭圆形，长 1 ~ 1.2 cm，内果皮薄骨质，有 3 腹缝沟。花期 4 ~ 5 月。

| 生境分布 | 生于常绿林中。广东各地均有分布。

| 资源情况 | 野生资源较丰富，栽培资源较少。药材来源于野生和栽培。

| **采收加工** | 秋、冬季采收。

| **功能主治** | 苦，凉。清热解毒，散瘀消肿。用于跌打瘀肿。

| **凭证标本号** | 440281190626021LY。

杜英科 Elaeocarpaceae 猴欢喜属 *Sloanea*

薄果猴欢喜 *Sloanea leptocarpa* Diels

| 药 材 名 | 北碚猴欢喜（药用部位：根或根皮）。

| 形态特征 | 乔木。幼枝被褐色柔毛，老枝无毛。叶革质，披针形，长 7 ~ 14 cm，宽 2 ~ 3.5 cm，下面有疏毛，侧脉 7 ~ 8 对，全缘；叶柄长 1 ~ 3 cm，被褐色柔毛。花生于叶腋，单生或数朵丛生；花梗长 1 ~ 2 cm；萼片 4 ~ 5，卵圆形，长 4 ~ 5 mm；花瓣 4 ~ 5，长 6 ~ 7 mm，先端撕裂；雄蕊多数，长 6 ~ 7 mm，花丝长 3 ~ 4 mm，花药有毛；子房被褐色毛，花柱纤细。蒴果球形，直径 1.5 ~ 2 cm，3 ~ 4 爿裂开；种子长 1 cm，黑色，假种皮干后淡黄色，长为种子之半。花期 4 ~ 5 月，果期 9 月。

| 生境分布 | 生于海拔 700 ~ 1 000 m 的常绿林中。分布于广东曲江、始兴、翁源、乐昌、信宜、怀集、封开、和平、连山、英德、连州及清远（市区）等。

| 资源情况 | 野生资源一般，栽培资源较少。药材来源于野生和栽培。

| 采收加工 | 秋、冬季采收。

| 功能主治 | 辛，温。消肿止痛，祛风除湿。

| 凭证标本号 | 440224190609007LY。

杜英科 Elaeocarpaceae 猴欢喜属 *Sloanea*

猴欢喜 *Sloanea sinensis* (Hance) Hemsl.

| 药材名 | 猴欢喜（药用部位：根）。

| 形态特征 | 常绿乔木。叶薄革质，长圆形或窄倒卵形，长 6 ~ 9 cm，宽 3 ~ 5 cm，先端骤尖，基部楔形，两面无毛，全缘或上部有小锯齿。花簇生于枝顶叶腋；花梗长 3 ~ 6 cm；萼片 4，宽卵形，长 6 ~ 8 mm，被柔毛；花瓣 4，长 7 ~ 9 mm，白色，先端撕裂，有缺齿；雄蕊与花瓣等长，花药长为花丝的 3 倍；子房被毛，花柱合生。蒴果，内果皮紫红色；种子椭圆形，长 1 ~ 1.3 cm，黑色；假种皮长 5 mm，干后黄色。花期 9 ~ 11 月，果期翌年 6 ~ 7 月。

| 生境分布 | 生于海拔 700 ~ 950 m 的常绿林中。分布于广东南部以外的各个地区。

| 资源情况 | 野生资源较少，栽培资源丰富。药材来源于野生和栽培。

| 采收加工 | 秋、冬季采挖，切片，晒干。

| 功能主治 | 辛，温。散寒行气，止痛。用于虚寒胃痛，腹痛。

| 用法用量 | 内服研末冲，1 ~ 3 g。

| 凭证标本号 | 441523190515033LY。

梧桐科 Sterculiaceae 昂天莲属 *Ambroma*

昂天莲 *Ambroma augusta* (Linn.) L. f.

| 药 材 名 | 仰天盅（药用部位：叶、根）。

| 形态特征 | 灌木。幼枝密被星状茸毛。叶心形或卵状心形，背面密被短茸毛，叶脉在两面均凸起。聚伞花序有花 1 ~ 5，红紫色，直径约 5 cm；花瓣 5，匙形；萼片 5，近基部连合，披针形，两面均密被短柔毛；发育雄蕊 15，每 3 成一群，退化雄蕊 5，近匙形，两面均被毛；子房长圆形，略被毛，有 5 沟纹。蒴果膜质，倒圆锥形，被星状毛，具 5 纵翅；种子多数，长圆形，黑色，长约 2 mm。花期春、夏季，果期秋季。

| 生境分布 | 生于山谷沟边或林缘。分布于广东高州、阳春及广州（市区）、茂名（市区）等。

| 资源情况 | 野生资源较少，栽培资源一般。药材来源于野生和栽培。

| 采收加工 | 叶，夏、秋季采收，晒干。根，秋、冬季采挖，洗净，切片，鲜用或晒干。

| 功能主治 | 微苦，平。活血散瘀，消肿，驳骨，通经。用于跌打骨折，月经不调，疮疖红肿。

| 用法用量 | 内服煎汤，9 ~ 15 g。

| 凭证标本号 | 440923140818004LY。

梧桐科 Sterculiaceae 刺果藤属 *Byttneria*

刺果藤 *Byttneria aspera* Colebr.

| 药 材 名 | 刺果藤（药用部位：根、茎）。

| 形态特征 | 木质大藤本。叶阔卵形、心形或近圆形，长 7 ~ 23 cm，宽 5.5 ~ 16 cm，先端钝或急尖，基部心形，下面被白色星状短柔毛；叶柄长 2 ~ 8 cm，被毛。花小，淡黄白色，内面略带紫红色；萼片卵形，长 2 mm，被短柔毛，先端急尖；花瓣与萼片互生；具药雄蕊 5，与退化雄蕊互生；子房 5 室，每室有 2 胚珠。蒴果圆球形或卵状圆球形，直径 3 ~ 4 cm，具短粗刺，被短柔毛；种子长圆形，长约 12 mm，成熟时黑色。花期春、夏季。

| 生境分布 | 生于疏林中或山谷溪旁。分布于广东南澳、台山、高州、博罗、惠东、龙门、海丰、东莞、饶平、新兴及广州（市区）、深圳（市区）、

珠海（市区）、茂名（市区）、肇庆（市区）、阳江（市区）、云浮（市区）等。

| 资源情况 | 野生资源较丰富，栽培资源一般。药材来源于野生和栽培。

| 采收加工 | 夏、秋季采收，晒干。

| 功能主治 | 苦、辛，平。补血，祛风，消肿，接骨。用于风湿骨痛，跌打骨折。

| 用法用量 | 内服煎汤，9 ~ 15 g。外用适量，捣敷。

| 凭证标本号 | 441284191207355LY。

梧桐科 Sterculiaceae 梧桐属 *Firmiana*

梧桐 *Firmiana simplex* F. W. Wight

| 药 材 名 | 梧桐（药用部位：全株或根、茎皮、种子、叶、花）。

| 形态特征 | 落叶乔木。树皮青绿色，平滑。叶心形，掌状 3 ~ 5 裂，裂片三角形，基出脉 7。圆锥花序顶生，花淡黄绿色；花萼 5 深裂几至基部，萼片条形，向外卷曲，外面被淡黄色短柔毛；雄花的雌雄蕊柄与花萼等长，下半部较粗，无毛，15 花药不规则地聚集在雌雄蕊柄的先端。蓇葖果膜质，有柄，成熟前开裂成叶状，外面被短茸毛或几无毛，每蓇葖果有种子 2 ~ 4；种子圆球形，表面有皱纹，直径 6 ~ 8 mm。花期 6 月。

| 生境分布 | 栽培种。广东乳源、乐昌、南雄、连南及深圳（市区）、广州（市区）、珠海（市区）、肇庆（市区）等有栽培。

| 资源情况 | 栽培资源丰富。药材来源于栽培。

| 采收加工 | 夏、秋季采收，晒干。

| 药材性状 | 本品种子为圆球形，直径 6 ~ 8 mm，棕色或棕黄色，有网状皱纹，微显光泽，质轻而硬，除去种皮，可见淡红色外胚乳，其内为肉质、白色内胚乳，均富油质。气微，味微甜。以大小均匀、色棕黄、无杂质者为佳。

| 功能主治 | 根，苦，凉。祛风湿，杀虫。用于风湿关节痛，肺结核咯血，跌打损伤，带下，丝虫病，蛔虫病。茎皮，苦，凉。祛风湿，杀虫。用于痔疮，脱肛。种子，甘，平。顺气和胃，补肾。用于胃痛，伤食腹泻，小儿口疮，须发早白。叶，甘，平。镇静，降血压，祛风，解毒。用于冠心病，高血压，风湿关节痛，阳痿，遗精，神经衰弱，银屑病，痈疮肿毒。花，利湿消肿，清热解毒。用于烫火伤，水肿。

| 用法用量 | 内服煎汤，9 ~ 15 g。叶，外用适量，研末敷；或捣敷。

| 凭证标本号 | 440308200830016LY。

梧桐科 Sterculiaceae 山芝麻属 *Helicteres*

山芝麻 *Helicteres angustifolia* Linn.

| 药 材 名 |

坡油麻（药用部位：根、茎。别名：山油麻、山脂麻）。

| 形态特征 |

小灌木。小枝被灰绿色短柔毛。叶狭长圆形或条状披针形，先端钝或急尖，背面被灰白色或淡黄色星状茸毛。聚伞花序有 2 至数朵花；花萼管状，被星状短柔毛，5 裂，裂片三角形；花瓣 5，淡红色或紫红色，比花萼略长；雄蕊 10，退化雄蕊 5，线形；子房 5 室，被毛，较花柱略短，每室有胚珠约 10。蒴果卵状长圆形，先端急尖，密被星状毛及混生长茸毛；种子小，褐色，有椭圆形小斑点。花期几乎全年。

| 生境分布 |

生于干热的山地、丘陵灌丛或旷野、山坡草地上。广东各地均有分布。

| 资源情况 |

野生资源较丰富，栽培资源一般。药材来源于野生和栽培。

| 采收加工 | 全年均可采收，洗净，切段，晒干。

| 药材性状 | 本品根呈长短不等的圆柱状，稍弯曲，直径 0.3 ~ 1.5 cm，黑褐色至灰棕色，偶有不规则的纵皱纹及细根痕；质坚硬，不易折断，断面不平整，皮部浅棕色，易剥落，呈纤维状，木部黄白色。气微，味苦。以条粗、坚实、皮厚者为佳。

| 功能主治 | 苦、微甘，寒；有小毒。清热解毒，止咳。用于感冒高热，扁桃体炎，咽喉炎，腮腺炎，麻疹，咳嗽，疟疾；外用于毒蛇咬伤，外伤出血，痔疮，痈肿疔疮。

| 用法用量 | 内服煎汤，9 ~ 15 g。根，外用适量，研末敷；或米酒调敷。孕妇及体弱者忌服。

| 凭证标本号 | 441523190921001LY。

梧桐科 Sterculiaceae 山芝麻属 *Helicteres*

雁婆麻 *Helicteres hirsuta* Lour.

| 药 材 名 | 肖婆麻（药用部位：根）。

| 形态特征 | 灌木。叶卵形，边缘有不规则锯齿，两面均密被星状柔毛。聚伞花序腋生，伸长如穗状；花梗比花短，有关节，基部有小苞片；花萼管状，长 12 ~ 15 mm，4 ~ 5 裂，被短柔毛；花瓣 5，长 2 ~ 2.5 cm；雌雄蕊柄无毛，雄蕊 10，退化雄蕊 5，与花丝等长；子房 5 室，具乳头状小突起，花柱与子房等长，子房每室有胚珠 20 ~ 30。成熟蒴果呈圆柱状，先端具喙，密被长茸毛并具乳头状突起；种子多数，表面多皱纹。花期 4 ~ 9 月。

| 生境分布 | 生于山地旷野疏林中和灌丛中。分布于广东台山、廉江、雷州、高州及茂名（市区）、湛江（市区）、广州（市区）、珠海（市区）等。

| 资源情况 | 野生资源较少，栽培资源丰富。药材来源于野生和栽培。

| 采收加工 | 秋季采收。

| 药材性状 | 本品呈圆柱形，微扭曲，有分枝，长短不一，直径 0.2 ~ 1.5 cm。表面灰黄色或灰褐色，有纵皱纹及侧根痕。质坚韧，不易折断，断面纤维性。气微，味淡。

| 功能主治 | 用于慢性胃炎，胃痛，胃溃疡，消化不良。

| 用法用量 | 内服煎汤，15 ~ 25 g。外用适量，研末敷；或米酒调敷。

| 凭证标本号 | 440882180603002LY。

梧桐科 Sterculiaceae 山芝麻属 *Helicteres*

剑叶山芝麻 *Helicteres lanceolata* DC.

| 药 材 名 | 大山芝麻（药用部位：根）。

| 形态特征 | 灌木。小枝密被黄褐色星状柔毛。叶披针形或长圆状披针形，长 3.5 ~ 7.5 cm，先端尖或渐尖，两面被黄褐色星状柔毛，全缘或近先端有数个小锯齿；叶柄长 3 ~ 9 mm。花簇生于叶腋，或排成长 1 ~ 2 cm 的聚伞花序；花长约 1.2 cm；花萼筒状，5 浅裂，被毛；花瓣 5，红紫色，不等大；雌雄蕊柄的基部被柔毛；雄蕊 10，花药外向，退化雄蕊 5，线状披针形；子房 5 室，每室有约 12 胚珠。蒴果圆筒状，长 2 ~ 2.5 cm，先端有喙，密被长茸毛。

| 生境分布 | 生于山坡草地上或灌丛中。分布于广东茂名（市区）等。

| **资源情况** | 野生资源较少，栽培资源丰富。药材来源于野生和栽培。

| **采收加工** | 秋季采挖，洗净，切段，晒干。

| **功能主治** | 辛、苦，寒。清热解毒。用于感冒，麻疹。

| **用法用量** | 内服煎汤，9 ~ 15 g。

| **凭证标本号** | 441422190501737LY。

梧桐科 Sterculiaceae 银叶树属 *Heritiera*

银叶树 *Heritiera littoralis* Dryand.

| 药材名 |

大白叶仔（药用部位：种子）。

| 形态特征 |

常绿乔木。幼枝被白色鳞秕。叶长圆状披针形、椭圆形或卵形，长 10 ~ 20 cm，下面密被银白色鳞秕；叶柄长 1 ~ 2 cm；圆锥花序腋生，长约 8 cm，密被星状毛和鳞秕；花红褐色；花萼钟状，长 4 ~ 6mm，两面被星状毛，5 浅裂，裂片三角形，长约 2 mm；雄花的花盘较薄；雌雄蕊柄短而无毛，4 ~ 5 花药在雌雄蕊柄先端排成 1 环。果实木质，呈坚果状，近椭圆形，光滑，干时黄褐色，长约 6 cm，背有龙骨状突起。花期夏季。

| 生境分布 |

生于海岸附近。分布于广东台山、海丰及深圳（市区）等。广东沿海地区多有栽培。

| 资源情况 |

野生资源较少，栽培资源丰富。药材来源于野生和栽培。

| 采收加工 | 夏、秋季采收，鲜用或晒干。

| 功能主治 | 甘、涩，平。涩肠止泻。用于腹泻，痢疾。

| 用法用量 | 内服煎汤，6 ~ 12 g。

| 凭证标本号 | 440882180602645LY。

梧桐科 Sterculiaceae 马松子属 *Melochia*

马松子 *Melochia corchorifolia* Linn.

| 药 材 名 | 过路黄（药用部位：叶。别名：野路葵）。

| 形态特征 | 亚灌木状草本。枝黄褐色，略被星状柔毛。叶薄纸质，卵形或披针形，长 2.5 ~ 7 cm，宽 1 ~ 1.3 cm，有锯齿，下面略被星状柔毛；叶柄长 0.5 ~ 2.5 cm。花萼钟状，5 浅裂，长约 2.5 mm，外面被长毛，内面无毛，裂片三角形；花瓣 5，白色，后淡红色，长圆形，基部收缩；雄蕊 5，下部连合成筒，与花瓣对生；子房无柄，5 室，密被柔毛，花柱 5，线状。蒴果球形，有 5 棱，直径 5 ~ 6 mm，被长柔毛；种子卵圆形，略呈三角状，褐黑色，长 2 ~ 3 mm。

| 生境分布 | 生于田野间或低丘陵地。分布于广东始兴、翁源、乐昌、徐闻、高要、大埔、连平、和平、阳山、连山、郁南、罗定及广州（市区）、

深圳（市区）、珠海（市区）、东莞等。

| 资源情况 | 野生资源较少，栽培资源丰富。药材来源于野生和栽培。

| 采收加工 | 夏、秋季采收，扎把晒干。

| 药材性状 | 本品呈卵形或三角状披针形，基部圆形、截形或浅心形，边缘有小齿，下面沿叶脉疏被短毛，叶长 1 ~ 7 cm，宽 1 ~ 1.3 cm；叶柄长 0.5 ~ 2.5 mm。气微，味苦。

| 功能主治 | 淡，平。清热利湿。用于黄疸性肝炎。

| 用法用量 | 内服煎汤，10 ~ 30 g。外用适量，煎汤洗。

| 凭证标本号 | 441622200919002LY。

刘克明提供

刘克明提供

梧桐科 Sterculiaceae 午时花属 *Pentapetes*

午时花 *Pentapetes phoenicea* Linn.

| 药 材 名 | 半支莲（药用部位：花、根）。

| 形态特征 | 一年生草本。叶互生，线状披针形，先端渐尖，有钝齿；叶柄长 1 ~ 2.5 cm。花腋生；小苞片 3，锥尖状，早落；萼片 5，披针形，长约 1 cm，被星状毛；花瓣 5，红色，宽倒卵形，长约 1.2 cm；雄蕊 15，每 3 集合，与退化雄蕊互生，退化雄蕊 5，与花瓣近等长，基部连合；子房无柄，5 室，花柱线形，无毛。蒴果近球形，直径约 1.2 cm，被星状毛，每室有 8 ~ 12 种子，排成 2 列；种子椭圆形，有胚乳，子叶 2 深裂，褶扇状。花期夏、秋季。

| 生境分布 | 栽培种。广东各地城市园林有引种栽培。

| 资源情况 | 栽培资源丰富。药材来源于栽培。

| 采收加工 | 夏季采摘花，秋、冬季采挖根，晒干。

| 功能主治 | 辛、微苦，凉。透表，止咳。用于肿瘤，乳腺炎，腮腺炎。

| 用法用量 | 内服煎汤，25 ~ 50 g。外用适量，捣敷。

梧桐科 Sterculiaceae 翅子树属 *Pterospermum*

翅子树 *Pterospermum acerifolium* Willd.

| 药 材 名 | 翅子木（药用部位：叶。别名：白桐）。

| 形态特征 | 大乔木。幼枝密被茸毛。叶近圆形或长圆形，全缘，长 24 ~ 34 cm，下面密被淡黄色或带灰色星状茸毛；叶柄粗；托叶条裂，早落。花单生，白色，芳香；萼片 5，长 9 cm，密被黄褐色星状茸毛，内面被白色长柔毛；花瓣 5，线状长圆形，宽 7 mm，稍短于花萼。蒴果木质，长圆状圆筒形，具柄，有 5 不明显凹陷面或浅沟，长 10 ~ 15 cm，初被淡红褐色茸毛，后无毛，每室有多数种子；种子斜卵圆形，翅褐色。

| 生境分布 | 生于海拔 1 200 ~ 1 640 m 的山坡上。分布于广东曲江、翁源、乐昌、宝安、南澳、徐闻、信宜、广宁、封开、高要、大埔、和平、阳山、

英德、新兴及广州（市区）、茂名（市区）、惠州（市区）、河源（市区）、阳江（市区）、清远（市区）等。

｜资源情况｜ 野生资源较少，栽培资源丰富。药材来源于野生和栽培。

｜采收加工｜ 夏、秋季采收，鲜用。

｜药材性状｜ 本品呈近圆形或长圆形，长 24 ~ 34 cm，宽 14 ~ 29 cm，先端截形或近圆形，并有浅裂或突尖，全缘、浅裂或有粗齿，基部心形，叶面被稀疏的毛或几无毛，叶背密被淡黄色或带灰色星状茸毛，基出脉 7 ~ 12，叶脉在叶背凸出，革质；叶柄粗壮，有条纹。气微，味微苦。

｜功能主治｜ 微苦，平。散瘀止血。

｜用法用量｜ 内服煎汤，6 ~ 15 g。外用适量，捣敷。

梧桐科 Sterculiaceae 翅子树属 *Pterospermum*

翻白叶树 *Pterospermum heterophyllum* Hance

| 药 材 名 | 半枫荷（药用部位：根、茎枝。别名：异叶翅子树）。

| 形态特征 | 乔木。高达 20 m。树皮灰色或灰褐色，小枝被黄褐色短柔毛。叶二型，生于幼树或萌蘖枝上的叶盾形，掌状 3 ~ 5 裂，叶背面密被黄褐色星状短柔毛。聚伞花序；花腋生，青白色；萼片 5，两面均被柔毛；花瓣 5，倒披针形，与萼片等长；雄蕊 15，退化雄蕊 5，线状；子房卵圆形，5 室，被长柔毛，花柱无毛。蒴果木质，长圆卵形，被黄褐色绒毛，先端钝，基部渐狭，果柄粗壮；种子具膜质翅。花期秋季。

| 生境分布 | 生于丘陵林中。广东大部分地区有分布。

| 资源情况 | 野生资源较少，栽培资源丰富。药材来源于野生和栽培。

| 采收加工 | 根，全年均可采挖，洗净，切片，晒干。

| 药材性状 | 本品根为不规则片块，宽 3 ~ 6 cm，厚 0.5 ~ 2 cm；外皮灰褐色至红褐色，具纵皱纹及疣突状皮孔，韧皮部棕褐色，木质部红棕色；横断面纹理细致，纵向切面有纵纹及不规则裂缝；质坚硬，纵向撕裂时稍呈纤维状。气微，味淡、微涩。以片薄、色红棕、无白木者为佳。

| 功能主治 | 甘，温。祛风除湿，舒筋活血。用于风湿骨痛，风湿性关节炎，类风湿性关节炎，腰肌劳损，慢性腰腿痛，半身不遂，跌打损伤；外用于刀伤出血。

| 用法用量 | 内服煎汤，15 ~ 30 g。

| 凭证标本号 | 440781190826015LY。

梧桐科 Sterculiaceae 翅子树属 *Pterospermum*

窄叶半枫荷 *Pterospermum lanceaefolium* Roxb.

| 药 材 名 | 窄叶翅子树（药用部位：根、茎枝。别名：假木棉、翅子树）。

| 形态特征 | 乔木。树皮黄褐色或灰色，有纵裂纹；小枝幼时被黄褐色茸毛。叶披针形，全缘或在先端有数个锯齿，背面密被黄褐色或黄白色茸毛；托叶 2 ～ 3 条裂，被茸毛。花白色，单生于叶腋；花梗长 3 ～ 5 cm，有关节，被茸毛；萼片 5，条形，两面均被柔毛；花瓣 5，披针形；雄蕊 15，退化雄蕊线形，比雄蕊长，基部被长茸毛；子房被柔毛。蒴果木质，长圆状卵形，被黄褐色茸毛，果柄柔弱，长达 3.5 cm；种子每室 2 ～ 4，连翅长 2 ～ 2.5 cm。花期春、夏季。

| 生境分布 | 生于丘陵林中。分布于广东信宜、高要等。

| 资源情况 | 野生资源较少，栽培资源丰富。药材来源于野生和栽培。

| 采收加工 | 夏、秋季采收，晒干。

| 药材性状 | 本品根常为厚约 3 mm 的饮片，栓皮浅棕色，木质部浅红棕色；质略松，易碎。

| 功能主治 | 辛、苦，平。祛风除湿。用于风湿痹痛，关节炎，筋骨疼痛。

| 用法用量 | 内服煎汤，10 ~ 15 g。

梧桐科 Sterculiaceae 苹婆属 *Sterculia*

假苹婆 *Sterculia lanceolata* Cav.

| 药 材 名 | 赛苹婆（药用部位：叶。别名：鸡冠木、山羊角）。

| 形态特征 | 乔木。幼枝被毛。叶椭圆形或披针形，长 9 ~ 20 cm；叶柄长 2.5 ~ 3.5 cm。圆锥花序腋生，长 4 ~ 10 cm，密集，多分枝；花淡红色；萼片 5，基部连合，外展如星状，长圆状披针形，长 4 ~ 6 mm，被柔毛，边缘有缘毛；雄花的雌雄蕊柄长 2 ~ 3 mm，花药约 10；雌花子房球形，被毛，花柱弯曲，柱头不明显 5 裂。蓇葖果鲜红色，长椭圆形，长 5 ~ 7 cm，先端有喙，基部渐窄，密被柔毛；种子 2 ~ 4，椭圆状卵圆形，黑褐色，直径约 1 cm。花期 4 ~ 6 月。

| 生境分布 | 生于低山的次生林或村边、路旁的风水林中。广东各地均有分布。

| 资源情况 | 野生资源较少，栽培资源丰富。药材来源于野生和栽培。

| 采收加工 | 夏、秋季采收，鲜用或晒干。

| 功能主治 | 辛，温。散瘀止痛，消肿。用于跌打损伤。

| 用法用量 | 内服煎汤，6 ~ 12 g。外用适量，煎汤洗。

| 凭证标本号 | 441523190404016LY。

梧桐科 Sterculiaceae 苹婆属 *Sterculia*

苹婆 *Sterculia nobilis* Smith

| 药 材 名 | 凤眼果（药用部位：叶、果壳。别名：鸡冠子、九层皮）。

| 形态特征 | 乔木。树皮褐黑色，小枝幼时略有星状毛。叶薄革质，长圆形，两面均无毛。圆锥花序顶生或腋生，有短柔毛；花萼初时乳白色，后转为淡红色，钟状，外面有短柔毛，5 裂，裂片条状披针形，先端渐尖且向内曲，在先端互相贴合；雄花较多，雌雄蕊柄弯曲，无毛，花药黄色；雌花较少，略大，子房圆球形，有 5 沟纹，密被毛，花柱弯曲，柱头 5 浅裂。蓇葖果鲜红色，厚革质，长圆状卵形，先端有喙，有种子 1 ～ 4；种子椭圆形或长圆形，黑褐色。花期 4 ～ 5 月。

| 生境分布 | 生于山地疏林或灌丛中。广东大部分地区有栽培。

| 资源情况 | 野生资源较少，栽培资源丰富。药材来源于野生和栽培。

| 采收加工 | 夏、秋季采收，晒干。

| 功能主治 | 甘，平。和胃消食，解毒杀虫。叶用于风湿骨痛，水肿；果壳用于血痢。

| 用法用量 | 内服煎汤，20 ~ 30 g。

| 凭证标本号 | 441284190726313LY。

梧桐科 Sterculiaceae 可可属 *Theobroma*

可可 *Theobroma cacao* Linn.

| 药 材 名 | 可可（药用部位：种子）。

| 形态特征 | 常绿乔木。幼枝被柔毛。叶具短柄，卵状长椭圆形，长 20 ~ 30 cm；托叶线形，早落。花直径约 1.8 cm；花梗长约 1.2 cm；花萼粉红色，萼片 5，长披针形，宿存；花瓣 5，淡黄色，下部盔状并骤窄而反卷；退化雄蕊线状，发育雄蕊与花瓣对生。核果椭圆形，有 10 纵沟，干后内侧 5 纵沟不明显，初淡绿色，后深黄色或近红色，干后褐色，果皮厚，肉质，干后硬木质，每室有 12 ~ 14 种子；种子卵圆形，稍扁。

| 生境分布 | 栽培种。广东广州（市区）、湛江（市区）等有引种栽培。

| 资源情况 | 栽培资源丰富。药材来源于栽培。

| 采收加工 | 秋季采收。

| 功能主治 | 甘，平。归肝、脾、膀胱经。强心，利尿。

| 用法用量 | 内服适量，沸水冲饮。外用适量，研末涂搽。饮用宜适量，过量有害。

梧桐科 Sterculiaceae 蛇婆子属 *Waltheria*

蛇婆子 *Waltheria indica* Linn.

| 药 材 名 |

满地毯（药用部位：根、茎）。

| 形态特征 |

略直立或匍匐状亚灌木。叶卵形或长椭圆状卵形，边缘有小齿，两面均密被短柔毛；叶柄长 0.5 ~ 1 cm。聚伞花序腋生，头状，近无轴或有长约 1.5 cm 的花序轴；花瓣 5，淡黄色，匙形，先端截形，比花萼略长；雄蕊 5，花丝合生成筒状，包围雌蕊；子房无柄，被短柔毛，花柱偏生，柱头流苏状。蒴果小，2 瓣裂，倒卵形，被毛，为宿存的花萼所包围；种子倒卵形。花期夏、秋季。

| 生境分布 |

生于山野、旷地及坡地上。分布于广东台山、徐闻及广州（市区）、深圳（市区）、珠海（市区）、阳江（市区）等。

| 资源情况 |

野生资源较少，栽培资源丰富。药材来源于野生和栽培。

| 采收加工 |

秋季采收，洗净，切片或段，晒干。

| 功能主治 | 辛、微甘，平。祛湿祛风，消炎，解毒。用于黄疸性肝炎，腹泻，眼热红肿，小儿疳积，带下。

| 用法用量 | 内服煎汤，30 ~ 60 g。

| 凭证标本号 | 440781190515019LY。

木棉科 Bombacaceae 木棉属 *Bombax*

木棉 *Bombax ceiba* Linn.[*Gossampinus malabarica* (DC.) Merr.]

| 药 材 名 | 红棉（药用部位：花、茎皮、根或根皮。别名：英雄树、攀枝花）。

| 形态特征 | 落叶大乔木。树皮灰白色，幼树树干或老枝有短粗的圆锥状刺。掌状复叶有 5 ~ 7 小叶；小叶长圆形至长圆状披针形，全缘，无毛，羽状侧脉 15 ~ 17 对，其间有一较细的 2 级侧脉。花簇生于枝顶，先于叶开放，红色或橙红色；花萼杯状，质厚，常 3 ~ 5 浅裂；花瓣肉质，倒卵状长圆形，两面均被星状柔毛；雄蕊多数，排成 3 轮；雄蕊管短，花丝较粗，中间 10 雄蕊较短，集成 5 束。蒴果大，木质，内面有绵毛；种子多数黑色。花期 3 ~ 4 月，果熟期夏季。

| 生境分布 | 生于低山疏林、树边路旁及庭园中。广东大部分地区有栽培。

| 资源情况 | 野生资源较少，栽培资源丰富。药材来源于野生和栽培。

| 采收加工 | 花，春季采收，晒干。

| 药材性状 | 本品花常皱缩成团，长 5 ～ 8 cm；花萼杯状，长 2.5 ～ 4 cm，直径 2 ～ 3 cm，先端 3 ～ 5 裂，厚革质，甚脆，外表面棕褐色，有纵皱纹，内表面被灰黄色短绒毛；花瓣 5，皱缩或破碎，外表面红棕色或深棕色，被星状毛，内表面红棕色，星状毛较少；雄蕊多数，排成多列，基部合生，呈筒状，花药肾形，卷曲。气微，味淡、微甘。以朵大完整、色棕黄者为佳。

| 功能主治 | 花，甘、淡，凉。清热利湿，解暑。茎皮，微苦，凉。祛风除湿，活血消肿。根或根皮，微苦，凉。散结止痛。

| 用法用量 | 内服煎汤，花 9 ～ 15 g，茎皮 15 ～ 30 g，根 30 ～ 60 g。

| 凭证标本号 | 440923161205011LY。

木棉科 Bombacaceae 吉贝属 *Ceiba*

吉贝 *Ceiba pentandra* (Linn.) Gaertn.

| 药 材 名 | 吉贝（药用部位：根皮、花。别名：美洲木棉）。

| 形态特征 | 落叶大乔木。幼枝有刺。叶长 5 ~ 16 cm，全缘或近先端有极疏细齿，下面带白霜；叶柄长 7 ~ 14 cm。花多数簇生于上部叶腋；花梗长 2.5 ~ 5 cm，无总梗；花萼长 1.25 ~ 2 cm；花瓣倒卵状长圆形，长 2.5 ~ 4 cm，外面密被白色长柔毛；雄蕊管上部花丝不等高分离，花药肾形；子房无毛，花柱长 2.5 ~ 3.5 cm，棒状，5 浅裂。蒴果长圆形，向上渐窄，长 7.5 ~ 15 cm，5 裂，果实内面密生丝状绵毛，果柄长 7 ~ 25 cm；种子圆形，平滑。花期 3 ~ 4 月。

| 生境分布 | 栽培种。广东大部分地区有栽培。

| 资源情况 | 栽培资源丰富。药材来源于栽培。

| 采收加工 | 花，春季采摘，晒干。

| 功能主治 | 淡，微寒。除痰火，解疮毒，清热除湿，助消化。

| 凭证标本号 | 440783190717002LY。

锦葵科 Malvaceae 秋葵属 *Abelmoschus*

咖啡黄葵 *Abelmoschus esculentus* (Linn.) Moench

| 药 材 名 | 黄秋葵（药用部位：根、叶、花、种子。别名：补肾菜、秋葵、糊麻）。

| 形态特征 | 一年生草本。茎圆柱形，疏生散刺。叶掌状 3 ～ 7 裂，裂片阔至狭，边缘具粗齿及凹缺，两面均疏被硬毛；托叶线形，疏被硬毛。花单生于叶腋间；花萼钟形，较长于小苞片，密被星状短绒毛；花黄色，内面基部紫色，直径 5 ～ 7 cm，花瓣倒卵形，长 4 ～ 5 cm。蒴果筒状尖塔形，先端具长喙，疏被糙硬毛；种子球形，多数，具毛脉纹。花期 5 ～ 9 月。

| 生境分布 | 栽培种。广东部分地区有栽培。

| 资源情况 | 栽培资源丰富。药材来源于栽培。

| 采收加工 | 根，11 月至翌年 2 月采挖，抖去泥土，晒干或炕干。叶，9 ~ 10 月采收，晒干。花，6 ~ 8 月采摘，晒干。种子，9 ~ 10 月采摘成熟果实，脱粒，晒干。

| 功能主治 | 淡，寒。利咽，通淋，下乳，调经。用于咽喉肿痛，小便淋痛，产后乳汁稀少，月经不调。

| 用法用量 | 内服煎汤，9 ~ 15 g。

锦葵科 Malvaceae 秋葵属 *Abelmoschus*

黄蜀葵 *Abelmoschus manihot* (Linn.) Medicus

| 药 材 名 | 追风药（药用部位：根、种子。别名：疽疮药、棉花葵、秋葵）。

| 形态特征 | 多年生草本，全株疏被长硬毛。叶近圆形，掌状 5 ~ 9 深裂，裂片长圆状披针形，先端渐尖，具粗钝锯齿。花单生于枝端叶腋；小苞片卵状披针形，疏被长硬毛；花萼佛焰苞状，近全缘，先端具 5 齿；花冠漏斗状，淡黄色，内面基部紫色；花瓣 5，宽倒卵形；雄蕊柱无毛，基部着生花药，花药近无柄；花柱分枝 5，柱头紫黑色，匙状盘形。蒴果卵状椭圆形，被硬毛；种子多数，肾形，被多条由短柔毛组成的纵条纹。花期 7 ~ 10 月。

| 生境分布 | 生于山坡、沟谷、路边的灌丛中。分布于广东连山等。

| 资源情况 | 野生资源较少，栽培资源丰富。药材来源于野生和栽培。

| 采收加工 | 秋季采挖根。秋季采收种子，晒干。

| 功能主治 | 甘，寒。清热解毒，润燥滑肠。

| 用法用量 | 内服煎汤，种子 15 ~ 25 g；或研末，2.5 ~ 5 g。外用适量，鲜根捣敷。

| 凭证标本号 | 440783190718004LY。

锦葵科 Malvaceae 秋葵属 *Abelmoschus*

黄葵 *Abelmoschus moschatus* (Linn.) Medicus

| 药 材 名 | 麝香秋葵（药用部位：全草或叶、花。别名：山芙蓉、芙蓉麻、黄蜀葵）。

| 形态特征 | 一年生或二年生草本。全体被粗毛。叶常掌状 5 ~ 7 深裂，裂片披针形至三角形，边缘具不规则锯齿，两面均疏被硬毛。花单生于叶腋间；花梗长 2 ~ 3 cm，被倒硬毛；小苞片 8 ~ 10，线形，长 10 ~ 13 mm；花萼佛焰苞状，长 2 ~ 3 cm，5 裂，常早落；花黄色，内面基部暗紫色，直径 7 ~ 12 cm；雄蕊柱长约 2.5 cm，平滑无毛；花柱分枝 5，柱头盘状。蒴果长圆形，长 5 ~ 6 cm，先端尖，被黄色长硬毛；种子肾形，具腺状脉纹，有香味。花期 6 ~ 12 月。

| 生境分布 | 生于平原、园地、林缘、旷地、路旁等的灌丛中。广东各地均有

分布。

| 资源情况 | 野生资源较少，栽培资源丰富。药材来源于野生和栽培。

| 采收加工 | 全草，夏、秋季采收，晒干。叶，夏、秋季采收，多鲜用。

| 功能主治 | 微甘，凉。清热利湿，拔毒排脓。

| 用法用量 | 内服煎汤，9 ~ 15 g。外用适量，叶捣敷；花浸油涂。

| 凭证标本号 | 441825190926024LY。

锦葵科 Malvaceae 秋葵属 *Abelmoschus*

箭叶秋葵 *Abelmoschus sagittifolius* (Kurz) Merr.

| 药 材 名 | 五指山参（药用部位：根。别名：小红芙蓉）。

| 形态特征 | 多年生草本，具萝卜状肉质根。小枝被糙硬长毛。叶形多样，下部的叶卵形，中部以上的叶卵状戟形、箭形至掌状 3 ~ 5 浅裂或深裂，裂片阔卵形至阔披针形，边缘具锯齿或缺刻，叶面疏被刺毛，背面被长硬毛。花单生于叶腋；花梗纤细；花萼佛焰苞状，先端具 5 齿，密被细绒毛；花红色或黄色，花瓣倒卵状长圆形；雄蕊柱平滑无毛；花柱分枝 5，柱头扁平。蒴果椭圆形，被刺毛，具短喙；种子肾形，具腺状条纹。花期 5 ~ 9 月。

| 生境分布 | 生于山坡、田边、路旁或丘陵草地上。分布于广东雷州半岛等。

| 资源情况 | 野生资源较少，栽培资源丰富。药材来源于野生和栽培。

| 采收加工 | 夏、秋季采收，晒干。

| 功能主治 | 甘、淡，温。滋补强壮，利水渗湿。用于头晕，胃痛，腰腿痛，关节痛，气虚，小便短赤。

| 用法用量 | 内服煎汤，9 ~ 15 g。

| 凭证标本号 | 440281200709014LY。

锦葵科 Malvaceae 苘麻属 *Abutilon*

磨盘草 *Abutilon indicum* (Linn.) Sweet

| 药 材 名 | 耳响草（药用部位：全草。别名：磨挡草、石磨子、磨仔草）。

| 形态特征 | 一年生或多年生亚灌木状草本，直立，高 0.5 ~ 2.5 m，几全株被灰白色柔毛。单叶互生，卵形至阔卵形，长 3 ~ 10 cm，宽 3 ~ 8 cm，先端短尖或渐尖，基部心形，边缘具粗锯齿。花单生于叶腋，黄色；花萼浅盘状，宽约 1 cm，内外两面均被柔毛，5 深裂，裂片阔三角形；花瓣 5；雄蕊多数，花丝下部连成被星状毛的雄蕊管。蒴果呈磨盘状，高约 1.5 cm，直径约 2 cm，果皮膜质，被灰黄色星状毛；分果爿 15 ~ 20；种子肾形，具白色斑点。花期 7 ~ 10 月，果期 9 ~ 11 月。

| 生境分布 | 生于村庄附近及荒郊旷地上。分布于广东沿海地区等。

| 资源情况 | 野生资源较少，栽培资源丰富。药材来源于野生和栽培。

| 采收加工 | 夏、秋季采收，晒干。

| 药材性状 | 本品长 60 ~ 120 cm 或更长。主根粗壮，常有细小侧根。茎下部木质，圆柱形，直径 1.5 ~ 2 cm，有网纹，上部草质，多分枝，灰绿色，被白色短柔毛，直径 5 ~ 8 mm。叶多皱缩破碎，完整叶片阔卵形，粗糙，两面均被短毛，灰绿色。果柄长，腋生，蒴果圆盘形，直径约 2 cm，高 1.5 cm 左右，15 ~ 20 分果爿排列成齿轮状。气微，味淡、微涩。以主根粗、带蒴果者为佳。

| 功能主治 | 甘、淡，平。疏风清热，益气通窍，祛痰利尿。用于感冒，久热不退，流行性腮腺炎，耳鸣，耳聋，肺结核，小便不利。

| 用法用量 | 内服煎汤，15 ~ 30 g。

| 凭证标本号 | 440781191104015LY。

锦葵科 Malvaceae 苘麻属 *Abutilon*

苘麻 *Abutilon theophrasti* Medicus [*Abutilon avicennae* Gaertn.]

| 药 材 名 | 白麻子（药用部位：种子。别名：冬葵子苘、车轮草、椿麻）。

| 形态特征 | 一年生亚灌木状草本。叶互生，圆心形，先端长渐尖，基部心形，边缘具细圆锯齿，两面均密被星状柔毛。花单生于叶腋；花梗被柔毛，近先端具节；花萼杯状，密被短绒毛，裂片 5，卵形，长约 6 mm；花黄色，花瓣倒卵形，长约 1 cm；雄蕊柱平滑无毛；心皮 15 ~ 20，先端平截，具 2 扩展、被毛的长芒，排列成轮状，密被软毛。蒴果半球形，分果爿 15 ~ 20，被粗毛，先端具 2 长芒；种子肾形，褐色，被星状柔毛。花期 7 ~ 8 月。

| 生境分布 | 生于路旁或荒地上。分布于广东乳源及广州（市区）、深圳（市区）、肇庆（市区）等。

| 资源情况 | 野生资源较少，栽培资源丰富。药材来源于野生和栽培。

| 采收加工 | 秋季采收，晒干。

| 药材性状 | 本品呈三角状肾形，长 3.5 ~ 6 mm，宽 2.5 ~ 4.5 mm，厚 1 ~ 2 mm；表面灰黑色或暗褐色，有白色稀疏绒毛，凹陷处有类椭圆状种脐，淡棕色，四周有放射状细纹；种皮坚硬，子叶 2，重叠折曲，富油性。气微，味淡。

| 功能主治 | 苦，平。清热利湿，退翳。用于角膜云翳，痢疾，痈肿。

| 用法用量 | 内服煎汤，6 ~ 12 g；或入散剂。

| 凭证标本号 | 440605210306059LY。

锦葵科 Malvaceae 药葵属 *Althaea*

蜀葵 *Althaea rosea* (Linn.) Cavan

| 药 材 名 |

棋盘花（药用部位：花、叶、种子、根。别名：麻杆花）。

| 形态特征 |

二年生直立草本。茎枝密被刺毛。叶近心形，掌状 5 ~ 7 浅裂或有波状棱角，裂片三角形或圆形，中裂片长约 3 cm，叶面疏被星状柔毛，粗糙，背面被星状长硬毛或绒毛。花腋生，排列成总状花序式，具叶状苞片，被星状长硬毛；花萼钟状，5 齿裂，裂片卵状三角形，密被星状粗硬毛；花大，有红色、紫色、白色、粉红色、黄色和黑紫色等颜色；花瓣倒卵状三角形，先端凹缺，爪被长髯毛；雄蕊柱无毛，花丝纤细，花药黄色；花柱分枝多数，微被细毛。果实盘状，被短柔毛，分果爿近圆形，多数。花期 2 ~ 8 月。

| 生境分布 |

栽培种。广东高要、饶平、新兴等有栽培。

| 资源情况 |

栽培资源丰富。药材来源于栽培。

| **采收加工** | 夏季采收，花、叶晒干或鲜用。

| **功能主治** | 甘，凉。花，通利二便，解毒散结。用于二便不利，梅核气，河豚毒；外用于痈肿疮疡，烫火伤。叶，外用于痈肿疮疡，烫火伤。种子，利尿通淋。用于尿路结石，小便不利，水肿。根，清热，解毒，排脓，利尿。

| **用法用量** | 内服煎汤，花、种子 3 ~ 6 g，根 9 ~ 18 g。外用适量花、叶，鲜品捣敷；或煎汤洗。

锦葵科 Malvaceae 棉属 *Gossypium*

树棉 *Gossypium arboreum* Linn.

| **药材名** | 木本鸡脚棉（药用部位：根、种子。别名：中棉）。

| **形态特征** | 一年生草本或亚灌木。叶互生，掌状 3 ~ 7 裂，深不及中部，裂片三角形，先端渐尖。苞片圆形或阔心形，边缘具 6 ~ 9 深齿裂；花萼杯状，5 浅裂；花瓣 5，黄色，中心淡紫色；雄蕊多数，花丝连合成圆筒，包围花柱，自基部至先端均着生花药；子房 5，花柱棒状，柱头先端并合。蒴果圆球形，先端突出如嘴，光滑或具细凹点或少数油腺点；种子被 2 层毛，1 层长绵毛及 1 层短茸毛。花期 7 ~ 8 月，果期 9 ~ 10 月。

| **生境分布** | 生于海拔 1 400 m 以下的山地林中、田野或山坡上。广东大部分地

区有栽培。

| 资源情况 | 野生资源较少，栽培资源丰富。药材来源于野生和栽培。

| 采收加工 | 秋季采收，晒干。

| 功能主治 | 根，辛、苦，寒。归肝经。用于月经不调，小腹胀痛，闭经，产后瘀阻腹痛，泌乳障碍。种子，辛，热。补肝肾，强腰膝，暖胃。

| 用法用量 | 根，内服煎汤，3 ~ 10 g；或研末冲。

锦葵科 Malvaceae 棉属 *Gossypium*

海岛棉 *Gossypium barbadense* Linn.

| 药材名 | 离核木棉（药用部位：根或根皮、外果皮、种絮、种子。别名：木棉、光籽棉）。

| 形态特征 | 一年生草本。嫩枝被长柔毛。叶掌状 5 深裂，裂片长圆状披针形，沿叶脉密被长柔毛；叶柄被长柔毛；托叶线形，早落。花单生于叶腋；花梗长 1.5 ~ 2.5 cm，被长柔毛；小苞片 3，三角形，近基部 1/3 合生，先端具 3 ~ 4 齿；花萼浅杯状；花冠淡黄色，内面基部暗紫色，花瓣倒卵形。蒴果圆锥形，先端渐窄，常下垂，具喙，具多数油腺状细点，每室有 5 ~ 8 种子；种子分离，卵圆形，直径 5 ~ 8 mm，混生白色长绵毛和不易剥离的短纤毛。花期 6 ~ 10 月。

| 生境分布 | 栽培种。广东各地均有栽培。

| 资源情况 | 栽培资源丰富。药材来源于栽培。

| 采收加工 | 秋季采收，晒干。

| 功能主治 | 外果皮，辛，温。温胃降逆，化痰止咳。种絮，甘，温。止血。种子，辛，热，有毒。温肾，通乳，活血止血。

| 凭证标本号 | 445122151030006LY。

锦葵科 Malvaceae 棉属 *Gossypium*

草棉 *Gossypium herbaceum* Linn.

| **药材名** | 小棉（药用部位：根或根皮）。

| **形态特征** | 一年生草本。高达 2 m，疏被柔毛。叶掌状 5 裂，直径 5 ~ 10 cm，通常宽超过长，基部心形，上面被星状长硬毛，下面被细绒毛；托叶线形，长 5 ~ 10 mm。花单生于叶腋；花梗被长柔毛；小苞片阔三角形，长 2 ~ 3 cm，宽超过长，先端具 6 ~ 8 齿；花萼杯状，5 浅裂；花黄色，内面基部紫色，直径 5 ~ 7 cm。蒴果卵圆形，长约 3 cm，通常 3 ~ 4 室；种子大，长约 1 cm，分离，斜圆锥形，被白色长绵毛和短绵毛。花期 7 ~ 9 月，果期 9 ~ 11 月。

| **生境分布** | 栽培种。广东各地均有栽培。

| 资源情况 | 栽培资源丰富。药材来源于栽培。

| 采收加工 | 秋季采收，洗净，晒干。

| 功能主治 | 甘，温。补气，平喘，止咳。用于咳嗽，气喘，崩漏，疝气，月经不调，子宫脱垂，肢体浮肿等。

| 用法用量 | 内服煎汤，15 ~ 30 g。

锦葵科 Malvaceae 棉属 *Gossypium*

陆地棉 *Gossypium hirsutum* Linn.

| 药 材 名 | 高地棉（药用部位：根、茎皮、种子。别名：棉花）。

| 形态特征 | 一年生草本或亚灌木。叶宽卵形，常 3 裂，裂片宽三角状卵形，先端尖，基部宽，沿脉被粗毛，下面疏被长柔毛。花单生于叶腋；小苞片 3，分离，基部心形，具 1 腺体，具 7 ~ 9 齿，被长毛；花萼杯状，5 齿裂，裂片三角形，具缘毛；花冠白色或淡黄色，后淡红色或紫色；雄蕊柱长 1 ~ 2 cm，花药排列疏散。蒴果卵圆形，3 ~ 5 室，具喙；种子卵圆形，具白色长绵毛和灰白色不易剥离的短绵毛。花期 6 ~ 10 月。

| 生境分布 | 栽培种。广东徐闻、阳山、郁南及广州（市区）等有栽培。

| 资源情况 | 栽培资源丰富。药材来源于栽培。

| 采收加工 | 秋季采收，晒干。

| 功能主治 | 根，止咳。用于气虚咳嗽，慢性支气管炎，体虚浮肿，子宫脱垂。茎皮，通经。用于月经不调。种子，催乳。用于月经过多，功能失调性子宫出血，乳少，胃痛，腰膝无力。

| 用法用量 | 根，内服煎汤，15 ~ 30 g。种子，内服煎汤，9 ~ 15 g。

| 凭证标本号 | 440825150831011LY。

锦葵科 Malvaceae 木槿属 *Hibiscus*

大麻槿 *Hibiscus cannabinus* Linn.

| 药 材 名 | 槿麻（药用部位：叶。别名：洋麻）。

| 形态特征 | 一年生或多年生草本。茎无毛，疏被锐利小刺。茎下部叶心形，不裂，上部叶掌状 3 ～ 7 深裂，裂片披针形，基部心形或近圆形，

具锯齿，两面无毛，基出脉 5 ~ 7，下面中脉近基部具腺体。花单生于枝端叶腋，近无梗；花萼近钟状，被刺和白色绒毛，裂片 5，先端长尾状，基部具 1 大腺体；花冠黄色，内面基部深红色，花瓣 5，长圆状倒卵形；花柱分枝 5，无毛。蒴果球形，密被刺毛，先端具短喙；种子肾形，近无毛。花期 7 ~ 10 月。

| 生境分布 | 栽培种。广东仁化、德庆、高要及广州（市区）、深圳（市区）等有栽培。

| 资源情况 | 栽培资源丰富。药材来源于栽培。

| 采收加工 | 全年均可采收。

| 功能主治 | 苦、辛，凉。清热消肿。

锦葵科 Malvaceae 木槿属 *Hibiscus*

红秋葵 *Hibiscus coccineus* (Medicus) Walt.

| 药 材 名 | 槭葵（药用部位：根。别名：咖啡黄葵）。

| 形态特征 | 多年生草本。茎常被白霜，无毛。叶掌状 5 深裂，裂片窄披针形，先端尖，基部楔形，具疏齿，两面无毛；叶柄长 3 ~ 10 cm，无毛。

花单生于枝端叶腋；花梗长 3 ~ 8 cm，无毛，微带白霜；花萼钟形，裂片 5，卵状披针形，无毛；花冠粉红色至深红色，花瓣 5，倒卵形，长 7 ~ 8 cm，疏被柔毛；雄蕊柱长约 7 cm；花柱分枝 5，被柔毛。果实近球形，无毛，先端具短喙；种子球形，疏被棕色细毛。花期 7 ~ 10 月。

| 生境分布 | 栽培种。广东各地庭园有引种栽培。

| 资源情况 | 栽培资源丰富。药材来源于栽培。

| 采收加工 | 秋、冬季采收，切片，晒干。

| 功能主治 | 辛、苦，微温。活血调经。

锦葵科 Malvaceae 木槿属 *Hibiscus*

木芙蓉 *Hibiscus mutabilis* Linn.

| **药 材 名** | 芙蓉花（药用部位：叶、花）。

| **形态特征** | 大灌木或小乔木。全株被少许灰色星状柔毛。茎皮富含纤维，坚韧。单叶对生，阔卵形至卵圆形，掌状 3 ~ 5 浅裂，裂片三角形，基部心形，边缘有钝齿。花两性，夏、秋季开放，腋生或簇生于枝顶；花冠白色、粉红色或深红色，花瓣 5 或多数（重瓣）；雄蕊多数，花丝连合成花丝管，管状体先端又分裂成多数具花药的花丝；花柱 1，包藏于雄蕊管内，先端 5 分枝，柱头头状。蒴果球形，室背开裂，淡黄色，被硬毛；种子肾形。花期 8 ~ 10 月，果期 9 ~ 11 月。

| **生境分布** | 多栽培于庭园、村落附近或野生于荒地上及山坡、沟边的湿润处。广东大部分地区有栽培。

| 资源情况 | 野生资源较少，栽培资源丰富。药材来源于野生和栽培。

| 采收加工 | 叶，夏、秋季采收，晒干或鲜用。

| 药材性状 | 本品叶多卷缩或破碎，完整叶片展平后呈卵圆状心形，直径 10 ~ 20 cm，通常掌状 3 ~ 5 浅裂，裂片三角形，边缘有钝齿，两面被毛，上面暗黄绿色，下面灰绿色，叶脉 7 ~ 11，在两面均凸起；叶柄长 5 ~ 20 cm。气微，味微辛。

| 功能主治 | 辛，平。清热解毒，消肿排脓，凉血止血。用于烫火伤。

| 用法用量 | 内服煎汤，9 ~ 30 g。外用适量叶，鲜品捣敷；或研末，用油、凡士林、酒、醋或浓茶调敷。

| 凭证标本号 | 440783191103016LY。

锦葵科 Malvaceae 木槿属 *Hibiscus*

扶桑 *Hibiscus rosa-sinensis* Linn.

|药材名| 佛桑（药用部位：根皮、花、叶。别名：大红花）。

|形态特征| 常绿灌木。小枝圆柱形，疏被星状柔毛。叶阔卵形或狭卵形，边缘具粗齿或缺刻，两面除背面沿脉上有少许疏毛外均无毛。花单生于上部叶腋间，常下垂；花梗长 3 ~ 7 cm，疏被星状柔毛或近平滑无毛，近端有节；花萼钟形，长约 2 cm，被星状柔毛，裂片 5，卵形至披针形；花冠漏斗形，玫红色、淡红色或淡黄色，花瓣倒卵形，先端圆或具粗圆齿，外面疏被柔毛；雄蕊柱平滑无毛；花柱分枝 5。蒴果卵形，平滑无毛，有喙。花期全年。

|生境分布| 栽培种。广东各地均有栽培。

| 资源情况 | 栽培资源丰富。药材来源于栽培。

| 采收加工 | 夏、秋季采收，根皮晒干，花晒干或鲜用，叶晒干。

| 药材性状 | 本品花皱缩成长条状，长 5.5 ～ 7 cm；小苞片 6 ～ 7，线形，分离，比花萼短；花萼黄棕色，长约 2 cm，有星状毛，5 裂，裂片披针形或尖三角形；花瓣 5，紫色或淡棕红色，有的为重瓣，花瓣先端圆或具粗圆齿，但不分裂；雄蕊管长，突出于花冠之外，上部有多数具花药的花丝；子房五棱形，被毛，花柱 5。体轻，气清香，味淡。

| 功能主治 | 甘，平。解毒，利尿，调经。

| 用法用量 | 内服煎汤，根皮、叶 15 ～ 30 g，花鲜品 30 g。外用适量，花鲜品、叶捣敷。

| 凭证标本号 | 440783190813005LY。

锦葵科 Malvaceae 木槿属 *Hibiscus*

玫瑰茄 *Hibiscus sabdariffa* Linn.

| **药材名** | 山茄（药用部位：花。别名：红金梅、红梅果）。

| **形态特征** | 一年生草本。茎、枝淡紫色，无毛。茎下部叶卵形，不裂，茎上部叶掌状3深裂，裂片披针形，具锯齿，基部近圆形或宽楔形，两面无毛，基出脉3～5，下面中脉具腺体；叶柄长2～12 cm，疏被长柔毛；托叶线形，长约1 cm，疏被长柔毛。蒴果卵球形，直径约1.5 cm，密被长粗毛；种子肾形，无毛。花期7～10月。

| **生境分布** | 栽培种。广东各地均有栽培。

| **资源情况** | 栽培资源丰富。药材来源于栽培。

| 采收加工 | 1 月中、下旬叶黄籽黑时采收，晒干。

| 药材性状 | 本品略呈圆锥状或不规则形，长 2.5 ～ 4 cm，直径约 2 cm；花萼紫红色至紫黑色，5 裂，裂片披针形，下部可见与花萼愈合的小苞片，约 10 裂，披针形，基部有去除果实后留下的空洞；花冠黄棕色，外表面有线状条纹，内表面基部黄褐色，偶见稀疏的粗毛。体轻，质脆。气微清香，味酸。

| 功能主治 | 酸、甘，凉。敛肺止咳，降血压，解酒。用于肺虚咳嗽，高血压，醉酒。

| 用法用量 | 内服煎汤，9 ～ 15 g；或代茶饮。

| 凭证标本号 | 440783190416032LY。

锦葵科 Malvaceae 木槿属 *Hibiscus*

吊灯花 *Hibiscus schizopetalus* (Mast.) Hook. f.

| 药 材 名 |

吊灯扶桑（药用部位：根、叶。别名：假藏红花）。

| 形态特征 |

常绿灌木，高达 3 m。小枝常下垂，无毛。叶椭圆形或长圆形，长 2 ~ 7 cm，先端短渐尖，基部楔形，1/3 或 1/2 以上具粗齿，两面无毛；叶柄长 1 ~ 2 cm，上面被星状柔毛；托叶钻形，长 2 ~ 3 mm，常早落。花单生于枝端叶腋；花梗细，下垂，长 7 ~ 14 cm，中部具节；小苞片 5，披针形，长 1 ~ 2 cm；花萼管状，长约 1.5 cm，疏被细毛，具 5 浅齿，常一边开裂；花冠红色，花瓣 5，长 3 ~ 5 cm，深裂成流苏状，反折；雄蕊柱长 7 ~ 10 cm，无毛；花柱分枝 5，无毛，柱头头状。蒴果长圆柱形，长 3 ~ 4 cm，无毛。花期几全年。

| 生境分布 |

栽培种。广东各地均有栽培。

| 资源情况 |

栽培资源丰富。药材来源于栽培。

| 采收加工 | 根，秋、冬季采挖，洗净，切片，晒干。

| 功能主治 | 辛，凉。根，消食行滞。叶，拔毒生肌。

| 用法用量 | 内服煎汤，5 ~ 15 g。

锦葵科 Malvaceae 木槿属 *Hibiscus*

木槿 *Hibiscus syriacus* Linn.

| **药材名** | 鸡肉花（药用部位：根皮、花、果实。别名：白带花）。

| **形态特征** | 灌木或小乔木。叶互生，通常 2 ~ 3 簇生于短枝先端，三角状卵形或菱形，有深浅不同的 3 裂或不裂，基部楔形，边缘具圆钝齿或尖锐的齿，主脉 3，明显；叶柄长 1 ~ 2 cm。花单生于叶腋；花冠紫红色或白色，花瓣基部与雄蕊合生；雄蕊多数，花丝连合成筒状；子房 5 室，花柱 5 裂。蒴果长椭圆形，被绒毛；种子黑褐色，背部有棕色长毛。花期 7 ~ 10 月。

| **生境分布** | 生于海拔 800 m 以下的海岸带及低山坡地。分布于广东南部沿海地区等。广东各地均有栽培。

| 资源情况 | 野生资源较少，栽培资源丰富。药材来源于野生和栽培。

| 采收加工 | 花，夏、秋季采摘半开放花朵，晒干。

| 药材性状 | 本品花卷缩成卵状或圆柱状的团块，长 2 ~ 3 cm，直径 1.5 ~ 2 cm；花萼钟形，灰绿色，表面密生小绒毛，具 5 裂片，花萼外面有数条灰绿色的线形副萼；花冠白色或黄白色，间有蓝紫色，单瓣或重瓣，中间有黄色或紫蓝色的花蕊。气微香，味甘。以朵大、花萼绿、花瓣白者为佳。

| 功能主治 | 根皮，甘，微寒。清热利湿，杀虫止痒。用于病毒性疾病，高胆固醇血症。花，甘，平。清热凉血，解毒消肿。用于反胃，痢疾，脱肛，吐血，下血，痄腮，带下过多。果实，甘，平。清肺化痰，解毒止痛。

| 用法用量 | 内服煎汤，6 ~ 12 g。外用适量，研末麻油调搽。

| 凭证标本号 | 440783191006031LY。

锦葵科 Malvaceae 木槿属 *Hibiscus*

黄槿 *Hibiscus tiliaceus* Linn.

| 药 材 名 | 海麻（药用部位：叶、花、树皮。别名：黄木槿、万年春、桐花）。

| 形态特征 | 乔木。树皮灰白色。叶革质，近圆形或广卵形，先端突尖，基部心形，全缘或具不明显细圆齿，叶面绿色，嫩时被极细的星状毛，背面密被灰白色星状柔毛，叶脉 7 或 9。花序顶生或腋生，常数花排列成聚伞花序，总花梗基部有 1 对托叶状苞片；花冠钟形，花瓣黄色，内面基部暗紫色，倒卵形，外面密被黄色星状柔毛；花柱分枝 5，被细腺毛。蒴果卵圆形，长约 2 cm，被绒毛，分果爿 5，木质；种子光滑，肾形。花期 6 ~ 8 月。

| 生境分布 | 生于或栽培于港湾、潮水能到达的河汊堤岸或灌丛中。分布于广东南澳、南海、徐闻、电白、海丰、陆丰及广州（市区）、深圳（市区）、

珠海（市区）、肇庆（市区）、阳江（市区）等。

| 资源情况 | 野生资源较少，栽培资源丰富。药材来源于野生和栽培。

| 采收加工 | 夏、秋季采收，晒干或鲜用。

| 药材性状 | 本品叶大多破碎或皱缩，完整叶片展平后呈近圆形或广卵形，直径 8 ~ 15 cm，先端突尖，有时短渐尖，基部心形，全缘或具不明显细圆齿，叶下面密被星状柔毛，叶脉 7 或 9；叶柄长 3 ~ 8 cm；质脆。气微，味淡。花多皱缩成团或不规则形，全体被毛；花萼钟形，先端 5 裂，萼筒外有苞片 7 ~ 10，线状披针形，花萼、苞片被绒毛；花梗长 1 ~ 3 cm；花冠钟形，花瓣黄色，内面基部暗紫色，倒卵形，长约 4.5 cm，外面密被星状柔毛；雄蕊柱长约 3 cm，平滑无毛；花柱分枝 5，被细腺毛；质轻脆。气微，味淡。

| 功能主治 | 甘、淡，微寒。清热解毒，散瘀消肿。叶、花，用于木薯中毒；叶、树皮，外用于疮疖肿痛。

| 用法用量 | 叶、花，30 ~ 60 g，鲜品捣汁，白糖水冲服，重者可日服 2 ~ 3 剂。叶、树皮，外用适量，鲜品捣敷。

| 凭证标本号 | 440523190718004LY。

锦葵科 Malvaceae 锦葵属 *Malva*

锦葵 *Malva sinensis* Cav.

| 药 材 名 | 棋盘花（药用部位：全草。别名：金钱紫花葵、小钱花、钱葵）。

| 形态特征 | 二年生或多年生直立草本。叶圆心形或肾形，具 5 ~ 7 圆齿状钝裂片，宽几相等，基部近心形至圆形，边缘具圆锯齿，两面均无毛或仅脉上疏被短糙伏毛。花 3 ~ 11 簇生；花梗无毛或疏被粗毛；花萼裂片 5，宽三角形，两面均被星状疏柔毛；花紫红色或白色，花瓣 5，匙形，先端微缺，爪具髯毛；雄蕊柱被刺毛，花丝无毛；花柱分枝 9 ~ 11，被微细毛。果实扁圆形，分果爿 9 ~ 11，肾形，被柔毛；种子黑褐色，肾形，长 2 mm。花期 5 ~ 10 月。

| 生境分布 | 栽培种。广东各地庭院有栽培。

| 资源情况 | 栽培资源丰富。药材来源于栽培。

| 采收加工 | 夏、秋季采收，晒干。

| 功能主治 | 咸，寒。理气通便，清热利湿。用于二便不利，淋巴结结核，带下，脐腹痛，咽喉肿痛。

| 用法用量 | 内服煎汤，3 ~ 9 g。

锦葵科 Malvaceae 锦葵属 *Malva*

冬葵 *Malva verticillata* Linn.

| 药 材 名 | 冬苋菜（药用部位：果实、种子、根、茎叶）。

| 形态特征 | 一年生草本。根细长，黄白色。茎直立，单一，具纵条棱，被星状毛。单叶互生，具长柄；叶片圆肾形，掌状 5 ~ 7 浅裂，裂片圆形或三角形，叶片基部心形，边缘有不规则锯齿，主脉 5 ~ 7，两面被毛，背面毛稍密。花簇生于叶腋；花梗短；副萼片 3，线状披针形；花瓣淡红色，倒卵形，先端微凹；雄蕊花丝连合成柱状。蒴果扁球形，由 10 ~ 11 心皮组成，成熟后心皮彼此分离并与中轴脱离，形成分果；种子肾形，棕黄色或黑褐色。花果期 6 ~ 9 月。

| 生境分布 | 生于田边、路旁、村庄附近。广东北部有栽培。

| 资源情况 | 野生资源较少，栽培资源丰富。药材来源于野生和栽培。

| 采收加工 | 果实，夏、秋季果实成熟后采摘，除去杂质，阴干。种子，果实成熟时割取地上部分，晒干，打取种子。根，秋季采挖，洗净，晒干。茎叶，夏、秋季植株茂盛时采收，晒干。

| 功能主治 | 甘，寒。果实，用于热淋，尿闭，水肿，口渴。种子，用于热淋，石淋，乳汁不通，大便燥结，胞衣不下，黄疸性肝炎。根，补中益气。用于气虚乏力，腰膝酸软，体虚自汗，脱肛，子宫脱垂，慢性肾炎，糖尿病。茎叶，清热利湿。用于黄疸性肝炎。

| 用法用量 | 内服煎汤，果实、种子 3 ~ 9 g，根、茎叶 15 ~ 30 g。

锦葵科 Malvaceae 赛葵属 *Malvastrum*

赛葵 *Malvastrum coromandelianum* (Linn.) Garcke

| 药 材 名 | 黄花棉（药用部位：全草）。

| 形态特征 | 亚灌木状草本，疏被星状粗毛。叶卵形或卵状披针形，长 2 ~ 6 cm，先端钝尖，基部宽楔形或圆形，具粗齿，上面疏被长毛，下面疏被长毛和星状长毛。花单生于叶腋；花梗长约 5 mm，被长毛；花萼浅杯状，5 裂，裂片卵形，基部合生，疏被星状长毛；花冠黄色，直径约 1.5 cm，花瓣 5，倒卵形；雄蕊柱长约 6 mm，无毛；花柱分枝 8 ~ 15，柱头头状。分果扁球形，近先端具 1 芒刺，背部被毛；种子肾形。

| 生境分布 | 生于山坡、村边、路旁或空旷地上。分布于广东大部分地区。

| 资源情况 | 野生资源较少，栽培资源丰富。药材来源于野生和栽培。

| 采收加工 | 秋季采收，洗净，切碎。

| 功能主治 | 甘、淡，凉。清热利湿，解毒散瘀。

| 用法用量 | 内服煎汤，15 ~ 25 g，鲜品 100 ~ 200 g。外用适量，捣敷。

| 凭证标本号 | 441523190917002LY。

锦葵科 Malvaceae 悬铃花属 *Malvaviscus*

垂花悬铃花 *Malvaviscus arboreus* Cav. var. *penduliflorus* (DC.) Schery

| 药 材 名 | 小扶桑（药用部位：根皮、叶。别名：红花冲天槿）。

| 形态特征 | 灌木。小枝被长柔毛。叶卵状披针形或卵形，长 4 ~ 14 cm，宽 2 ~ 7 cm，先端渐尖，基部宽楔形或近圆形，具钝齿，两面近无毛或脉上疏被星状柔毛，基出脉 3；叶柄长 1 ~ 5 cm，上面被长柔毛；托叶线形，长 2 ~ 4 mm，早落。花单生于叶腋或枝端；花萼钟状，裂片 5，被长柔毛；花冠红色，下垂，筒状，上部略开展，花瓣 5；雄蕊柱伸出花冠外，先端 5 齿裂；子房 5 室，每室有 1 胚珠。果实为肉质浆果状体，干后分裂。

| 生境分布 | 栽培种。广东各地园林有栽培。

| 资源情况 | 栽培资源丰富。药材来源于栽培。

| 采收加工 | 全年均可采收，除去杂质，鲜用或晒干。

| 功能主治 | 拔毒消肿。用于恶疮，湿疮流水，溃疡不敛，牙疳口疮。

| 凭证标本号 | 440523190716020LY。

锦葵科 Malvaceae 黄花稔属 *Sida*

黄花稔 *Sida acuta* Burm. f.

| 药 材 名 | 拔毒散（药用部位：根、叶。别名：扫把麻）。

| 形态特征 | 直立亚灌木状草本。叶披针形，长 2 ~ 7 cm，宽 0.5 ~ 1.5 cm，先端尖或渐尖，基部圆或钝，具锯齿；叶柄长 3 ~ 6 mm，疏被柔毛；托叶线形，常宿存。花单生或成对腋生；花萼杯状，无毛，5 裂，裂片三角形，先端尾尖；花冠黄色，直径 0.8 ~ 1 cm，花瓣 5，倒卵形，被纤毛；花柱分枝 4 ~ 9，常 6，柱头头状。分果爿近球形，直径约 4 mm，无毛，先端具 2 短芒，果皮具网状皱纹；种子卵状三角形，种脐具柔毛。花期 4 ~ 12 月。

| 生境分布 | 生于山坡、路旁及空旷地上。分布于广东南澳、台山、徐闻、高要、博罗、梅县、和平及广州（市区）、深圳（市区）、珠海（市区）等。

| 资源情况 | 野生资源较少，栽培资源丰富。药材来源于野生和栽培。

| 采收加工 | 秋季采收，洗净，切碎，晒干。

| 功能主治 | 微辛，凉。清热解毒，收敛生肌，消肿止痛。用于感冒，乳腺炎，肠炎，痢疾，跌打损伤，外伤出血，疮疡肿毒。

| 用法用量 | 内服煎汤，15 ~ 30 g。外用适量，捣敷；或研末撒。

| 凭证标本号 | 445224190316101LY。

锦葵科 Malvaceae 黄花稔属 *Sida*

桤叶黄花稔 *Sida alnifolia* Linn.

| 药 材 名 | 脓见愁（药用部位：全株。别名：小叶黄花稔、牛筋麻）。

| 形态特征 | 亚灌木或灌木。小枝细瘦，被星状柔毛。叶卵形、卵状披针形、近圆形或倒卵形，长 2 ~ 5 cm，宽 0.8 ~ 3 cm，先端钝或短渐尖，基部楔形或近圆形，具不规则锯齿。花单生于叶腋；花梗长 1 ~ 3 cm，中部以上具节，密被星状绒毛；花萼杯状，5 裂，裂片三角形，密被星状绒毛，边缘混生长柔毛；花冠黄色，花瓣 5，倒卵形；果实近球形，分果爿 6 ~ 8，背部被短柔毛，先端具 2 芒刺；种子肾形，无毛。

| 生境分布 | 生于村边、路旁及旷野草地上。分布于广东电白、雷州半岛等。

| 资源情况 | 野生资源较少，栽培资源丰富。药材来源于野生和栽培。

| 采收加工 | 夏、秋季采收，晒干。

| 功能主治 | 苦、辛，微寒。清热利湿，散瘀消肿，排脓生肌，清热拔毒。用于久痢，疟疾，黄疸，疮疖，蜂蜇伤。

| 用法用量 | 内服煎汤，10 ~ 30 g。

| 凭证标本号 | 441823200901021LY。

锦葵科 Malvaceae 黄花稔属 *Sida*

长梗黄花稔 *Sida cordata* (Burm. f.) Borss.

药材名

长梗黄花仔（药用部位：全草或叶）。

形态特征

披散亚灌木状草本。叶心形，先端短渐尖，具钝齿或锯齿，上面疏被长柔毛，下面密被星状柔毛并混生长柔毛；叶柄长 1 ~ 3 cm，被星状毛和长柔毛；托叶线形，长 2 ~ 3 mm，疏被柔毛。花腋生；花梗纤细；花萼杯状，长约 5 mm，疏被长柔毛，5 裂，裂片三角形，先端尖；花冠黄色，花瓣 5，倒卵形；雄蕊柱疏被长硬毛；花柱分枝 5；分果近球形，直径约 3 mm；种子卵形，无毛。花期 7 月至翌年 2 月。

生境分布

生于平原或低山草地。分布于广东台山、徐闻、博罗、梅县及深圳（市区）、珠海（市区）、茂名（市区）、肇庆（市区）等。

资源情况

野生资源较少，栽培资源丰富。药材来源于野生和栽培。

| 采收加工 | 夏、秋季采收，晒干。

| 功能主治 | 涩、微苦，凉。清热利湿，散瘀消肿，排脓生肌。用于水肿，小便淋痛，咽喉痛，感冒发热，泄泻。

| 用法用量 | 内服煎汤，9 ~ 15 g。外用适量，捣敷。

| 凭证标本号 | 440882180430215LY。

锦葵科 Malvaceae 黄花稔属 *Sida*

心叶黄花稔 *Sida cordifolia* Linn.

| 药 材 名 | 心叶黄花仔（药用部位：全株）。

| 形态特征 | 直立亚灌木。叶卵形，先端钝或圆，基部微心形或圆形，边缘具钝齿，两面均密被星状柔毛，背面脉上混生长柔毛；叶柄长 1 ~ 2.5 cm，密被星状毛。花单生或簇生于叶腋或枝端；花梗密被星状毛，上端具节；花萼杯状，裂片 5，三角形，密被星状柔毛；花黄色，花瓣长圆形；雄蕊柱被长硬毛。蒴果有分果爿 10，先端具 2 长芒，突出于花萼外，被倒生刚毛；种子长卵形，先端具短毛。花期全年。

| 生境分布 | 生于草坡、旷地或海滨沙荒地上。分布于广东封开、高要、增城及惠州（市区）等。

| 资源情况 | 野生资源较少，栽培资源丰富。药材来源于野生和栽培。

| 采收加工 | 夏、秋季采收，晒干。

| 功能主治 | 甘、微辛，平。清热利湿，止咳，解毒消痈。用于腹泻，淋病等。

| 用法用量 | 内服煎汤，10 ~ 15 g。

| 凭证标本号 | 440781191105002LY。

锦葵科 Malvaceae 黄花稔属 *Sida*

粘毛黄花稔 *Sida mysorensis* Herb. Madr. ex Wight & Arn.

| **药 材 名** | 粘毛黄花稔（药用部位：全株或叶）。

| **形态特征** | 直立草本或亚灌木。茎枝被分泌黏质的星状腺毛并混生长柔毛。叶卵状心形。花单生或成对，或数朵簇生于短枝上腋生，排列成具叶的圆锥花序；花梗纤弱，长 2 ~ 6 mm，近中部具节。花期 9 月至翌年 4 月。

| **生境分布** | 生于林缘、草坡或路边草丛间。分布于广东沿海低地。

| **资源情况** | 野生资源较少，栽培资源丰富。药材来源于野生和栽培。

| **采收加工** | 夏、秋季采收。

| **功能主治** | 甘、微辛，平。清肺止咳，散瘀消肿。

| **用法用量** | 内服煎汤，15 g，鲜品 15 ～ 30 g。外用适量，鲜叶捣敷。

锦葵科 Malvaceae 黄花稔属 *Sida*

白背黄花稔 *Sida rhombifolia* Linn.

| 药 材 名 | 黄花母（药用部位：全株。别名：白背黄花稔）。

| 形态特征 | 直立亚灌木。叶菱形或长圆状披针形，先端浑圆至短尖，基部宽楔形，边缘具锯齿，叶面疏被星状柔毛至近无毛，背面被灰白色星状柔毛。花单生于叶腋；花梗长 1 ~ 2 cm，密被星状柔毛，中部以上有节；花萼杯形，长 4 ~ 5 mm，被星状短绵毛，裂片 5，三角形；花黄色，花瓣倒卵形，先端圆，基部狭；雄蕊柱无毛，疏被腺状乳突，花柱分枝 8 ~ 10。果实半球形；分果爿 8 ~ 10，被星状柔毛，先端具 2 短芒。花期秋、冬季。

| 生境分布 | 生于丘陵荒郊、村边、路旁或旷野草地上。分布于广东大部分低地和沿海地区。

| 资源情况 | 野生资源较少，栽培资源丰富。药材来源于野生和栽培。

| 采收加工 | 夏、秋季采收。

| 功能主治 | 甘、淡，凉。清热利湿，排脓止痛。用于感冒发热，扁桃体炎，细菌性痢疾，尿路结石，黄疸，疟疾，腹痛；外用于痈疖疔疮。

| 用法用量 | 内服煎汤，9 ~ 15 g。外用适量，煎汤洗；或鲜品捣敷。

| 凭证标本号 | 440281200709024LY。

锦葵科 Malvaceae 黄花稔属 *Sida*

榛叶黄花稔 *Sida subcordata* Span.

| 药 材 名 | 榛叶黄花稔（药用部位：全株或根、叶）。

| 形态特征 | 直立亚灌木。小枝疏被星状柔毛。叶长圆形或卵圆形，先端短渐尖，基部钝圆，两面疏被星状柔毛，具细圆齿。花单生或排列成伞房花序或近圆锥花序，顶生或腋生；花序梗长 2 ~ 7 cm，疏被星状柔毛；花萼宽杯状，疏被星状柔毛，裂片 5，三角形；花冠黄色，花瓣倒卵形；雄蕊柱长约 1 cm，无毛；花柱分枝 8 ~ 9。蒴果近球形，直径约 1 cm；种子卵形，先端密被褐色柔毛。

| 生境分布 | 生于海滨草地、平原旷地或低山疏林下。分布于广东中部至西南部。

| **资源情况** | 野生资源较少，栽培资源丰富。药材来源于野生和栽培。

| **采收加工** | 夏、秋季采收，晒干。

| **功能主治** | 涩、苦，凉。抗菌消炎。

| **凭证标本号** | 441324181104017LY。

锦葵科 Malvaceae 桐棉属 *Thespesia*

白脚桐棉 *Thespesia lampas* (Cavan.) Dalz. & Gibs

| 药 材 名 | 肖槿（药用部位：根皮、果实。别名：山棉花、白脚桐）。

| 形态特征 | 常绿灌木。叶卵形或掌状 3 裂，先端渐尖，两侧裂片浅裂，先端渐尖或圆，上面疏被星状柔毛，下面密被星状茸毛。花单生于叶腋或成聚伞花序；花萼平截，浅杯状，被星状柔毛，具 5 齿；花冠钟形，黄色，花瓣密被柔毛；花柱棒状，具 5 槽纹。蒴果椭圆形，具 5 棱，被星状柔毛，室背开裂；种子卵形，黑色，光滑，种脐旁侧具 1 环柔毛。花期 9 月至翌年 1 月。

| 生境分布 | 生于低海拔地区暖热山地的干燥灌木林中。栽培于园林中。分布于广东广州（市区）等。

| 资源情况 | 野生资源较少，栽培资源丰富。药材来源于野生和栽培。

| 采收加工 | 果实，冬季至翌年春季采摘，晒干。

| 功能主治 | 用于淋病，梅毒。

| 凭证标本号 | 440983180621045LY。

锦葵科 Malvaceae 梵天花属 *Urena*

地桃花 *Urena lobata* Linn.

| 药 材 名 | 肖梵天花（药用部位：根、叶。别名：狗脚迹、黐头婆）。

| 形态特征 | 亚灌木。全株被柔毛及星状毛。叶互生，茎下部的叶近圆形，中部的叶卵形，上部的叶长圆形至披针形，浅裂，上面有柔毛，下面有星状绒毛。花单生于叶腋或几朵簇生，淡红色，直径 1.5 cm；花梗短，有毛；花瓣 5，倒卵形，外面有毛；雄蕊花丝连合成管状，花药紫红色；子房 5 室，花柱圆柱状，先端 10 裂。果实扁球形，直径 1 cm；分果爿具钩状刺毛，成熟时与中轴分离。花期 6 ~ 10 月。

| 生境分布 | 生于村庄或路旁旷地、草坡。广东各地均有分布。

| 资源情况 | 野生资源较少，栽培资源丰富。药材来源于野生和栽培。

| 采收加工 | 全年均可采收，根抖净泥沙，晒干，叶鲜用。

| 药材性状 | 本品根呈圆柱形，略弯曲，有少数支根，须根较多，淡黄色或灰色，具细纵皱纹和点状根痕；质硬，断面呈破裂状，皮部淡棕色，木部淡黄色。气微，味微甘、淡。以粗壮、无泥沙、支根及须根少者为佳。

| 功能主治 | 甘、淡，凉。清热利湿，祛风活血，解毒消肿。外用于跌打损伤。

| 用法用量 | 内服煎汤，15 ~ 24 g。外用适量，鲜叶捣敷。

| 凭证标本号 | 441523190918039LY。

锦葵科 Malvaceae 梵天花属 *Urena*

粗叶地桃花 *Urena lobata* Linn. var. *scabriuscula* (DC.) Walp.

| 药 材 名 | 消风草（药用部位：根、叶。别名：田芙蓉、千锤草）。

| 形态特征 | 灌木或亚灌木。叶密被粗短绒毛和绵毛，茎下部的叶较宽而很少分裂，先端通常 3 浅裂，基部近心形，上部的叶卵形或近圆形，具锯齿。小苞片线形，密被绵毛，略长于萼片；花瓣长 10 ~ 13 mm。

| 生境分布 | 生于海拔 500 ~ 1 500 m 的草坡、山边灌丛和路旁。分布于广东翁源、乳源、德庆、阳春、连山、高州、英德、连州、新兴、郁南及云浮（市区）、茂名（市区）、肇庆（市区）、惠州（市区）、广州（市区）等。

| 资源情况 | 野生资源较少，栽培资源丰富。药材来源于野生和栽培。

| 采收加工 | 秋季采收，洗净，切碎。

| 药材性状 | 本品干燥根呈圆柱形，略弯曲，支根少数，上生多数须根；表面淡黄色，具纵皱纹；质硬，断面呈破裂状。叶多卷曲，上面深绿色，下面粉绿色，密被短柔毛和星状毛，掌状网脉在下面凸出，叶腋有宿存的副萼。

| 功能主治 | 甘、辛，凉。清热解毒，祛风利湿，活血消肿。用于感冒，风湿痹痛，痢疾，泄泻，淋证，带下，月经不调，跌打肿痛，喉痹，乳痈，疮疖，毒蛇咬伤。

| 用法用量 | 内服煎汤，30 ~ 60 g。外用适量，鲜品捣敷。

| 凭证标本号 | 441882190615027LY。

锦葵科 Malvaceae 梵天花属 *Urena*

梵天花 *Urena procumbens* Linn.

| 药 材 名 | 狗脚迹（药用部位：全株或叶。别名：地棉花）。

| 形态特征 | 小灌木。茎下部叶掌状 3 ~ 5 深裂，裂口深达叶中部以下，叶圆形而狭，裂片菱形或倒卵形，呈葫芦状，先端钝，基部圆形至近心形，具锯齿，两面均被星状短硬毛。花单生或近簇生；花梗长 2 ~ 3 mm；花冠淡红色，花瓣长 10 ~ 15 mm；雄蕊柱无毛，与花瓣等长。果实球形，直径约 6 mm，具刺和长硬毛，刺先端有倒钩；种子平滑无毛。花期 6 ~ 9 月。

| 生境分布 | 生于丘陵荒地或村边路旁及空旷草地上。分布于广东仁化、乳源、新丰、乐昌、南雄、南澳、台山、徐闻、信宜、怀集、封开、大埔、五华、和平、阳春、阳山、连山、英德、连州、新兴、罗定及肇庆（市

区）、深圳（市区）、阳江（市区）、茂名（市区）、广州（市区）等。

｜资源情况｜ 野生资源较少，栽培资源丰富。药材来源于野生和栽培。

｜采收加工｜ 夏、秋季采收。

｜药材性状｜ 本品干燥全株长 20 ~ 50 cm。茎直径 3 ~ 7 mm，圆柱形，棕褐色，幼枝暗绿色至灰青色；质坚硬，纤维性，木部白色，中心有髓。叶通常 3 ~ 5 深裂，裂片倒卵形或菱形，灰褐色至暗绿色，微被毛，幼叶卵圆形。蒴果腋生，扁球形，副萼宿存，被毛茸和倒钩刺；果皮干燥，厚膜质。

｜功能主治｜ 甘、苦，平。祛风利湿，清热解毒。外用于跌打损伤，疮疡肿毒，毒蛇咬伤。

｜用法用量｜ 内服煎汤，15 ~ 30 g。外用适量，鲜叶捣敷。

｜凭证标本号｜ 441422190503522LY。

金虎尾科 Malpighiaceae 风筝果属 *Hiptage*

风车藤 *Hiptage benghalensis* (Linn.) Kurz

|药 材 名| 风筝果（药用部位：老茎。别名：红龙、狗角藤）。

|形态特征| 攀缘灌木。叶片革质，长圆形，背面常具 2 腺体，全缘，被短柔毛，中脉和侧脉在叶两面均稍凸起。总状花序腋生或顶生，被淡黄褐色柔毛；花芽球形，花芳香；萼片 5，先端圆形，外面密被黄褐色短柔毛，具一粗大的长圆形腺体；花瓣白色，阔椭圆形，内凹，边缘具流苏，外面被短柔毛；雄蕊 10，花药椭圆形；花柱长约 12 mm，拳卷状。翅果除果核被短绢毛外，余无毛，中翅椭圆形，先端全缘或微裂，侧翅披针状长圆形。花期 2 ~ 4 月，果期 4 ~ 5 月。

|生境分布| 生于山谷密林或疏林中。分布于广东博罗、阳春、乐昌、遂溪及肇庆（市区）、惠州（市区）、河源（市区）、广州（市区）、清远（市

区）、云浮（市区）等。

| 资源情况 | 野生资源较少，栽培资源丰富。药材来源于野生和栽培。

| 采收加工 | 夏、秋季采收，切片，晒干。

| 功能主治 | 微苦、涩，温。敛汗涩精，固肾助阳。用于小儿盗汗，早泄，阳痿，尿频，风寒痹痛。

| 用法用量 | 内服煎汤，15 ~ 90 g。小儿用量酌减。

| 凭证标本号 | 440523190720020LY。

古柯科 Erythroxylaceae 古柯属 *Erythroxylum*

古柯 *Erythroxylum novogranatense* (Morris) Hieron.

| 药 材 名 | 爪哇古柯（药用部位：叶。别名：高柯、古加）。

| 形态特征 | 灌木。叶倒卵形或窄椭圆形，先端钝圆、微凹，基部楔形，全缘；叶柄长 4 ~ 7 mm；托叶三角形。花单生或簇生于叶腋；萼片 5，长约 1.5 mm，基部连合成环状；花瓣 5，黄白色，卵状长圆形；雄蕊 10，基部连合成浅杯状；花柱 3，离生，长 1 ~ 3 mm，宿存。核果红色，长圆形，具 5 纵棱，顶部渐尖；种子 1。全年开花，盛花期 2 ~ 3 月，果期 5 ~ 12 月。

| 生境分布 | 栽培种。广东广州（市区）、湛江（市区）等有引种栽培。

| 资源情况 | 栽培资源丰富。药材来源于栽培。

| **采收加工** | 全年均可采收。

| **功能主治** | 涩、微苦，温。用于肾虚遗精，梦遗，滑泄，阳痿，疲乏无力，各种痛症等。

| **用法用量** | 内服煎汤，9 ~ 15 g。

古柯科 Erythroxylaceae 古柯属 *Erythroxylum*

东方古柯 *Erythroxylum sinense* C. Y. Wu

| 药材名 | 细叶接骨丹（药用部位：叶。别名：木豇豆、猫脷木、大茶树）。

| 形态特征 | 小乔木或灌木。叶长椭圆形、倒披针形或倒卵形，长 2 ~ 14 cm，宽 1 ~ 4 cm，先端短渐尖，基部楔形；叶柄长 3 ~ 8 mm；托叶宽三角形或披针形，长 1 ~ 3 mm，齿裂、深裂或呈流苏状。花 2 ~ 7 簇生或单花腋生；萼片 5，基部连合成浅杯状，长 1 ~ 1.5 mm，深裂，裂片宽卵形；花瓣卵状长圆形，长 3 ~ 6 mm；雄蕊 10，基部连合成浅杯状。核果长圆形或宽椭圆形，具 3 纵棱，稍弯。花期 4 ~ 5 月，果期 5 ~ 10 月。

| 生境分布 | 生于海拔 300 ~ 1 200 m 的山地林中。分布于广东从化、仁化、乳源、台山、信宜、龙门、五华、蕉岭、连平、和平、阳山、连山、

连南、英德及茂名（市区）等。

| 资源情况 | 野生资源较少，栽培资源丰富。药材来源于野生和栽培。

| 采收加工 | 全年均可采收，洗净，鲜用或晒干。

| 功能主治 | 微苦、涩，温。定喘，止痛。用于哮喘，骨折疼痛，疟疾，疲劳。

| 用法用量 | 外用适量，鲜品捣敷。

| 凭证标本号 | 441825190501019LY。

| 附　　注 | 由叶中提制出的古柯碱可作为局部麻醉药使用。

大戟科 Euphorbiaceae 铁苋菜属 *Acalypha*

铁苋菜 *Acalypha australis* Linn.

| 药 材 名 |

海蚌含珠（药用部位：全草）。

| 形态特征 |

一年生草本。叶互生，披针形、卵状披针形或近菱状卵形，两面均稍粗糙，先端渐尖，基部圆形，边缘有钝齿。花单性；雄蕊通常生于柔荑状穗状花序的上部，极小；萼片 4，卵形；雄蕊 7 ~ 8，花药 4 室；雌花生于花序的下部，常 3 ~ 5 聚生于花后增大的苞片内；苞片卵形，基部心形，宽 7 ~ 8 mm，被柔毛；萼片 3，卵形，有缘毛。蒴果；种子近球形。花果期 4 ~ 12 月。

| 生境分布 |

生于村边路旁等的空旷地上。分布于广东大部分地区，广东西南部少见。

| 资源情况 |

野生资源较少，栽培资源丰富。药材来源于野生和栽培。

| 采收加工 |

夏、秋季采收，除去根和杂质，晒干或鲜用。

| **药材性状** | 本品长 20 ~ 40 cm，被灰白色微柔毛。茎近圆柱形，分枝，棕色，有直线纹；质硬，易折断，断面黄白色，有髓。叶互生，常皱缩或破碎，完整者披针形至卵状菱形，长 2.5 ~ 8 cm，宽 1.2 ~ 3.5 cm，黄绿色，边缘有锯齿。穗状花序常腋生；苞片卵形，花后增大。蒴果小，三角状扁圆形。气微，味淡。以叶多、色绿者为佳。

| **功能主治** | 苦、涩，凉。清热解毒，消积，止痢，止血。用于肠炎，细菌性痢疾，阿米巴痢疾，小儿疳积，肝炎，疟疾，吐血，衄血，尿血，便血，子宫出血；外用于痈疖疮疡，外伤出血，湿疹，皮炎，毒蛇咬伤。

| **用法用量** | 内服煎汤，9 ~ 15 g。外用适量，鲜品捣敷。老弱气虚者及孕妇禁用。

| **凭证标本号** | 440523191002021LY。

大戟科 Euphorbiaceae 铁苋菜属 *Acalypha*

裂苞铁苋菜 *Acalypha supera* Forsskal

| 药 材 名 | 短穗铁苋菜（药用部位：全草）。

| 形态特征 | 一年生草本。叶膜质，卵形、阔卵形或菱状卵形。雌雄花同序，雌花苞片 3 ~ 5，掌状深裂，裂片长圆形；雄花密生于花序上部，苞片卵形；有时花序轴先端具 1 异形雌花。雄花花萼花蕾时球形，疏生短柔毛；雄蕊 7 ~ 8。雌花萼片 3，近长圆形，具缘毛；子房疏生长毛和柔毛，花柱 3。异形雌花萼片 4；子房陀螺状，1 室，被柔毛。蒴果具 3 分果爿，果皮具疏生柔毛和毛基变厚的小瘤体。花期 5 ~ 12 月。

| 生境分布 | 生于山地路旁或溪畔。分布于广东封开、乳源、乐昌及肇庆（市区）、潮州（市区）等。

| **资源情况** | 野生资源较少，栽培资源一般。药材来源于野生和栽培。

| **采收加工** | 夏、秋季采收，晒干或鲜用。

| **功能主治** | 涩、微苦，凉。清热解毒，止血，消积。

| **用法用量** | 内服煎汤，9 ~ 15 g。外用适量，鲜品捣敷。老弱气虚者及孕妇禁用。

大戟科 Euphorbiaceae 铁苋菜属 *Acalypha*

红桑 *Acalypha wilkesiana* Muell. Arg.

| **药材名** | 绿桑（药用部位：叶）。

| **形态特征** | 一年生草本。高 30 ~ 60 cm，被柔毛。叶互生，椭圆状披针形，先端渐尖，基部楔形，两面有疏毛或无毛，基出 3 脉；叶柄长。叶状肾形苞片 1 ~ 3，不分裂，对合如蚌；通常雄花序极短，着生在雌花序上部，雄花萼 4 裂，雄蕊 8；雌花序生于苞片内。蒴果钝三棱形，淡褐色，有毛；种子黑色。花期 5 ~ 7 月，果期 7 ~ 11 月。

| **生境分布** | 生于山坡、沟边、路旁和田野。广东各地公园或庭院有栽培。

| **资源情况** | 野生资源较少，栽培资源丰富。药材来源于野生和栽培。

| **采收加工** | 夏、秋季采收，除去杂质，晒干或鲜用。

| **功能主治** | 苦、辛，凉。清热消肿。用于跌打损伤。

| **用法用量** | 内服煎汤，10 ~ 30 g。外用适量，鲜品捣敷。

| **凭证标本号** | 440523190711016LY。

大戟科 Euphorbiaceae 山麻杆属 *Alchornea*

山麻杆 *Alchornea davidii* Franch.

| 药 材 名 | 桐花杆（药用部位：茎叶）。

| 形态特征 | 落叶灌木。高 1 ~ 4（ ~ 5）m。嫩枝被灰白色短绒毛，一年生小枝具微柔毛。叶薄纸质，阔卵形或近圆形，长 8 ~ 15 cm，宽 7 ~ 14 cm。雌雄异株，雄花序穗状，1 ~ 3 生于一年生枝已落叶腋部。蒴果近球形；种子卵状三角形，长约 6 mm。花期 3 ~ 5 月，果期 6 ~ 7 月。

| 生境分布 | 生于海拔 300 ~ 700（ ~ 1 000）m 的沟谷或溪畔、河边的坡地灌丛中。栽培于坡地。分布于广东平远等。

| 资源情况 | 野生资源较少，栽培资源丰富。药材来源于野生和栽培。

| 采收加工 | 春、夏季采收，洗净，鲜用或晒干。

| 功能主治 | 淡，平。驱虫，解毒，定痛。用于狂犬咬伤，蛇咬伤，蛔虫病，腰痛。

| 凭证标本号 | 445222180527002LY。

大戟科 Euphorbiaceae 山麻杆属 *Alchornea*

羽脉山麻杆 *Alchornea rugosa* (Lour.) Muell. Arg.

| 药 材 名 | 三稔蒟（药用部位：枝叶、种子。别名：毛三稔蒟）。

| 形态特征 | 小乔木或灌木状。幼枝被柔毛，后毛脱落；叶长倒卵形、倒卵形或宽披针形，先端渐尖，基部楔形或浅心形，具 2 斑状腺体，无小托部具 2 腺体。雌雄异株，雄花序圆锥状，顶生，花序轴被微毛或无毛，雄花 5 ~ 11 簇生于苞腋；苞片三角形，长约 1.5 mm，被柔毛；雌花单生；萼片 5，三角形。蒴果近球形，具 3 圆棱。花果期几全年。

| 生境分布 | 生于沿海平原或山地溪畔常绿阔叶林或次生林中。分布于广东阳春、化州、廉江、徐闻及阳江（市区）、湛江（市区）等。

| 资源情况 | 野生资源较少，栽培资源一般。药材来源于野生和栽培。

| **采收加工** | 夏、秋季采收，晒干。

| **功能主治** | 枝叶，接骨生肌。用于跌打损伤，骨折，外伤不愈。种子，用于腹泻。

| **凭证标本号** | 440882180429048LY。

大戟科 Euphorbiaceae 山麻杆属 *Alchornea*

红背山麻杆 *Alchornea trewioides* (Benth.) Muell. Arg.

| **药 材 名** | 红背叶（药用部位：根、叶）。

| **形态特征** | 灌木。叶阔卵形，先端急尖或渐尖，叶面无毛，背面浅红色，仅沿脉被微柔毛，基部具斑状腺体 4；基出脉 3；小托叶披针形。雌雄异株，雄花序穗状，具微柔毛；苞片三角形；花梗无毛。雌花序总状，顶生，各部均被微柔毛；苞片狭三角形，基部具腺体 2；小苞片披针形。雄花花萼花蕾时球形，无毛，萼片长圆形。雌花萼片披针形；子房球形，被短绒毛。蒴果球形，具 3 圆棱。花期 3 ~ 5 月，果期 6 ~ 8 月。

| **生境分布** | 生于沿海平地、山地灌丛或疏林下。广东各地均有分布。

| 资源情况 | 野生资源较少，栽培资源丰富。药材来源于野生和栽培。

| 采收加工 | 夏、秋季采收，晒干或鲜用。

| 功能主治 | 甘，凉。清热利湿，散瘀止血。用于痢疾，小便不利，血尿，尿路结石，崩漏，带下，腰腿痛，跌打肿痛；外用于外伤出血，荨麻疹，湿疹。

| 用法用量 | 内服煎汤，根 15 ~ 30 g，叶 9 ~ 15 g。外用适量，鲜叶捣敷；或煎汤洗。

| 凭证标本号 | 441825190501041LY。

大戟科 Euphorbiaceae 石栗属 *Aleurites*

石栗 *Aleurites moluccana* (Linn.) Willd.

| 药 材 名 | 黑油桐树（药用部位：叶。别名：烛果树、铁桐、南洋石栗）。

| 形态特征 | 常绿乔木。嫩枝密被灰褐色星状微柔毛，成长枝近无毛。叶纸质，卵形至椭圆状披针形，嫩叶两面被星状微柔毛，成长叶上面无毛，下面疏生星状微柔毛或几无毛；叶柄长 6 ~ 12 cm，密被星状微柔毛，先端有 2 扁圆形腺体。花雌雄同株，同序或异序；花瓣长圆形，长约 6 mm，乳白色至乳黄色。核果近球形或呈稍偏斜的圆球状；种子圆球状，侧扁，种皮有疣状突棱。花期 4 ~ 10 月。

| 生境分布 | 生于海拔 460 ~ 1 200 m 的山坡树林或平原。广东大部分地区有栽培。

| 资源情况 | 野生资源一般，栽培资源丰富。药材来源于野生和栽培。

| 采收加工 | 全年均可采摘。

| 功能主治 | 微苦，寒；有毒。止血。用于外伤出血。

| 用法用量 | 外用适量，鲜品捣敷；或干品研末敷。

| 凭证标本号 | 441322160502016LY。

大戟科 Euphorbiaceae 五月茶属 *Antidesma*

五月茶 *Antidesma bunius* (Linn.) Spreng.

| 药 材 名 | 五味叶（药用部位：叶、根。别名：酸味树）。

| 形态特征 | 乔木。除叶背中脉、叶柄、花萼两面和退化雌蕊被短柔毛或柔毛外，其余部分均无毛。叶片纸质，长椭圆形、倒卵形或长倒卵形，长 8 ~ 23 cm，宽 3 ~ 10 cm。雄花序为顶生的穗状花序；雄花花萼杯状，先端 3 ~ 4 裂，裂片卵状三角形；雄蕊 3 ~ 4。雌花序为顶生的总状花序，长 5 ~ 18 cm；雌花雌蕊稍长于萼片；子房宽卵圆形，花柱顶生。核果近球形或椭圆形。花期 3 ~ 5 月，果期 6 ~ 11 月。

| 生境分布 | 生于海拔 50 ~ 1 000 m 的平原或山地密林中。分布于广东封开、博罗及惠州（市区）等。

| 资源情况 | 野生资源较少，栽培资源丰富。药材来源于野生和栽培。

| 采收加工 | 夏、秋季采收，晒干。

| 药材性状 | 本品叶矩圆形至倒披针状矩圆形，长 6 ~ 16 cm，宽 2 ~ 6 cm，革质，淡棕绿色，两面无毛，有光泽；侧脉 7 ~ 11 对。气微，味涩。

| 功能主治 | 酸，温。收敛，止泻，止渴，生津，行气活血。外用于跌打损伤。

| 用法用量 | 内服煎汤，15 ~ 30 g。

| 凭证标本号 | 440781191711011LY。

大戟科 Euphorbiaceae 五月茶属 *Antidesma*

黄毛五月茶 *Antidesma fordii* Hemsl.

| 药 材 名 | 黄色五月茶（药用部位：叶。别名：唛毅怀、木味水）。

| 形态特征 | 小乔木。小枝、叶柄、托叶、花序轴被黄色绒毛，余均被长柔毛。花序顶生或腋生；苞片线形。雄花多朵组成分枝穗状花序；花萼5裂，裂片宽卵形；花盘5裂；雄蕊5，着生于花盘内面。雌花多朵组成不分枝或少分枝的总状花序；花盘杯状，无毛；子房椭圆形，花柱顶生，柱头2深裂。核果纺锤形。花期3 ~ 7月，果期7月至翌年1月。

| 生境分布 | 生于海拔300 ~ 1 000 m的山地密林中。分布于广东除北部和雷州半岛以外的各个地区。

| 资源情况 | 野生资源较少，栽培资源丰富。药材来源于野生和栽培。

| 采收加工 | 全年均可采摘。

| 药材性状 | 本品长圆形至倒卵形，长 7 ~ 25 cm，宽 3 ~ 10.5 cm，先端短渐尖或尾状渐尖，基部近圆形或钝，侧脉每边 7 ~ 11，在叶背凸起；叶柄长 1 ~ 3 mm；托叶卵状披针形。

| 功能主治 | 清热解毒。用于痈疮。

| 用法用量 | 外用适量，鲜品捣敷；或煎汤洗。

| 凭证标本号 | 441825190709021LY。

大戟科 Euphorbiaceae 五月茶属 *Antidesma*

方叶五月茶 *Antidesma ghaesembilla* Gaertn.

| 药 材 名 | 田边木（药用部位：叶。别名：早禾树）。

| 形态特征 | 乔木。除叶面外，全株各部均被柔毛或短柔毛。叶基部浅心形或圆钝。雄花黄绿色，多朵组成分枝穗状花序；萼片常 5，倒卵形，雄蕊 4 ~ 5，花丝着生于花盘裂片之间。雌花多朵组成分枝总状花序；花梗极短；花萼与雄花同；花盘环状；子房卵圆形，长约 1 mm；花柱 3，顶生。核果近球形。花期 3 ~ 9 月，果期 6 ~ 12 月。

| 生境分布 | 生于山坡、旷野或疏林中。分布于广东封开、高要、从化、增城及惠州（市区）等。

| 资源情况 | 野生资源较少，栽培资源丰富。药材来源于野生和栽培。

| **采收加工** | 春、夏季采摘，洗净，鲜用。

| **功能主治** | 辛，温。拔脓止痒。用于小儿头疮。

| **用法用量** | 内服煎汤，3 ~ 10 g；或研末冲。

| **凭证标本号** | 440882180804804LY。

大戟科 Euphorbiaceae 五月茶属 *Antidesma*

日本五月茶 *Antidesma japonicum* Sieb. et Zucc.

| 药 材 名 | 酸味子（药用部位：全株或叶。别名：蔓五月茶、禾串果）。

| 形态特征 | 乔木或灌木。幼枝被短柔毛。叶片纸质至近革质，椭圆形、长椭圆形至长圆状披针形，稀倒卵形，除叶脉上被短柔毛外，其余均无毛。总状花序顶生，雄花花梗被疏微毛至无毛，基部具披针形小苞片；花萼钟状，裂片卵状三角形，外面被疏柔毛；雄蕊 2 ~ 5；花盘垫状。雌花花梗极短；花萼与雄花相似，较小；花盘垫状。核果椭圆形。花期 4 ~ 6 月，果期 7 ~ 9 月。

| 生境分布 | 生于海拔 300 ~ 1 700 m 的山地疏林中或山谷湿润处。分布于广东除西南部以外的各个地区。

| 资源情况 | 野生资源较少，栽培资源丰富。药材来源于野生和栽培。

| 采收加工 | 全年均可采收。

| 功能主治 | 辛、苦，凉。全株，清热解毒，祛风湿。叶，清热解毒。用于胃脘痛，痈疮肿毒，吐血。

| 用法用量 | 内服煎汤，15 ~ 30 g。外用适量，煎汤洗。

| 凭证标本号 | 441523190918035LY。

大戟科 Euphorbiaceae 五月茶属 *Antidesma*

小叶五月茶 *Antidesma montanum* Bl. var. *microphyllum* (Hemsley) Petra Hoffm. [*Antidesma venosum* E. Mey. ex Tul.]

| 药 材 名 | 柳叶五月茶（药用部位：根、叶。别名：小杨柳、沙潦木、水杨梅）。

| 形态特征 | 灌木。除幼枝、叶背、中脉、叶柄、托叶、花序及苞片被疏短柔毛或微毛外，余无毛。叶片近革质，狭披针形或狭长圆状椭圆形，长 3 ~ 10 cm，宽 4 ~ 25 mm；托叶线状披针形。总状花序单个或 2 ~ 3 聚生于枝顶或叶腋内。核果卵圆状，花期 5 ~ 6 月，果期 6 ~ 11 月。

| 生境分布 | 生于常绿阔叶林中或林缘。分布于广东乳源、龙门、五华、平远、龙川、英德、连州、饶平及广州（市区）、深圳（市区）等。

| 资源情况 | 野生资源较少，栽培资源丰富。药材来源于野生和栽培。

李步杭提供

| 采收加工 | 全年均可采收。

| 功能主治 | 收敛止泻，生津止渴，行气活血。根用于小儿麻疹，水痘。

| 凭证标本号 | 441422190707006LY。

大戟科 Euphorbiaceae 秋枫属 *Bischofia*

秋枫 *Bischofia javanica* Bl.

| 药 材 名 | 茄冬（药用部位：根、树皮、叶。别名：万年青树、加当）。

| 形态特征 | 乔木。三出复叶，稀 5 小叶；总叶柄长 8 ~ 20 cm；小叶片纸质，卵形、椭圆形、倒卵形或椭圆状卵形，先端急尖或短尾状渐尖，基部宽楔形至钝，边缘有浅锯齿，幼时仅叶脉上被疏短柔毛，老后渐无毛；托叶膜质，披针形，早落。花小，雌雄异株，多朵组成腋生的圆锥花序；雄花序长 8 ~ 13 cm，被微柔毛至无毛；雌花序长 15 ~ 27 cm，下垂。果实浆果状，圆球形或近圆球形，淡褐色；种子长圆形。花期 4 ~ 5 月，果期 8 ~ 10 月。

| 生境分布 | 生于平原或山谷湿润常绿林中。分布于广东北部山地以外的大部分地区。

| 资源情况 | 野生资源较少，栽培资源丰富。药材来源于野生和栽培。

| 采收加工 | 夏、秋季采收，晒干或鲜用。

| 功能主治 | 微辛、涩，凉。行气活血，消肿解毒。

| 用法用量 | 内服煎汤，根、树皮 9 ~ 15 g，鲜叶 60 ~ 90 g。外用适量，捣敷。

| 凭证标本号 | 441523190921053LY。

大戟科 Euphorbiaceae 秋枫属 *Bischofia*

重阳木 *Bischofia polycarpa* (Lévl.) Airy Shaw

| 药 材 名 | 秋枫（药用部位：根、树皮、叶。别名：大秋枫、红桐、乌杨）。

| 形态特征 | 常绿乔木。三出复叶，互生；小叶卵形至椭圆状卵形，纸质，先端渐尖，基部楔形，边缘有锯齿。花小，单性，雌雄异株；圆锥花序腋生；花淡绿色，无花瓣。果实浆果状，球形，褐色或淡红色；种子长圆形，胚乳肉质。花期 4 ~ 5 月，果期 8 ~ 10 月。

| 生境分布 | 生于低海拔的空旷地上，尤以河边堤岸、湿润肥沃的砂壤土最为适宜。广东翁源、乳源、阳山、连山、英德、连州及广州（市区）、深圳（市区）、肇庆（市区）等有栽培。

| 资源情况 | 野生资源较少，栽培资源丰富。药材来源于野生和栽培。

喻勋林提供

| **采收加工** | 夏、秋季采收。

| **功能主治** | 微辛、涩，凉。行气活血，消肿解毒。根、树皮用于风湿骨痛，赤白痢。

| **用法用量** | 内服煎汤，根、树皮 9 ~ 15 g，鲜叶 50 ~ 90 g。外用适量，捣敷。

| **凭证标本号** | 440785180708014LY。

喻勋林提供

喻勋林提供

大戟科 Euphorbiaceae 黑面神属 *Breynia*

黑面神 *Breynia fruticosa* (Linn.) Hook. f.

| 药 材 名 | 鬼画符（药用部位：全株或根、枝叶。别名：夜兰茶、蚁惊树、山夜兰）。

| 形态特征 | 灌木。全株无毛。叶革质，卵形、阔卵形或菱状卵形，两端钝或急尖，叶面深绿色，背面粉绿色，干后变黑色，具小斑点；托叶三角状披针形。花小，单生或 2 ~ 4 簇生于叶腋内，雌花位于小枝上部，雄花位于小枝下部，有时生于不同的小枝上；雌花花萼钟状，结果时约增大 1 倍。蒴果圆球状，有宿存的花萼。花期 4 ~ 9 月，果期 5 ~ 12 月。

| 生境分布 | 生于平原区缓坡至海拔 550 m 以下的山地疏林或灌丛中。广东各地均有分布。

| 资源情况 | 野生资源较少，栽培资源丰富。药材来源于野生和栽培。

| 采收加工 | 夏、秋季采收，晒干或鲜用。

| 功能主治 | 微苦，凉；有小毒。清热解毒，散瘀止痛，止痒。

| 用法用量 | 根，内服煎汤，5 ~ 9 g。鲜枝叶，外用适量，煎汤洗；或捣汁搽。孕妇忌服。

| 凭证标本号 | 440783190717005LY。

大戟科 Euphorbiaceae 黑面神属 *Breynia*

小叶黑面神 *Breynia vitis-idaea* (Burm. f.) C. E. C. Fischer

| 药 材 名 | 小叶鬼画符（药用部位：全株或根）。

| 形态特征 | 灌木。全株无毛。叶片膜质，二列，卵形、阔卵形或长椭圆形，基部钝，上面绿色，下面粉绿色或苍白色，中脉和侧脉在上面扁平，在下面凸起。花小，绿色，单生或几朵组成总状花序；雌花萼片较短，结果时不增大，花柱短。蒴果卵珠状，先端扁压状，基部有宿存的花萼。花期 3 ~ 9 月，果期 5 ~ 12 月。

| 生境分布 | 生于海拔 150 ~ 1 000 m 的山地灌丛中。分布于广东信宜及茂名（市区）、清远（市区）等。

| 资源情况 | 野生资源较少，栽培资源丰富。药材来源于野生和栽培。

| **采收加工** | 全年均可采收，洗净，晒干。

| **药材性状** | 本品根多呈圆锥状，长 10 ~ 20 cm，直径 2 ~ 7 mm，棕褐色，木部发达。茎不绕曲，长 15 ~ 30 cm，直径 0.5 ~ 5 mm，表面灰棕色或浅棕色。小枝具棱，无毛。单叶互生，卵形或椭圆形，长 5 ~ 15 mm，宽 5 ~ 10 mm；先端钝，基部圆形，上面棕褐色，下面浅棕色，两面均无毛，侧脉每边 2 ~ 4，网脉不明显，叶片多已脱落；托叶极小；叶柄长 1 ~ 2 mm。气微，味微涩。

| **功能主治** | 苦，寒。清热解毒，消肿止痛。根用于急性胃炎，肠炎，痢疾，感冒发热，腹痛，咽喉炎；外用于跌打肿痛。

| **用法用量** | 内服煎汤，15 ~ 30 g。外用适量，鲜根捣敷。

大戟科 Euphorbiaceae 土蜜树属 *Bridelia*

尖叶土蜜树 *Bridelia balansae* Tutcher [*Bridelia insulana* Hance]

| 药 材 名 | 禾串树（药用部位：叶。别名：禾串树、大叶逼迫子）。

| 形态特征 | 乔木。叶片近革质，椭圆形或长椭圆形，先端渐尖或尾状渐尖，基部钝，无毛或仅在背面疏被微柔毛，边缘反卷；侧脉每边 5 ~ 11；

托叶线状披针形，长约 3 mm，被黄色柔毛。花雌雄同序，除萼片及花瓣被黄色柔毛外，其余无毛。核果长卵形，直径约 1 cm，成熟时紫黑色，1 室。花期 3 ~ 8 月，果期 9 ~ 11 月。

| 生境分布 | 生于海拔 300 ~ 800 m 的山地疏林或山谷密林中。分布于广东大埔、梅县、徐闻等。

| 资源情况 | 野生资源较少，栽培资源丰富。药材来源于野生和栽培。

| 采收加工 | 全年均可采摘，晒干。

| 功能主治 | 消炎。用于慢性支气管炎。

大戟科 Euphorbiaceae 土蜜树属 *Bridelia*

大叶土蜜树 *Bridelia retusa* (Linn.) Spreng.

| 药 材 名 | 虾公树（药用部位：全株。别名：密脉土蜜树、贵州土蜜树）。

| 形态特征 | 乔木。除嫩枝、叶背、叶柄、托叶和雌花萼片外面被短柔毛外，其余均无毛。叶片革质，长圆形、椭圆状长圆形或卵状长圆形；叶脉在叶面扁平，在叶背凸起，侧脉每边 16 ~ 26，近平行横出，至叶缘前分叉连结；托叶小，早落。花雌雄异株。核果圆球状，直径 7 ~ 9 mm，2 室。花期 8 ~ 10 月，果期 10 ~ 12 月。

| 生境分布 | 生于石灰岩山地林中。分布于广东翁源、阳山、连州、连南、乳源、乐昌、封开、云浮（市区）等。

| 资源情况 | 野生资源较少，栽培资源丰富。药材来源于野生和栽培。

| **采收加工** | 全年均可采收，洗净，晒干。

| **功能主治** | 清热利尿，活血调经。用于膀胱炎，指头红肿，月经不调，痛经，骨折。

| **凭证标本号** | 441623180810004LY。

大戟科 Euphorbiaceae 土蜜树属 *Bridelia*

土蜜树 *Bridelia tomentosa* Bl.

| 药 材 名 | 逼迫子（药用部位：根皮、茎、叶。别名：猪牙木、夹骨木）。

| 形态特征 | 直立灌木或小乔木。除幼枝、叶背、叶柄、托叶和雌花的萼片外面被柔毛或短柔毛外，其余均无毛。叶片纸质，长圆形、长椭圆形或倒卵状长圆形，稀近圆形；叶面粗涩，叶背浅绿色；侧脉每边 9 ~ 12。花雌雄同株或异株，簇生于叶腋。核果近圆球形，直径 4 ~ 7 mm，2 室；种子红褐色，长卵形，腹面压扁状，有纵槽，背面稍凸起，有纵条纹。花果期几乎全年。

| 生境分布 | 生于海拔 100 ~ 1 500 m 的山地疏林中或平原灌木林中。广东各地均有分布。

骆世珍提供

| 资源情况 | 野生资源较少，栽培资源丰富。药材来源于野生和栽培。

| 采收加工 | 全年均可采收，晒干或鲜用。

| 功能主治 | 淡、微苦，平。清热解毒，安神调经。根皮用于肾虚，月经不调；茎、叶用于狂犬咬伤；鲜叶用于疔疮肿毒。

| 用法用量 | 内服煎汤，根皮 15 ~ 50 g；茎、叶 30 ~ 60 g。外用适量，鲜叶捣敷。

| 凭证标本号 | 445222180422006LY。

骆世珍提供

骆世珍提供

大戟科 Euphorbiaceae 白桐树属 *Claoxylon*

白桐树 *Claoxylon indicum* (Reinw. ex Bl.) Hassk.

| 药 材 名 | 丢了棒（药用部位：叶。别名：追风棍、咸鱼头、泡平桐）。

| 形态特征 | 灌木或小乔木。嫩枝被短柔毛。单叶互生，卵形至卵状长圆形，嫩叶被疏柔毛。花单性，排成腋生总状花序；雄花序长 10 ~ 30 cm，雌花序长 5 ~ 8 cm；花无花瓣。雄花数朵聚生。雌花花萼 3 裂，裂片三角形，外面被柔毛；子房密被柔毛，2 ~ 3 室，每室有胚珠 1，花柱 3，离生。蒴果球形，被柔毛，成熟时 3 裂，红色。花果期 3 ~ 12 月。

| 生境分布 | 生于平原或河谷旁的疏林或灌木林。分布于广东南海、台山、徐闻、雷州、吴川、博罗、阳春、高州及广州（市区）、深圳（市区）、珠海（市区）、茂名（市区）、肇庆（市区）、阳江（市区）等。

| 资源情况 | 野生资源较少，栽培资源丰富。药材来源于野生和栽培。

| 采收加工 | 全年均可采收。

| 药材性状 | 本品叶多皱缩、脱落或破碎，完整叶片展平后常为宽卵形，基部圆，边缘具不规则粗齿，下面被柔毛，叶脉常呈紫红色；叶柄长，先端两侧各有 1 腺体。气微香，味微咸而涩。

| 功能主治 | 辛、微苦，平；有毒。祛风除湿，消肿止痛。用于风湿性关节炎，腰腿痛，跌打肿痛，脚气水肿；外用于烫火伤，外伤出血。

| 用法用量 | 内服煎汤，12 ~ 18 g。外用适量，煎汤洗、敷；或研末撒；或鲜品捣敷。孕妇禁用。

| 凭证标本号 | 440882180126379LY。

大戟科 Euphorbiaceae 蝴蝶果属 *Cleidiocarpon*

蝴蝶果 *Cleidiocarpon cavaleriei* (Lévl.) Airy Shaw

|药 材 名|

蝴蝶果（药用部位：果实）。

|形态特征|

乔木。叶纸质，椭圆形，先端渐尖，稀急尖，基部楔形；小托叶 2，钻状；托叶钻状；叶柄基部具叶枕。圆锥状花序长 10 ~ 15 cm；雄花 7 ~ 13 密集成团伞花序；雌花 1 ~ 6，生于花序的基部或中部；雌花萼片被短绒毛，副萼披针形或鳞片状；子房被短绒毛，2 室，常 1 室发育，1 室仅具痕迹。果实呈偏斜的卵球形或双球形，具微毛，花柱基喙状，外果皮革质，中果皮薄革质，不开裂。花果期 5 ~ 11 月。

|生境分布|

生于海拔 150 ~ 750（ ~ 1 000） m 的山地或石灰岩山的山坡或沟谷常绿林中。广东各地均有栽培。

|资源情况|

野生资源较少，栽培资源丰富。药材来源于野生和栽培。

| 采收加工 | 秋季采收，晒干。

| 药材性状 | 本品单粒种子的果实，果皮一端向外延伸成翅状，平展，类匙形，长 25 ~ 30 mm，宽 6 ~ 10 mm，黄褐色或淡棕色，偶见 2 带翅果实并排生于一纤细的果柄上，张开成钝角，形似蝴蝶的翅膀。小坚果凸起，卵形，直径约 4 mm。破碎后气微，味微苦、涩。

| 功能主治 | 微苦、涩，凉。清热解毒，利咽。用于咽喉炎，扁桃体炎。

| 用法用量 | 内服煎汤，10 ~ 15 g。

大戟科 Euphorbiaceae 棒柄花属 *Cleidion*

棒柄花 *Cleidion brevipetiolatum* Pax et Hoffm.

| 药 材 名 | 三台花（药用部位：树皮）。

| 形态特征 | 小乔木。叶薄革质，互生或近对生，倒卵形或披针形，叶背面的侧脉腋具髯毛，上半部边缘具疏锯齿；侧脉 5 ~ 9 对；托叶披针形，早落。雌雄同株，雄花序腋生，长 5 ~ 20 cm，花序轴被微柔毛，雄花 3 ~ 7 簇生于苞腋；苞片宽三角形，长 1.5 mm，疏生于花序轴上；雄花花梗长 1 ~ 1.5 mm，具关节；萼片 3，长 2 ~ 2.5 mm；雄蕊 40 ~ 65。蒴果扁球形，直径 1.2 ~ 1.5 cm。花果期 3 ~ 10 月。

| 生境分布 | 生于石灰岩山地或山地常绿林中。分布于广东高要、博罗、阳春、阳山、英德及深圳（市区）、云浮（市区）等。

| 资源情况 | 野生资源较少，栽培资源丰富。药材来源于野生和栽培。

| 采收加工 | 夏、秋季采收，晒干。

| 功能主治 | 苦，寒。利湿解毒，清热解表。用于风热感冒，咽喉肿痛。

| 用法用量 | 内服煎汤，9 ~ 12 g。

| 凭证标本号 | 440224180403020LY。

大戟科 Euphorbiaceae 变叶木属 *Codiaeum*

变叶木 *Codiaeum variegatum* (Linn.) A. Juss.

| 药 材 名 | 洒金榕（药用部位：叶）。

| 形态特征 | 小乔木或灌木。叶薄革质，叶形、大小、色泽等因品种不同有很大变异，线形、线状披针形、披针形、椭圆形、卵形、倒卵形、匙形或提琴形，两面无毛，绿色、黄色、黄绿相间、紫红色、紫红色与黄绿色相间或绿色散生黄色斑点或斑块。花雌雄同株异序；总状花序腋生，长 8 ~ 30 cm；雄花白色，花梗纤细；雌花淡黄色，花梗较粗。蒴果近球形，稍扁，无毛，直径约 9 mm。花期 9 ~ 10 月。

| 生境分布 | 栽培种。广东各地均有栽培。

| 资源情况 | 栽培资源丰富。药材来源于栽培。

| 采收加工 | 全年均可采摘，晒干。

| 功能主治 | 苦，寒；有毒。散瘀消肿，清热理肺。用于咳嗽，跌打肿痛。

| 用法用量 | 内服煎汤，9 ~ 15 g。外用适量，研末调敷。

| 凭证标本号 | 440923140722013LY。

大戟科 Euphorbiaceae 巴豆属 *Croton*

鸡骨香 *Croton crassifolius* Geisel.

| 药 材 名 | 鸡脚香（药用部位：根。别名：驳骨消、金线风）。

| 形态特征 | 小灌木。密被淡黄色星状毛。根粗壮，黄褐色。叶互生，卵状披针形或椭圆形，基部圆形或微心形，边缘稍有锯齿，齿间有腺体；成长叶背面被茸毛。花雌雄同株，排成顶生的总状花序，雄花生于上部，雌花生于下部。蒴果球形，直径约 1 cm，被星状毛，开裂为 3 个 2 裂分果爿。花期 11 月至翌年 6 月。

| 生境分布 | 生于沿海丘陵山地较干旱的山坡灌丛中。分布于广东海丰、博罗及潮州（市区）、惠州（市区）、广州（市区）、肇庆（市区）、茂名（市区）、雷州半岛等。

| 资源情况 | 野生资源较少，栽培资源丰富。药材来源于野生和栽培。

| 采收加工 | 全年均可采收，除去杂质，洗净，切段，晒干。

| 药材性状 | 本品呈条状圆柱形，多为长 2.5 ~ 4 cm 的短段，直径 0.3 ~ 0.8 cm；表面灰黄色，表皮稍粗糙，极易呈碎片状脱落；质脆，易折断，断面黄色，木质部甚脆。气微香，味苦涩。以条粗、色黄、气香者为佳。

| 功能主治 | 辛、苦，温。行气止痛，祛风消肿。用于风湿关节痛，腰腿痛，胃痛，腹痛，疝气痛，痛经，黄疸，慢性肝炎，跌打肿痛。

| 用法用量 | 内服煎汤，9 ~ 15 g；或研末冲，0.9 ~ 1.5 g。

| 凭证标本号 | 445224190503001LY。

大戟科 Euphorbiaceae 巴豆属 *Croton*

石山巴豆 *Croton euryphyllus* W. W. Smith

| 药 材 名 | 石山巴豆（药用部位：根）。

| 形态特征 | 灌木。枝被脱落星状毛，叶纸质，近圆形或宽卵形，叶两面无毛，基部杯状腺体有柄，5 基出脉；总状花序长达 15 cm；苞片早落；雄花花瓣较萼片小，边缘被绵毛；雄蕊约 15，无毛；雌花花瓣钻状；花柱 2 裂，近无毛；蒴果近球形，直径 10 mm；种子椭圆形，暗灰褐色。花期 4 ～ 5 月。

| 生境分布 | 生于海拔 300 ～ 1 200 m 的疏林中。分布于广东连州、封开等。

| 资源情况 | 野生资源较少，栽培资源一般。药材来源于野生和栽培。

| 采收加工 | 全年均可采收，晒干。

| **功能主治** | 外用于风湿骨痛，跌打损伤。

| **用法用量** | 内服适量，入丸、散剂。外用适量，绵裹塞耳鼻；或捣膏涂；或以绢包擦。大多制霜用，以减轻毒性。

| **凭证标本号** | 441827180421003LY。

大戟科 Euphorbiaceae 巴豆属 *Croton*

毛果巴豆 *Croton lachnocarpus* Benth.

| 药 材 名 | 小叶双龙眼（药用部位：根、叶）。

| 形态特征 | 灌木。茎、枝灰黄色，被星状毛。叶互生或上部数片聚集成假轮生状，厚纸质，狭卵形或长椭圆形，老时上面近无毛；基出 3 脉，网脉明显，网眼大。总状花序顶生；花单性，雌雄同株并同序。雄花多数，密生于花序轴上部；花萼于花蕾期呈球形；花瓣 5，长圆形。雌花小，着生于花序轴基部。蒴果扁球形，直径达 1 cm，被星状茸毛与长硬毛。花期 4 ~ 5 月。

| 生境分布 | 生于山坡、草地或灌丛中。广东除雷州半岛外的各地均有分布。

| 资源情况 | 野生资源较少，栽培资源丰富。药材来源于野生和栽培。

| 采收加工 | 根，秋季采挖，洗净，切片，晒干。

| 药材性状 | 本品为不规则的圆柱形斜片，长约 3.5 cm，直径约 3 cm，灰黄色或灰褐色，具不规则的纵皱纹，皮孔呈点状凸起，灰白色；切面有同心环纹，微具放射状纹理，木部淡黄色，皮部灰黄白色或灰棕色，易剥离。气微，味辛、苦，嚼之有灼舌感。以色灰黄，质坚，味辛、苦者为佳。

| 功能主治 | 辛、苦，温；有小毒。用于祛风除湿，散瘀消肿。

| 用法用量 | 内服煎汤，9 ~ 15 g；或浸酒。外用适量，鲜叶捣敷。孕妇忌服。

| 凭证标本号 | 440281190427021LY。

大戟科 Euphorbiaceae 巴豆属 *Croton*

巴豆 *Croton tiglium* Linn.

| **药材名** | 双眼龙（药用部位：根、叶、种子、果实）。

| **形态特征** | 常绿小乔木。幼枝被星状毛。叶互生，膜质，卵形或长卵形，先端渐尖，基部钝圆，边缘有细齿，无毛或疏生星状毛。花绿色，单性同株，排成顶生的总状花序；雄花生于花序上部；雌花花萼裂片 5，有星状毛；无花瓣；子房倒卵形，密被星状毛。蒴果倒卵形，具 3 钝角；种子长卵形，淡黄色。花期 4 ~ 6 月，果期 7 ~ 9 月。

| **生境分布** | 生于山地林中。广东大部分地区有栽培。

| **资源情况** | 野生资源较少，栽培资源丰富。药材来源于野生和栽培。

| **采收加工** | 果实，秋季果实成熟但尚未开裂时采收，晒干。

| 药材性状 | 本品果实呈长圆形或倒卵形，有 3 纵沟和 3 钝棱，长 1.8 ~ 2.2 cm，直径 1.4 ~ 2 cm；表面灰黄色或黄棕色，粗糙，先端近平截，基部有果萼和果柄痕；果皮薄，质硬而脆；3 室，间有 4 室，每室含种子 1。种子椭圆形至卵形，略扁，有隆起的种脊，外种皮薄而脆，内种皮白色，薄膜状；种仁黄白色，子叶 2，油质。气微弱，味初微涩，后有持久辛辣感。以颗粒大、皮薄、色灰黄、种子饱满、种仁色黄白者为佳。

| 功能主治 | 根、叶，辛，温；有毒。温中散寒，祛风活络。用于疟疾，疮癣，跌打损伤，蛇咬伤。种子，辛，热；有大毒。泻下攻积，逐水消肿。果实，辛，热；有大毒。泻寒积，通关窍，逐痰，行水，杀虫。用于冷积凝滞，胸腹胀满急痛，血瘕，痰癖，泻痢，水肿；外用于喉风，喉痹，恶疮疥癣。

| 用法用量 | 内服煎汤，0.15 ~ 0.3 g；或入丸、散剂。外用适量，研末涂；或捣烂以纱布包擦。

| 凭证标本号 | 440783191103003LY。

大戟科 Euphorbiaceae 丹麻杆属 *Discocleidion*

假奓包叶 *Discocleidion rufescens* (Franch.) Pax et Hoffm.

| 药 材 名 | 糖壳树（药用部位：叶。别名：毛丹麻杆、野桑叶）。

| 形态特征 | 灌木或小乔木。小枝、叶柄、花序均密被白色或淡黄色长柔毛。叶柄先端有 2 小托叶，叶基部两侧有 2 ~ 4 腺体，叶纸质，卵形或卵状椭圆形，上面被糙伏毛，下面被绒毛，叶脉被白色长柔毛。总状花序或下部多分枝呈圆锥花序状。蒴果扁球形，直径 6 ~ 8 mm，被柔毛。花期 4 ~ 8 月，果期 8 ~ 10 月。

| 生境分布 | 生于林中或山坡灌丛中。分布于广东阳山、连州等。

| 资源情况 | 野生资源较少，栽培资源一般。药材来源于野生和栽培。

| 采收加工 | 全年均可采摘，晒干。

| 功能主治 | 辛、苦，凉；有毒。清热解毒，消肿镇痛。

| 用法用量 | 内服煎汤，10 ~ 15 g。

| 凭证标本号 | 441882180508032LY。

大戟科 Euphorbiaceae 黄桐属 *Endospermum*

黄桐 *Endospermum chinense* Benth.

|药材名| 黄虫树（药用部位：树皮、叶、根）。

|形态特征| 乔木。树皮灰褐色。嫩枝、花序和果实均密被灰黄色星状微柔毛。小枝的毛渐脱落，叶痕明显，灰白色。叶薄革质，椭圆形至卵圆形，基部有 2 球形腺体；托叶三角状卵形，具毛。花序生于枝条近顶部叶腋；苞片卵形；雄花花萼杯状；雌花花萼杯状，被毛，宿存；花盘环状；子房近球形，被微绒毛，花柱短，柱头盘状。果实近球形，果皮稍肉质；种子椭圆形。花期 5 ~ 8 月，果期 8 ~ 11 月。

|生境分布| 生于山脊、斜坡林中。分布于广东徐闻、高要、博罗、陆河、阳春、中山及阳江（市区）、广州（市区）等。

| 资源情况 | 野生资源较少，栽培资源丰富。药材来源于野生和栽培。

| 采收加工 | 夏、秋季采收，晒干。

| 药材性状 | 本品叶宽卵形、椭圆形或近圆形，薄革质，棕绿色，长 10 ~ 18 cm，宽 7 ~ 14 cm，基部有 2 黄色大腺体。气微，味苦、涩。

| 功能主治 | 辛，热；有毒。舒筋活络，祛瘀生新，消肿镇痛。用于风寒湿痹；根还用于黄疸性肝炎。

| 用法用量 | 内服煎汤，6 ~ 10 g。

| 凭证标本号 | 440783200328002LY。

大戟科 Euphorbiaceae 大戟属 *Euphorbia*

火殃勒 *Euphorbia antiquorum* Linn.

| 药 材 名 |

霸王鞭（药用部位：茎、叶。别名：金刚纂）。

| 形态特征 |

肉质灌木状小乔木。茎常具 3 棱，高 5（~ 8）m，上部多分枝。叶互生，少而稀，常生于嫩枝顶部，倒卵形或倒卵状长圆形；苞叶 2，下部结合，紧贴花序，膜质，与花序近等大。花序单生于叶腋，雄花多数；雌花 1。蒴果三棱状扁球形；种子近球状，褐黄色，平滑。无种阜。花果期全年。

| 生境分布 |

栽培种。广东大部分地区有栽培。

| 资源情况 |

野生资源较少，栽培资源丰富。药材来源于野生和栽培。

| 采收加工 |

全年均可采收，晒干或鲜用。

| 功能主治 |

茎，苦，寒；有毒。消肿，通便，杀虫。用于臌胀，急性吐泻，肿毒，疥癞。叶，苦，

寒；有毒。清热化滞，解毒行瘀。用于热滞泄泻，痧秽吐泻，转筋，疔疮，跌打积瘀。

|用法用量| 内服煎汤，鲜茎 50 g，切碎炒黑，水酒各半煎服。外用适量，捣汁搽。

|附　　注| 本种喜温暖干燥和阳光充足的环境，不耐寒，耐高温，适宜栽培于排水良好、疏松的砂土。

大戟科 Euphorbiaceae 大戟属 *Euphorbia*

猩猩草 *Euphorbia cyathophora* Murr.

| 药 材 名 | 一品红（药用部位：全草）。

| 形态特征 | 一年生或多年生草本。根圆柱状。茎上部多分枝，无毛。叶互生，卵形、椭圆形或卵状椭圆形，先端尖或圆，基部窄，边缘波状分裂或具波状齿，有时全缘，无毛；苞叶与茎生叶同形，长 2 ~ 5 cm，淡红色或基部红色。花序数枚聚伞状排列于分枝先端，总苞钟状，绿色，腺体扁杯状，近二唇形，黄色；雄花多枚，常伸出总苞；雌花 1。蒴果三棱状球形，长 4.5 ~ 5 mm。花果期 5 ~ 11 月。

| 生境分布 | 广东沿海各地城镇公园有栽培。

| 资源情况 | 野生资源较少，栽培资源丰富。药材来源于野生和栽培。

| **采收加工** | 全年均可采收，晒干或鲜用。

| **功能主治** | 有毒。调经，止血，止咳，接骨，消肿。

| **用法用量** | 内服煎汤，3 ~ 9 g。外用适量，鲜品捣敷。

| **凭证标本号** | 440882180331037LY。

大戟科 Euphorbiaceae 大戟属 *Euphorbia*

乳浆大戟 *Euphorbia esula* Linn.

|药材名|

猫眼草（药用部位：全草。别名：猫眼睛、新月大戟、欧洲柏大戟）。

|形态特征|

多年生草本。叶线形至卵形；不育枝叶常为松针状；总苞叶与茎生叶同形；苞叶 2，常为肾形。花序单生于二叉分枝的先端。雄花多数；苞片宽线形。雌花 1；子房柄明显伸出总苞之外，子房光滑无毛。蒴果三棱状球形，长与直径均为 5 ~ 6 mm，具 3 纵沟，有宿存花柱，成熟时分裂为 3 分果爿；种子卵球状，成熟时黄褐色。花果期 4 ~ 10 月。

|生境分布|

生于路旁、杂草丛、山坡、林下、河沟边、荒山、沙丘及草地。分布于广东乐昌、乳源、南雄及肇庆（市区）等。

|资源情况|

野生资源较少，栽培资源丰富。药材来源于野生和栽培。

| 采收加工 | 夏、秋季采收，晒干或鲜用。

| 功能主治 | 微苦，平；有毒。利尿消肿，散结，杀虫。用于水肿，臌胀，瘰疬，皮肤瘙痒。

| 用法用量 | 内服煎汤，1 ~ 2 g。外用适量，鲜品捣敷。

| 凭证标本号 | 440281200712003LY。

大戟科 Euphorbiaceae 大戟属 *Euphorbia*

泽漆 *Euphorbia helioscopia* Linn.

| 药 材 名 | 五朵云（药用部位：全草。别名：五灯草、五风草）。

| 形态特征 | 一年生或二年生草本。茎基部多分枝，枝斜升。单叶互生，叶片倒卵形或匙形，先端钝圆或微凹，基部楔形；茎先端有 5 轮生的叶状苞片，与茎生叶相似，但较大。花无花被；多歧聚伞花序顶生；总苞萼状，钟形，先端 4 浅裂，有 4 腺体；雌花单生于总苞的中央。蒴果卵圆形，光滑无毛；种子卵形，表面有凸起的网纹，褐色。花期 5 ~ 6 月，果期 7 ~ 8 月。

| 生境分布 | 生于山坡荒地、沟边、路边、旷野草丛及田地中。分布于广东新会及珠海（市区）等。

| 资源情况 | 野生资源较少，栽培资源丰富。药材来源于野生和栽培。

| 采收加工 | 5 ~ 6 月花开时采收，除去泥沙，晒干。

| 药材性状 | 本品长约 30 cm。茎光滑无毛，多分枝；表面黄绿色，基部呈紫红色，具纵纹；质脆。叶互生，无柄，倒卵形或匙形，长 1 ~ 3 cm，宽 0.5 ~ 1.8 cm，先端钝圆或微凹，基部楔形，边缘在中部以上具锯齿；茎顶部具 5 轮生叶状苞，与下部叶相似。多歧聚伞花序顶生，有伞梗；杯状花序钟形，黄绿色。蒴果无毛。种子卵形，表面有凸起的网纹。气酸而特异，味淡。以茎粗壮、色黄绿者为佳。

| 功能主治 | 辛、苦，微寒；有毒。行水消肿，化痰止咳，解毒杀虫。用于水肿，小便不利，肺热咳嗽，痰饮喘咳，疟疾，细菌性痢疾，瘰疬，结核性瘘管，无名肿毒。

| 用法用量 | 内服煎汤，4.5 ~ 9 g。外用适量，熬膏涂敷。

大戟科 Euphorbiaceae 大戟属 *Euphorbia*

白苞猩猩草 *Euphorbia heterophylla* Linn.

| 药 材 名 | 台湾大戟（药用部位：全草。别名：柳叶大戟、一品红）。

| 形态特征 | 多年生草本。茎被柔毛。叶互生，卵形至披针形，先端尖或渐尖，基部钝至圆，边缘具锯齿或全缘，两面被柔毛；苞叶与茎生叶同形，绿色或基部白色。花序单生；总苞钟状，腺体常 1，偶 2，杯状。雄花多数；苞片线形至倒披针形。雌花 1；子房被疏柔毛。蒴果卵球状，被柔毛；种子棱状卵形，被瘤状突起，灰色至褐色，无种阜。花果期 2 ~ 11 月。

| 生境分布 | 生于海滨或村落的荒地、疏林下。广东各地均有栽培或逸为野生。

| 资源情况 | 野生资源较少，栽培资源丰富。药材来源于野生和栽培。

| 采收加工 | 夏、秋季采收，晒干或鲜用。

| 功能主治 | 苦、涩，寒；有毒。调经止血，止咳，接骨，消肿。用于月经过多，风寒咳嗽，跌打损伤；外用于出血，骨折。

| 用法用量 | 内服煎汤，3 ~ 9 g。外用适量，鲜品捣敷。

| 凭证标本号 | 440882180501401LY。

大戟科 Euphorbiaceae 大戟属 *Euphorbia*

飞扬草 *Euphorbia hirta* Linn.

| 药 材 名 | 大飞扬（药用部位：全草。别名：节节花）。

| 形态特征 | 一年生草本，含白色乳汁。枝常呈淡红色或淡紫色，被长硬毛，基部分枝。单叶对生，长圆状披针形或卵状披针形，叶面中部常有紫斑，两面被毛。花序杯状；总苞片钟状，外面密被短柔毛，腺体 4，有白色花瓣状附属物；花单性，无花被，雌花与雄花生于同一总苞内。蒴果卵状三棱形，被短柔毛。花果期 5 ~ 12 月。

| 生境分布 | 生于村镇路旁或草地上。广东各地均有分布。

| 资源情况 | 野生资源较少，栽培资源丰富。药材来源于野生和栽培。

| 采收加工 | 夏、秋季采收，洗净，晒干或鲜用。

| 药材性状 | 本品长 15 ~ 50 cm，地上部分被长硬毛。根细长而弯曲。茎近圆柱形，直径 1 ~ 3 mm，黄褐色或红棕色；质脆，易折断，断面白色，中空。叶对生，常皱缩，易破碎，完整叶展平后呈长圆状卵形或略近披针形，长 1 ~ 4 cm，绿褐色或灰黄色，基部偏斜，边缘有细锯齿，有 3 明显的基出脉。杯状聚伞花序密生成头状，腋生。蒴果卵状三棱形。无臭，味淡、微涩。以叶多、色绿者为佳。

| 功能主治 | 酸、微苦，凉。清热解毒，利湿止痒。用于细菌性痢疾，阿米巴痢疾，肠炎，肠道滴虫病，消化不良，支气管炎，肾盂肾炎；外用于湿疹，皮炎，皮肤瘙痒。

| 用法用量 | 内服煎汤，6 ~ 10 g。外用适量，鲜品捣敷；或煎汤洗。孕妇慎用。

| 凭证标本号 | 441422191201293LY。

大戟科 Euphorbiaceae 大戟属 *Euphorbia*

地锦草 *Euphorbia humifusa* Willd.

| 药 材 名 | 铺地锦（药用部位：全草。别名：田代氏大戟）。

| 形态特征 | 一年生草本。茎纤细，匍匐，常自基部分枝，无毛，带紫红色。单叶对生，椭圆形。杯状聚伞花序单生于叶腋或侧枝先端；总苞倒圆锥形，具白色花瓣状附属物；雄花具 1 雄蕊，花丝短，无花被；雌花单生于花序中央，子房柄伸出总苞之外，无花被。蒴果三棱状球形，由 3 个 2 瓣裂的分果爿组成；种子卵形，黑褐色，有白色粉霜。花果期 5 ~ 10 月。

| 生境分布 | 生于荒地或路旁草地上。广东各地均有分布。

| 资源情况 | 野生资源较少，栽培资源丰富。药材来源于野生和栽培。

| 采收加工 | 夏、秋季采收，除去杂质，晒干或鲜用。

| 药材性状 | 本品常皱缩卷曲。根细小。茎纤细，常自基部分枝，紫红色，光滑无毛；质脆，易折断，断面黄白色，中空。单叶对生，无柄或有淡红色短柄，常皱缩或脱落，完整叶片呈椭圆形，长 5 ~ 10 mm，宽 4 ~ 5 mm，绿色或带紫红色，通常无毛或被疏柔毛，先端钝圆，基部偏斜，边缘具小锯齿。杯状聚伞花序腋生，细小。蒴果三棱状球形，表面光滑；种子细小，卵形，黑褐色。无臭，味微涩。以叶多、色绿、茎带紫红色者为佳。

| 功能主治 | 辛，平。清热解毒，利湿退黄，通经活血，止血消肿。用于湿热痢疾，黄疸，咯血，吐血，血淋，便血，崩漏，乳汁不下，小儿疳积，跌打损伤，疮疡肿毒，毒蛇咬伤，烫火伤。

| 用法用量 | 内服煎汤，10 ~ 15 g。外用适量，鲜品捣敷。血虚无瘀及脾胃虚弱者慎用。

| 凭证标本号 | 441823200903026LY。

大戟科 Euphorbiaceae 大戟属 *Euphorbia*

湖北大戟 *Euphorbia hylonoma* Hand.-Mazz.

| 药 材 名 |

西南大戟（药用部位：根、茎、叶）。

| 形态特征 |

多年生草本。叶互生，长圆形至椭圆形，长 5 ~ 10 cm，宽 1.5 ~ 2.5 cm。总花梗苞片 3 ~ 4 轮生；腺体 4，圆肾形；子房光滑。蒴果球状，光滑，成熟时分裂为 3 分果爿；种子卵圆状，灰色或淡褐色。花期 4 ~ 7 月，果期 6 ~ 9 月。

| 生境分布 |

生于海拔 200 ~ 1 200 m 的山沟、山坡、灌丛、草地、疏林等。分布于广东连平、乳源等。

| 资源情况 |

野生资源较少，栽培资源较少。药材来源于野生和栽培。

| 采收加工 |

全年均可采收，根晒干，叶晒干或鲜用。

| 功能主治 |

甘、苦，凉；有毒。用于消积除胀，泻下逐水，破瘀定痛。根，甘、苦，温；有毒。

通便，利水，消积，破瘀，止痛。用于二便不通，积聚腹胀，胸膈不利，肝硬化，臌胀，泄泻，消化不良，劳伤，跌打损伤，瘀血作痛，无名肿毒。茎、叶，止血，止痛，生肌。外用于外伤，无名肿毒。

| 用法用量 | 内服煎汤，2 ~ 5 g；或入丸、散剂。外用适量，煎汤熏洗；或茎、叶研末敷；或茎、叶鲜品捣敷。

| 凭证标本号 | 441882180508009LY。

大戟科 Euphorbiaceae 大戟属 *Euphorbia*

通奶草 *Euphorbia hypericifolia* Linn.

| 药 材 名 | 光叶飞扬（药用部位：全草）。

| 形态特征 | 一年生草本。常不分枝，少数由末端分枝。叶对生，狭长圆形或倒卵形，先端钝或圆，基部圆形，不对称，全缘或基部以上边缘具细锯齿，两面被稀疏的柔毛；苞叶 2，与茎生叶同形。花序数个簇生于叶腋或枝顶；腺体 4，边缘具白色或淡粉色附属物。雄花多数。雌花 1；子房柄长于总苞。蒴果三棱状，无毛，成熟时分裂为 3 分果爿；种子卵棱状。花果期 8 ~ 12 月。

| 生境分布 | 生于路旁杂草地、旱地或石山山脚。广东各地均有分布。

| 资源情况 | 野生资源较少，栽培资源丰富。药材来源于野生和栽培。

|采收加工| 夏、秋季采收，晒干或鲜用。

|功能主治| 辛、微苦，平。利尿，通乳，生肌。用于刀伤出血，乳汁不通，水肿，泄泻，痢疾，皮炎，烫火伤，疥癣。

|用法用量| 内服煎汤，15 ~ 30 g。外用适量，鲜品捣敷。

|凭证标本号| 441284190731703LY。

大戟科 Euphorbiaceae 大戟属 *Euphorbia*

甘遂 *Euphorbia kansui* T. N. Liou ex S. B. Ho

| 药 材 名 | 漂甘遂（药用部位：块根。别名：猫儿眼）。

| 形态特征 | 多年生草本。根圆柱状。叶互生，线状披针形、线形或线状椭圆形；总苞叶 3 ~ 6，倒卵状椭圆形；苞叶 2，三角状卵形。花序单生于二叉分枝先端，基部具短柄；腺体 4，新月形，两角不明显，暗黄色至浅褐色；雄花多数，明显伸出总苞外；雌花 1。蒴果三棱状球形。种子长球状，灰褐色至浅褐色；种阜盾状，无柄。花期 4 ~ 6 月，果期 6 ~ 8 月。

| 生境分布 | 栽培种。广东广州（市区）有栽培。

| 资源情况 | 栽培资源丰富。药材来源于栽培。

| 采收加工 | 秋、冬季采摘，晒干。

| 药材性状 | 本品呈椭圆形、长圆柱形或连珠形，长 1 ~ 5 cm，直径 0.5 ~ 2.5 cm。表面类白色或黄白色，凹陷处有棕色外皮残留。质脆，易折断，断面粉性，白色，木部微显放射状纹理。长圆柱状者纤维性较强。气微，味微甘而辣。

| 功能主治 | 苦，寒；有毒。泻水逐饮，破积通便。用于水肿胀满，留饮结胸，癫痫，噎膈，癥瘕积聚，二便不通。

| 用法用量 | 内服煎汤，0.5 ~ 1.5 g，多入丸、散剂。外用适量。

大戟科 Euphorbiaceae 大戟属 *Euphorbia*

铁海棠 *Euphorbia milii* Desmoul.

| 药 材 名 | 麒麟花（药用部位：根、茎、叶、乳汁、花。别名：虎刺梅、虎刺、麒麟刺）。

| 形态特征 | 披散灌木。茎多分枝，具纵棱，密生硬而尖的锥状刺，茎浅黑色，托叶刺长 1 ~ 2 cm。叶互生，常集生于嫩枝，倒卵形或长圆状匙形，先端圆，具小尖头，基部渐窄，全缘，无柄或近无柄。花序 2、4 或 8 个组成二叉状复花序；雄花多数；雌花 1。蒴果三棱状卵圆形；种子卵柱状，灰褐色，具微小疣点，无种阜。花果期全年。

| 生境分布 | 栽培种。广东各地均有栽培。

| 资源情况 | 栽培资源丰富。药材来源于栽培。

| 采收加工 | 全年均可采收，多鲜用。

| 药材性状 | 本品茎肉质，长 20 ~ 80 cm，绿色，有纵棱，棱上有锥状的硬刺，刺长 1 ~ 2.5 cm。叶片倒卵形至矩圆状匙形，长 2.5 ~ 5 cm，先端圆或具凸尖，基部渐狭成楔形，黄绿色。气微，味苦、涩。

| 功能主治 | 根、茎、叶、乳汁，苦，凉；有毒。排脓，解毒，逐水。用于痈疮，肝炎，水肿；根还用于鱼口病，便毒，跌打。花，苦、涩，平；有小毒。止血。用于子宫出血。

| 用法用量 | 内服煎汤，10 ~ 20 g；或捣汁；或入丸、散剂。外用适量，捣敷。

| 凭证标本号 | 441521160714070LY。

大戟科 Euphorbiaceae 大戟属 *Euphorbia*

金刚纂 *Euphorbia neriifolia* Linn.

| 药 材 名 | 火殃簕（药用部位：茎、枝、叶、乳汁。别名：五楞金刚、霸王鞭）。

| 形态特征 | 肉质灌木状小乔木。乳汁丰富。茎圆柱状，上部多分枝，具不明显的 5 螺旋状脊。叶互生，稀少，肉质，常呈 5 列生于嫩枝先端脊上，倒卵形、倒卵状长圆形或匙形，先端钝圆，具小凸尖；托叶刺状，长 2 ~ 3 mm，生于棱上。花序二叉状；苞叶 2，膜质；总苞宽钟状，裂片半圆形，具缘毛，内弯；腺体 5，肉质，全缘；雄花多数；雌花 1。花期 6 ~ 9 月。

| 生境分布 | 生于村舍附近或园地中。广东各地均有栽培。

| 资源情况 | 野生资源较少，栽培资源丰富。药材来源于野生和栽培。

| **采收加工** | 茎、枝，全年均可采收，除去皮、刺，鲜用。

| **药材性状** | 本品茎、枝肥厚，圆柱形，或有 3 ～ 6 钝棱，棕绿色。小枝肉质，绿色，扁平，有 3 ～ 5 翅状纵棱。气微，味苦。

| **功能主治** | 叶，有毒。用于痈疖，疥癣。茎、乳汁，微苦、涩，平。祛风，解毒。用于疮疡肿毒，皮癣，水肿。

| **用法用量** | 多外用，3 ～ 7 g。慎用。

大戟科 Euphorbiaceae 大戟属 *Euphorbia*

京大戟 *Euphorbia pekinensis* Rupr.

| 药 材 名 | 大戟（药用部位：根。别名：龙虎草）。

| 形态特征 | 多年生草本。根圆锥形。初春根头萌发红芽后抽茎。全株被白色短柔毛。单叶互生，近无柄，叶片长椭圆形或披针形，全缘，先端钝，背面稍被白粉，主脉乳白色而明显。伞形花序顶生或腋生；花黄绿色；花序呈杯状；雌雄花均无花被，同生于坛形总苞片中。蒴果三棱状球形，表面有疣状突起；种子卵形，灰褐色，光滑。花期 4 ~ 5 月，果期 6 ~ 9 月。

| 生境分布 | 生于山坡路旁、荒地、草丛、林缘及疏林下。分布于广东连州等。

| 资源情况 | 野生资源较少，栽培资源丰富。药材来源于野生和栽培。

| 采收加工 | 初春于根头部发芽时采挖，除去茎芽及须根，洗净，晒干。

| 药材性状 | 本品呈圆柱形或不规则圆锥形，略弯曲，常有分枝，长 10 ~ 20 cm，直径 1 ~ 3 cm，根头部膨大，有多数残留茎基及芽痕，表面灰棕色或棕褐色，粗糙，具纵直沟纹和横向皮孔；支根少，多扭曲。质坚，不易折断，断面类白色或棕黄色，纤维性。气微，味微苦、涩。以身干、粗壮、断面色白、无泥沙和须根者为佳。

| 功能主治 | 苦、寒；有毒。逐水通便，消肿散结。用于肾炎性水肿，胸腹积水，血吸虫病，肝硬化，痰饮积聚，气逆喘咳，二便不利；外用于疔疮疖痛。

| 用法用量 | 内服煎汤，1.5 ~ 3 g。

| 凭证标本号 | 441882190617028LY。

大戟科 Euphorbiaceae 大戟属 *Euphorbia*

铺地草 *Euphorbia prostrata* Ait.

| 药 材 名 | 红乳草（药用部位：全草。别名：小飞扬、地锦草）。

| 形态特征 | 一年生匍匐草本。茎仅上面一侧被毛。叶对生，椭圆形，长 4 ~ 8 mm，边具微齿，两侧不对称，叶面绿色，叶背有时略呈淡红色或红色。花序 1 ~ 3 腋生，附属体扁小。蒴果三棱状，除果棱上被白色疏柔毛外，余无毛；种子卵状四棱形，长约 0.9 mm，直径约 0.5 mm，黄色，每个棱面上有 6 ~ 7 横沟，无种阜。花果期 4 ~ 10 月。

| 生境分布 | 生于旷野、路旁、田畔等。广东各地均有分布。

| 资源情况 | 野生资源较少，栽培资源丰富。药材来源于野生和栽培。

| 采收加工 | 全年均可采收。

| 功能主治 | 淡，凉。清热利湿，凉血解毒，催乳。用于痢疾，吐泻；外用于口疮，乳痈，疔疖。

| 用法用量 | 内服煎汤，鲜品 30 ~ 60 g；或捣汁。外用适量，鲜品捣敷。

| 凭证标本号 | 441284190730701LY。

大戟科 Euphorbiaceae 大戟属 *Euphorbia*

一品红 *Euphorbia pulcherrima* Willd. ex Klotzch

| 药 材 名 | 状元红（药用部位：全株。别名：圣诞红、一片红）。

| 形态特征 | 灌木。根圆柱状，具极多分枝。茎直立，无毛。叶互生，卵状椭圆形、长椭圆形或披针形，先端渐尖或急尖，基部楔形或渐狭，绿色，叶面被短柔毛或无毛，叶背被柔毛。花序数个聚伞排列于枝顶；腺体常 1，极少 2；雄花多数；雌花 1。蒴果三棱状圆形，平滑无毛；种子卵状，灰色或淡灰色，近平滑，无种阜。花果期 10 月至翌年 4 月。

| 生境分布 | 栽培种。广东各地庭园常有栽培。

| 资源情况 | 栽培资源丰富。药材来源于栽培。

| 采收加工 | 全年均可采收，晒干或鲜用。

| 功能主治 | 苦、涩，凉；有小毒。调经止血，接骨消肿。用于跌打损伤，外伤出血，骨折。

| 用法用量 | 内服煎汤，9 ~ 15 g。外用适量，鲜品捣敷。

| 凭证标本号 | 440523190730023LY。

大戟科 Euphorbiaceae 大戟属 *Euphorbia*

千根草 *Euphorbia thymifolia* Linn.

| 药 材 名 | 细叶飞扬草（药用部位：全草。别名：小乳汁草、苍蝇翅）。

| 形态特征 | 一年生草本。茎纤细，常呈匍匐状，被稀疏柔毛。叶对生，椭圆形、长圆形或倒卵形，先端圆，基部偏斜，不对称，边缘有细锯齿，稀全缘，两面常被稀疏柔毛，稀无毛；托叶披针形或线形。花序单生或数个簇生于叶腋，被稀疏柔毛；雄花少数；雌花 1；子房被贴伏的短柔毛。蒴果卵状三棱形，被贴伏的短柔毛；种子长卵状四棱形。花果期 6 ~ 11 月。

| 生境分布 | 生于山坡草地、村边路旁砂壤土中。分布于广东始兴、仁化、乐昌、台山、徐闻、怀集、封开、德庆、博罗、惠东、梅县、大埔、蕉岭、陆丰、阳春、连山、揭西及深圳（市区）、汕头（市区）、茂名（市

区）、广州（市区）、肇庆（市区）、阳江（市区）等。

| 资源情况 | 野生资源较少，栽培资源丰富。药材来源于野生和栽培。

| 采收加工 | 夏、秋季采收，晒干或鲜用。

| 药材性状 | 本品干燥全草长约 13 cm。根小。茎细长，直径约 1 mm，红棕色，稍被毛；质稍韧；中空。叶对生，多皱缩，灰绿色或稍带紫色。花序生于叶腋；花小，干缩。有的可见三角形蒴果。

| 功能主治 | 酸、涩，微凉。清热利湿，收敛止痒。用于细菌性痢疾，肠炎腹泻，痔疮出血；外用于湿疹，过敏性皮炎，皮肤瘙痒。

| 用法用量 | 内服煎汤，15 ~ 30 g。外用适量，鲜品煎汤熏洗。

| 凭证标本号 | 440783201003007LY。

大戟科 Euphorbiaceae 大戟属 *Euphorbia*

绿玉树 *Euphorbia tirucalli* Linn.

| 药 材 名 |

光棍树（药用部位：全株。别名：乳葱树、白蚁树）。

| 形态特征 |

小乔木。小枝肉质，具丰富乳汁。叶互生，长圆状线形，常生于当年生嫩枝上，稀疏且很快脱落。花序密生于枝顶，基部具柄；总苞陀螺状，内侧被短柔毛；腺体 5，盾状卵形或近圆形；雄花多数；雌花 1；子房光滑无毛，子房柄伸出总苞边缘。蒴果棱状三角形，平滑，略被毛或无毛；种子卵球状，平滑，具微小的种阜。花果期 7 ~ 10 月。

| 生境分布 |

栽培种。广东各地庭园有栽培。

| 资源情况 |

栽培资源丰富。药材来源于栽培。

| 采收加工 |

全年均可采收，晒干。

| 功能主治 | 辛、微酸，凉；有小毒。催乳，杀虫。用于乳少，疥癣。

| 用法用量 | 内服煎汤，6 ~ 9 g。外用适量。

大戟科 Euphorbiaceae 海漆属 *Excoecaria*

海漆 *Excoecaria agallocha* Linn.

| 药 材 名 | 海漆（药用部位：茎、根、树汁、种子）。

| 形态特征 | 常绿乔木。枝无毛，具多数皮孔。叶互生，椭圆形或阔椭圆形。花单性，雌雄异株，聚集成腋生、单生或双生的总状花序；雄花序长 3 ~ 4.5 cm，雌花序较短。雄花苞片阔卵形，肉质，基部腹面两侧各具 1 腺体，每苞片内含 1 花；小苞片 2，披针形。雌花萼片阔卵形或三角形，先端尖。蒴果球形；分果爿尖卵形，先端具喙；种子球形。花果期 1 ~ 9 月。

| 生境分布 | 生于海湾、河口泥滩地带。分布于广东南部及沿海各岛屿。

| 资源情况 | 野生资源较少，栽培资源丰富。药材来源于野生和栽培。

| 采收加工 | 全年均可采收，晒干。

| 功能主治 | 茎、根，壮阳。树汁，通便缓泻。种子，止泻。

| 凭证标本号 | 440882180429913LY。

大戟科 Euphorbiaceae 海漆属 *Excoecaria*

红背桂 *Excoecaria cochinchinensis* Lour.

| 药 材 名 | 叶背红（药用部位：全株。别名：金琐玉）。

| 形态特征 | 常绿灌木。叶对生，稀兼有互生或近 3 片轮生，纸质，叶片狭椭圆形，两面均无毛，腹面绿色，背面紫红色或血红色；托叶卵形。花单性，雌雄异株；雄花序长 1 ~ 2 cm，雌花序由 3 ~ 5 花组成，略短于雄花序。蒴果球形，直径约 8 mm，基部平截，先端凹陷。花期几乎全年。

| 生境分布 | 栽培种。广东各地均有栽培。

| 资源情况 | 栽培资源丰富。药材来源于栽培。

| 采收加工 | 夏、秋季采收，晒干。

| 功能主治 | 辛、微苦，平；有小毒。通经活络，止痛。用于麻疹，腮腺炎，扁桃体炎，心绞痛，肾绞痛，腰肌劳损。

| 用法用量 | 内服煎汤，6 ~ 9 g。

大戟科 Euphorbiaceae 白饭树属 *Flueggea*

一叶萩 *Flueggea suffruticosa* (Pall.) Baill.

| 药 材 名 | 叶底珠（药用部位：全株）。

| 形态特征 | 灌木。叶片纸质，椭圆形或长椭圆形，稀倒卵形，先端急尖至钝，基部钝至楔形，全缘，有时间有不整齐的波状齿或细锯齿，背面浅绿色；托叶卵状披针形，宿存。花小，雌雄异株，簇生于叶腋。蒴果三棱状扁球形，成熟时淡红褐色，有网纹，3 爿裂；种子卵形而一侧扁压状，长约 3 mm，褐色而有小疣状突起。花期 3 ~ 8 月，果期 6 ~ 11 月。

| 生境分布 | 生于山坡、河边灌丛中。广东各地均有分布。

| 资源情况 | 野生资源较少，栽培资源丰富。药材来源于野生和栽培。

| 采收加工 | 夏、秋季采收，晒干。

| 药材性状 | 本品嫩枝条呈圆柱形，略具棱角，长 30 ~ 40 cm，粗端直径约 2 mm；表面暗绿黄色，有时略带红色，具纵向的细微纹理；质脆，断面四周纤维状，中央白色。叶多皱缩破碎。有时可见黄色花朵或灰黑色果实。气微，味微辛而苦。

| 功能主治 | 甘、苦，平；有毒。祛风活血，补肾强筋。用于面神经麻痹，小儿麻痹后遗症，眩晕，耳聋，神经衰弱，嗜睡症，阳痿。

| 用法用量 | 内服煎汤，3 ~ 6 g。

| 凭证标本号 | 440281190701017LY。

大戟科 Euphorbiaceae 算盘子属 *Glochidion*

壳果算盘子 *Glochidion assamicum* (Muell. Arg.) Hook. f.

| 药 材 名 | 四裂算盘子（药用部位：叶）。

| 形态特征 | 乔木。枝和叶无毛。叶片纸质或近革质，宽椭圆形、卵形至披针形，先端渐尖或短渐尖，基部钝，下面干时淡褐色；托叶三角形。多朵雄花与少数几朵雌花同时簇生于叶腋内。蒴果扁球状，直径 6 ~ 8 mm，高 2 ~ 3 mm，通常 4 室，果皮薄，果柄短；种子半圆球形，红色。

| 生境分布 | 生于海拔 130 ~ 1 700 m 的山地常绿阔叶林中或河旁灌丛中。分布于广东博罗、廉江、徐闻、惠东、阳春及深圳（市区）、珠海（市区）、茂名（市区）等。

| 资源情况 | 野生资源较少，栽培资源丰富。药材来源于野生和栽培。

| 采收加工 | 全年均可采摘，晒干。

| 功能主治 | 外用于湿疹，痈疮肿毒，牛皮癣。

大戟科 Euphorbiaceae 算盘子属 *Glochidion*

毛果算盘子 *Glochidion eriocarpum* Champ. ex Benth.

| 药材名 | 漆大姑（药用部位：嫩枝、叶。别名：漆大伯）。

| 形态特征 | 灌木。枝密被淡黄色柔毛。单叶互生，纸质，卵形或卵状披针形，先端渐尖，基部圆形或楔形，全缘，两面被长柔毛；托叶钻状。花 2 ~ 4 簇生于叶腋，有时单生。雄花有柄；萼片 6，长圆形，外面被柔毛；雄蕊 3。雌花几无柄；子房 5 室，密被柔毛。蒴果扁球形，密被长柔毛，顶部具宿存花柱。花果期几乎全年。

| 生境分布 | 生于山地疏林或灌木林中。分布于广东大部分地区。

| 资源情况 | 野生资源较少，栽培资源丰富。药材来源于野生和栽培。

| 采收加工 | 夏、秋季采收，晒干或鲜用。

| 功能主治 | 苦、涩，平。清热利湿，解毒止痒。用于肠炎，痢疾，剥脱性皮炎，湿疹；外用于漆树过敏，稻田性皮炎，皮肤瘙痒，荨麻疹。

| 用法用量 | 内服煎汤，15 ~ 30 g。外用适量，煎汤洗；或研末敷。

| 凭证标本号 | 441825190710025LY。

大戟科 Euphorbiaceae 算盘子属 *Glochidion*

厚叶算盘子 *Glochidion hirsutum* (Roxb.) Voigt.

| 药材名 | 大叶水榕（药用部位：根、叶。别名：大洋算盘、水泡木）。

| 形态特征 | 灌木或小乔木。小枝密被长柔毛。叶片革质，卵形、长卵形或长圆形，先端钝或急尖，基部浅心形、截形或圆形，两侧偏斜，叶面疏被短柔毛，背面密被柔毛。聚伞花序通常腋上生。雄花萼片 6，长圆形或倒卵形，其中 3 萼片较宽，外面被柔毛；雄蕊 5 ~ 8。雌花萼片同雄花；子房圆球状，被柔毛，5 ~ 6 室。蒴果扁球状，被柔毛，具 5 ~ 6 纵沟。花果期几乎全年。

| 生境分布 | 生于海拔 30 ~ 700 m 的水沟边灌丛或山谷林中。分布于广东北部和东北部以外的大部分地区。

| **资源情况** | 野生资源较少，栽培资源丰富。药材来源于野生和栽培。

| **采收加工** | 夏、秋季采收，晒干。

| **功能主治** | 涩、微甘，平。收敛固脱，祛风消肿。用于风湿骨痛，跌打肿痛，脱肛，子宫下垂，带下，泄泻，肝炎。

| **用法用量** | 内服煎汤，15 ~ 30 g。

| **凭证标本号** | 441523200106001LY。

大戟科 Euphorbiaceae 算盘子属 *Glochidion*

泡果算盘子 *Glochidion lanceolarium* (Roxb.) Voigt.

| 药 材 名 | 大叶算盘子（药用部位：茎、叶、根。别名：艾胶树）。

| 形态特征 | 常绿灌木或乔木。全株除子房和蒴果外均无毛。叶片革质，椭圆形、长圆形或长圆状披针形，叶面深绿色，背面淡绿色，干后黄绿色。花簇生于叶腋内，雌花和雄花分别着生于不同的小枝上或雌花 1 ~ 3 生于雄花束内。蒴果近球状，直径 12 ~ 18 mm，高 7 ~ 10 mm，先端常凹陷，边缘具 6 ~ 8 纵沟，先端被微柔毛，后变无毛。花期 4 ~ 9 月，果期 7 月至翌年 2 月。

| 生境分布 | 生于海拔 30 ~ 300 m 的平原、山坡灌丛或林中。分布于广东东江下游、珠江三角洲、雷州半岛各地。

| 资源情况 | 野生资源较少，栽培资源丰富。药材来源于野生和栽培。

| 采收加工 | 夏、秋季采收，晒干。

| 功能主治 | 散瘀消炎。茎、叶用于跌打损伤，牙龈炎，口腔炎；根用于黄疸。

| 用法用量 | 内服煎汤，15 ~ 30 g。

| 凭证标本号 | 440781190711019LY。

大戟科 Euphorbiaceae 算盘子属 *Glochidion*

甜叶算盘子 *Glochidion philippicum* (Cav.) C. B. Rob.

| **药 材 名** | 菲岛算盘子（药用部位：叶。别名：甜叶木）。

| **形态特征** | 乔木。叶片纸质或近革质，卵状披针形或长圆形，先端渐尖至钝，基部急尖或宽楔形，通常偏斜，上面深绿色，干后暗褐色或褐色，两面均无毛；托叶卵状三角形。花 4 ~ 10 簇生于叶腋内。蒴果扁球状，直径 8 ~ 12 mm，高 4.5 ~ 5.5 mm，先端中央凹陷，被稀疏白色柔毛，边缘具 8 ~ 10 纵沟，花柱宿存，果柄长 3 ~ 8 mm。花期 4 ~ 8 月，果期 7 ~ 12 月。

| **生境分布** | 生于旷野、丘陵地。分布于广东乳源、乐昌、开平、徐闻、博罗及广州（市区）、珠海（市区）、茂名（市区）等。

| 资源情况 | 野生资源较少，栽培资源丰富。药材来源于野生和栽培。

| 采收加工 | 全年均可采摘，晒干。

| 功能主治 | 清热。用于咽喉痛。

| 凭证标本号 | 441827180425023LY。

大戟科 Euphorbiaceae 算盘子属 *Glochidion*

算盘子 *Glochidion puberum* (Linn.) Hutch.

| 药 材 名 | 算盘珠（药用部位：根、叶、果实。别名：馒头果、野南瓜）。

| 形态特征 | 灌木。小枝、叶片背面、萼片外、子房、果实均密被短柔毛。叶片纸质或近革质，长圆形或长卵形，基部楔形至钝，叶面灰绿色，背面粉绿色。花小，雌雄同株或异株，雄花束常着生于小枝下部，雌花束则生于小枝上部，有时雌花和雄花生于同一叶腋内。蒴果扁球状，先端具有环状而稍伸长的宿存花柱；种子近肾形，具 3 棱，朱红色。花期 4 ~ 8 月，果期 7 ~ 11 月。

| 生境分布 | 生于山地及丘陵灌丛中。分布于广东大部分地区。

| 资源情况 | 野生资源较少，栽培资源丰富。药材来源于野生和栽培。

| 采收加工 | 根、叶，夏、秋季采收，晒干。

| 药材性状 | 本品蒴果扁球形，形如算盘珠，常具 8 ~ 10 纵沟，红色或红棕色，被短绒毛，先端具环状稍伸长的宿存花柱，内有数颗种子；种子近肾形，具纵棱，表面红褐色。气微，味苦、涩。

| 功能主治 | 微苦、涩，凉。清热利湿，祛风活络。用于感冒发热，咽喉痛，疟疾，急性胃肠炎，消化不良，痢疾，风湿性关节炎，跌打损伤，带下，痛经。

| 用法用量 | 内服煎汤，15 ~ 30 g。

| 凭证标本号 | 441523191020007LY。

大戟科 Euphorbiaceae 算盘子属 *Glochidion*

白背算盘子 *Glochidion wrightii* Benth.

| 药 材 名 |

白背算盘子（药用部位：叶）。

| 形态特征 |

灌木或乔木。全株无毛。叶片纸质，长圆形或长圆状披针形，常呈镰状弯斜，基部急尖，两侧不相等，叶面绿色，背面粉绿色，干后灰白色。雌花或雌雄花同簇生于叶腋内。雄花萼片 6，长圆形，黄色；雄蕊 3，合生。雌花萼片 6，其中 3 萼片较宽而厚，卵形、椭圆形或长圆形；子房 3 ~ 4 室。蒴果扁球状，红色，先端有宿存的花柱。花期 5 ~ 9 月，果期 7 ~ 11 月。

| 生境分布 |

生于海拔 50 ~ 300 m 的山坡疏林或灌丛中。分布于广东中部和西部各地及沿海岛屿。

| 资源情况 |

野生资源较少，栽培资源丰富。药材来源于野生和栽培。

| 采收加工 |

夏、秋季采收，晒干或鲜用。

| **功能主治** | 苦，平。清热利湿，活血止痛。用于湿热泻痢，咽喉肿痛，疮疖肿痛，蛇咬伤，跌打损伤。

| **用法用量** | 内服煎汤，15 ~ 30 g。外用适量，鲜品捣敷。

| **凭证标本号** | 441523190918076LY。

大戟科 Euphorbiaceae 算盘子属 *Glochidion*

香港算盘子 *Glochidion zeylanicum* (Gaertn.) A. Juss.

| **药 材 名** | 香港算盘子（药用部位：根皮、树皮、叶）。

| **形态特征** | 灌木或小乔木。全株无毛。叶片革质，长圆形、卵状长圆形或卵形，先端钝或圆形，基部浅心形、截形或圆形，两侧稍偏斜，花簇生成花束或组成短小的腋上生聚伞花序；雌花及雄花分别生于小枝的上、下部或雌花序内具 1 ~ 3 雄花。蒴果扁球状，直径 8 ~ 10 mm，高约 5 mm，边缘具 8 ~ 12 纵沟。花期 3 ~ 8 月，果期 7 ~ 11 月。

| **生境分布** | 生于低海拔山谷、平地潮湿处或溪边湿土上的灌丛中。分布于广东东部、中部至西部沿海地区。

| **资源情况** | 野生资源较少，栽培资源丰富。药材来源于野生和栽培。

采收加工 全年均可采收，晒干。

功能主治 止咳，消炎，止血。根皮用于咳嗽，肝炎；树皮、叶用于咳嗽，腰痛，鼻衄。

凭证标本号 440785180710003LY。

大戟科 Euphorbiaceae 麻风树属 *Jatropha*

麻风树 *Jatropha curcas* Linn.

|药 材 名| 木花生（药用部位：种子、叶、树皮。别名：黄肿树）。

|形态特征| 灌木或小乔木。叶纸质，近圆形至卵圆形，先端短尖，基部心形，全缘或 3 ~ 5 浅裂，上面亮绿色，无毛，下面灰绿色，初沿脉被微柔毛，后变无毛；托叶小。花序腋生；苞片披针形。雄花萼片 5，基部合生；花瓣长圆形，黄绿色，合生至中部；腺体 5。雌花萼片离生；花瓣和腺体与雄花同。蒴果椭圆状或球形，黄色；种子椭圆状，黑色。花期 9 ~ 10 月。

|生境分布| 生于旷野、村边及林缘。分布于广东南澳、罗定及汕头（市区）、惠州（市区）、广州（市区）、肇庆（市区）等。

| 资源情况 | 野生资源较少，栽培资源丰富。药材来源于野生和栽培。

| 采收加工 | 全年均可采收。

| 功能主治 | 种子，泻下。叶、树皮，苦、涩，凉；有毒。散瘀消肿，止血，止痒。用于跌打肿痛，创伤出血，皮肤瘙痒，麻风病，癞痢头，慢性溃疡，关节挫伤，阴道毛滴虫病，湿疹，脚癣。

| 用法用量 | 叶，外用适量，鲜品捣敷；或鲜品捣绞汁搽。

| 凭证标本号 | 440882180501204LY。

大戟科 Euphorbiaceae 麻风树属 *Jatropha*

棉叶麻风树 *Jatropha gossypiifolia* Linn. var. *elegans* Muell. Arg.

| 药 材 名 | 子弹枫（药用部位：叶、种子、茎皮。别名：棉叶珊瑚花、三叉风）。

| 形态特征 | 灌木。叶互生，嫩叶紫红色，叶柄和边缘被腺毛，3 ~ 5 浅裂，托叶分裂成刚毛状，掌状脉 5 ~ 11，托叶离生，叶柄先端或叶基部有腺体。伞房状聚伞花序，雌花和雄花均有花瓣；雄蕊 10，花丝基部合生；雌花无花梗。

| 生境分布 | 生于旷野、村边或林缘。分布于广东遂溪及广州（市区）、湛江（市区）等。

| 资源情况 | 野生资源较少，栽培资源丰富。药材来源于野生和栽培。

| **采收加工** | 全年均可采收叶，秋、冬季采收种子、茎皮，晒干。

| **功能主治** | 叶，泻下。种子，催吐，泻下。用于癫证。茎皮，调经。用于疔疮，疥癣，湿疹，便秘，月经不调。

大戟科 Euphorbiaceae 麻风树属 *Jatropha*

佛肚树 *Jatropha podagrica* Hook.

| 药 材 名 | 独脚莲（药用部位：叶）。

| 形态特征 | 直立灌木。不分枝或少分枝，茎基部或下部通常膨大成瓶状。枝条粗短，肉质，叶痕大且明显。叶盾状着生，近圆形至阔椭圆形，先端圆钝，基部截形或钝圆，全缘或 2 ～ 6 浅裂，上面亮绿色，下面灰绿色，两面无毛。花序顶生，分枝短，红色；花瓣倒卵状长圆形，红色；雄花雄蕊 6 ～ 8，基部合生，花药与花丝近等长；雌花子房无毛，花柱 3，基部合生。蒴果椭圆状。花期几全年。

| 生境分布 | 生于村边。广东大部分地区有栽培。

| 资源情况 | 野生资源较少，栽培资源丰富。药材来源于野生和栽培。

| 采收加工 | 全年均可采收，晒干。

| 功能主治 | 苦、涩，寒；有毒。拔毒消肿，止痛。

| 用法用量 | 内服煎汤，5 ~ 15 g；或绞汁。外用适量，捣敷。

| 凭证标本号 | 440882180501204LY。

大戟科 Euphorbiaceae 血桐属 *Macaranga*

中平树 *Macaranga denticulata* (Bl.) Muell. Arg.

| 药 材 名 | 牢麻（药用部位：根）。

| 形态特征 | 乔木。嫩枝、叶、花序和花均被锈色或黄褐色绒毛。叶纸质或近革质，三角状卵形或卵圆形，先端长渐尖，基部钝圆或近平截，稀浅心形，两侧腺体 1 ~ 2，背面密生柔毛或仅脉序上被柔毛，具颗粒状腺体，叶缘微波状或近全缘，具疏生腺齿。雄花序圆锥状；花萼（2 ~ ）3 裂；雄蕊 9 ~ 16（ ~ 21），花药 4 室。雌花序圆锥状；苞片长圆形、卵形或叶状。蒴果双球形。花期 4 ~ 6 月，果期 5 ~ 8 月。

| 生境分布 | 生于山谷疏林或旷野灌木林中。分布于广东中部、南部和西部。广东中部、南部和西部有栽培。

| 资源情况 | 野生资源较少，栽培资源丰富。药材来源于野生和栽培。

| 采收加工 | 夏、秋季采收，晒干。

| 功能主治 | 辛、苦，寒。行气止痛，清热利湿。用于胃脘疼痛，胸胁胀痛，湿热黄疸，湿疹。

| 用法用量 | 内服煎汤，3 ~ 10 g。

| 凭证标本号 | 441226160826002LY。

大戟科 Euphorbiaceae 血桐属 *Macaranga*

血桐 *Macaranga tanarius* (Linn.) Muell. Arg.

| 药 材 名 | 流血桐（药用部位：根或根皮、树皮、叶、种子。别名：帐篷树）。

| 形态特征 | 乔木。叶纸质或薄纸质，近圆形或卵圆形，上面无毛，下面密生颗粒状腺体，沿脉序被柔毛；雄花序圆锥状，花序轴无毛或被柔毛；苞片卵圆形，先端渐尖，基部兜状，边缘流苏状，被柔毛，苞腋具约 11 花。蒴果具 2 ～ 3 分果爿，密被颗粒状腺体和数枚长约 8 mm 的软刺；种子近球形。花期 4 ～ 5 月，果期 6 月。

| 生境分布 | 生于沿海低山灌木林或次生林中。分布于广东台山、恩平、开平、惠东、中山及广州（市区）、深圳（市区）、珠海（市区）等。

| 资源情况 | 野生资源较少，栽培资源丰富。药材来源于野生和栽培。

| 采收加工 | 种子，秋、冬季采收，晒干。

| 药材性状 | 本品叶多皱缩，完整叶片展平后呈卵形、心状圆形或盾状，长 20 ～ 40 cm，宽 15 ～ 30 cm，先端急尖，基部圆形或心形，全缘，具 3 ～ 7 对脉；叶柄与叶片等长。纸质。气微，味辛、涩。

| 功能主治 | 根，解热，催吐，止血。用于咯血。根皮、树皮，用于痢疾。叶，外用于创伤。

| 用法用量 | 内服煎汤，3 ～ 9 g。外用适量，叶捣敷。

| 凭证标本号 | 440781190320031LY。

大戟科 Euphorbiaceae 野桐属 *Mallotus*

白背叶 *Mallotus apelta* (Lour.) Muell. Arg.

| 药 材 名 | 野桐（药用部位：根、叶。别名：叶下白）。

| 形态特征 | 灌木或小乔木。小枝、叶柄和花序均被白色星状茸毛。叶互生，圆卵形或阔卵形，基部近截形或截形，具 2 腺体，先端渐尖，全缘或不规则 3 裂，有稀疏钝齿，叶面近无毛，背面灰白色，密被星状茸毛，有细密的棕色腺点。花单性，雌雄异株；圆锥花序顶生或腋生。蒴果近球形，密生羽状软刺；种子圆形，黑色而有光泽。花期 6 ~ 9 月，果期 8 ~ 11 月。

| 生境分布 | 生于荒地灌丛或山坡疏林中。分布于广东大部分地区。

| 资源情况 | 野生资源较少，栽培资源丰富。药材来源于野生和栽培。

| 采收加工 | 根，全年均可采挖，除去须根，洗净，切块、片或短段，晒干。

| 功能主治 | 微苦、涩，平。根，柔肝活血，健脾化湿，收敛固脱。用于慢性肝炎，肝脾肿大，子宫脱垂，脱肛，带下，妊娠水肿。叶，消炎止血。

| 用法用量 | 内服煎汤，15 ~ 30 g。

| 凭证标本号 | 441523191020003LY。

大戟科 Euphorbiaceae 野桐属 *Mallotus*

毛桐 *Mallotus barbatus* (Wall.) Muell. Arg.

| **药 材 名** | 紫糠木（药用部位：根）。

| **形态特征** | 灌木。高 3 ~ 4 m。叶互生，纸质，卵状三角形或卵状菱形，先端渐尖，基部圆形或截形，边缘具锯齿或波状，叶面除叶脉外无毛，背面密被黄棕色星状长绒毛，散生黄色颗粒状腺体。花雌雄异株；总状花序顶生。蒴果排列较稀疏，球形，密被淡黄色星状毛和紫红色、长约 6 mm 的软刺，形成连续、厚 6 ~ 7 mm 的厚毛层。花期 4 ~ 5 月，果期 9 ~ 10 月。

| **生境分布** | 生于山谷、路旁的灌丛中。分布于广东阳春、罗定、封开及肇庆（市区）、茂名（市区）、云浮（市区）等。

| 资源情况 | 野生资源较少，栽培资源丰富。药材来源于野生和栽培。

| 采收加工 | 夏、秋季采收，晒干。

| 功能主治 | 微苦、涩，平。清热利尿。用于消化不良，肠炎腹泻，尿道炎，带下。

| 用法用量 | 内服煮糯米粥，15 ~ 30 g。外用适量，捣敷。

| 凭证标本号 | 441225180607036LY。

大戟科 Euphorbiaceae 野桐属 *Mallotus*

野桐 *Mallotus tenuifolius* Pax

| 药 材 名 | 巴巴树（药用部位：根）。

| 形态特征 | 小乔木或灌木。嫩枝具纵棱，枝、叶柄和花序轴均密被褐色星状毛。叶互生，小枝上部叶有时近对生，纸质，形状多变，卵形、卵圆形、卵状三角形、肾形或横长圆形，叶下面疏被星状粗毛。花雌雄异株，雌花序总状，不分枝。种子近球形。花期 7 ~ 11 月。

| 生境分布 | 生于丘陵地和林缘。分布于广东乳源等。

| 资源情况 | 野生资源较少，栽培资源丰富。药材来源于野生和栽培。

| 采收加工 | 全年均可采收，晒干。

功能主治 微苦、涩，平。清热解毒，收敛止血。用于慢性肝炎，脾肿大，带下，化脓性中耳炎，刀伤出血。

用法用量 内服煎汤，18.5 ～ 35 g。

大戟科 Euphorbiaceae 野桐属 *Mallotus*

白楸 *Mallotus paniculatus* (Lam.) Muell. Arg.

| 药 材 名 | 黄被桐（药用部位：根、叶、果实。别名：白叶）。

| 形态特征 | 乔木。枝、叶柄和花序密被星状毛。叶互生，生于花序下部的叶常密集，卵形、卵状三角形或菱形；成长叶叶面近无毛，基出脉 5，叶柄盾状。花雌雄异株，总状花序或圆锥花序。果实扁球形，具 3 分果爿，直径 10 ~ 15 mm，被皮刺和茸毛。花期 7 ~ 10 月，果期 11 ~ 12 月。

| 生境分布 | 生于山坡路旁的灌丛中或林缘。分布于广东翁源、惠阳、博罗、乳源、英德、阳春、始兴、徐闻、台山及茂名（市区）、珠海（市区）、肇庆（市区）等。

| 资源情况 | 野生资源较少，栽培资源丰富。药材来源于野生和栽培。

| 采收加工 | 叶，夏、秋季采收，晒干或鲜用。

| 药材性状 | 本品叶具长柄，圆卵形，长 7 ~ 12 cm，宽 5 ~ 14 cm，先端渐尖，基部近截形或短截形，具 2 腺点，全缘或不规则 3 浅裂，上面近无毛，下面灰白色，密被星状毛，有细密的棕色腺点。气微，味苦、涩。

| 功能主治 | 固脱，止痢，消炎。用于淋浊，口疮，痔疮，溃疡，胃痛，外伤出血，跌打损伤，蛇咬伤等。

| 用法用量 | 内服煎汤，3 ~ 9 g。外用适量，捣敷；或熬膏涂。

| 凭证标本号 | 441284190805125LY。

大戟科 Euphorbiaceae 野桐属 *Mallotus*

粗糠柴 *Mallotus philippensis* (Lam.) Muell. Arg.

| 药 材 名 | 菲岛桐（药用部位：根、茎、叶、果实腺毛、果实上腺体粉末。别名：红果果、香桂树）。

| 形态特征 | 乔木。叶互生，近革质，卵形、长圆形或卵状披针形，先端渐尖，基部圆形或楔形，叶面无毛，背面被灰黄色星状短绒毛，叶脉上具长柔毛，散生红色颗粒状腺体。花雌雄异株；花序总状，顶生或腋生，单生或数个簇生。蒴果扁球形，直径 6 ~ 8 mm，具 2（~ 3）分果爿，密被红色颗粒状腺体和粉末状毛。花期 4 ~ 5 月，果期 5 ~ 8 月。

| 生境分布 | 多生于山坡、丘陵杂木林或灌丛中。分布于广东大部分地区。

| 资源情况 | 野生资源较少，栽培资源丰富。药材来源于野生和栽培。

| 采收加工 | 夏、秋季采收，晒干。

| 功能主治 | 微苦、涩，凉。根，清热利湿。用于急、慢性痢疾，咽喉肿痛。茎、叶，退热、祛风湿。果实腺毛，驱虫。用于蛔虫病，蛲虫病，绦虫病，跌打，烂疮，外伤出血。果实上腺体粉末，驱虫。

| 用法用量 | 内服煎汤，15 ~ 30 g。果实上腺体粉末，内服入胶囊、丸剂、锭剂等，成人 6 ~ 9 g，小儿 1.5 g。

| 凭证标本号 | 441825190414008LY。

| 附　　注 | 本品果实上腺毛有毒，过量服用可引起中毒，导致恶心、呕吐及严重腹泻。

大戟科 Euphorbiaceae 野桐属 *Mallotus*

石岩枫 *Mallotus repandus* (Willd.) Muell. Arg.

| 药 材 名 | 糠木麻（药用部位：根、茎、叶。别名：黄蜂叶、山龙眼）。

| 形态特征 | 攀缘状灌木。叶互生，纸质或膜质，卵形或椭圆状卵形，先端急尖或渐尖，基部楔形或圆形，全缘或波状，嫩叶两面均被星状柔毛；基出脉 3，有时稍离基。花雌雄异株；总状花序或下部有分枝，雄花序顶生，稀腋生，雌花序顶生。蒴果具 2 ~ 3 分果爿，密生黄色粉末状毛和具颗粒状腺体；种子卵形，黑色，有光泽。花期 3 ~ 5 月，果期 8 ~ 9 月。

| 生境分布 | 生于山坡、丘陵疏林或灌丛中。分布于广东大部分地区。

| 资源情况 | 野生资源较少，栽培资源丰富。药材来源于野生和栽培。

| 采收加工 | 夏、秋季采收，晒干或鲜用。

| 功能主治 | 微辛，温。祛风活络，舒筋止痛。用于风湿性关节炎，风湿腰腿痛，产后风瘫；外用于跌打损伤。

| 用法用量 | 内服煎汤，30 ~ 60 g。外用适量，鲜品捣敷。

| 凭证标本号 | 441523190920056LY。

大戟科 Euphorbiaceae 木薯属 *Manihot*

木薯 *Manihot esculenta* Crantz

|药 材 名| 树葛（药用部位：叶）。

|形态特征| 直立灌木。块根圆柱状。叶纸质，近圆形，掌状深裂几达基部；托叶三角状披针形，全缘或具 1 ~ 2 刚毛状细裂。圆锥花序顶生或腋生；苞片条状披针形；花萼带紫红色且有白色粉霜。蒴果椭圆状，长 1.5 ~ 1.8 cm，直径 1 ~ 1.5 cm，表面粗糙，具 6 狭而呈波状的纵翅；种子长约 1 cm，多少具 3 棱，种皮硬壳质，具斑纹，光滑。花期 9 ~ 11 月。

|生境分布| 生于田野。广东各地均有栽培。

|资源情况| 野生资源较少，栽培资源丰富。药材来源于野生和栽培。

| 采收加工 | 夏、秋季采收，鲜用。

| 药材性状 | 本品互生，长 10 ~ 20 cm，掌状 3 ~ 7 深裂或全裂，裂片披针形至长圆状披针形，全缘，渐尖；叶柄长约 30 cm。气微，味苦、涩。

| 功能主治 | 苦，寒；有小毒。解毒消肿。用于痈疽疮疡，瘀肿疼痛，疥疮，顽癣等。

| 用法用量 | 外用适量，鲜品捣敷。

| 凭证标本号 | 441284190709348LY。

大戟科 Euphorbiaceae 小盘木属 *Microdesmis*

小盘木 *Microdesmis caseariifolia* Planch. ex Hook.

| 药 材 名 | 狗骨树（药用部位：树汁）。

| 形态特征 | 乔木或灌木。多分枝；嫩枝密被柔毛；成长枝近无毛。叶片纸质至薄革质，披针形、长圆状披针形至长圆形。花小，黄色，簇生于叶腋。雄花花萼裂片卵形，外面被柔毛；花瓣椭圆形，两面均被柔毛；雄蕊 10，2 轮。雌花花萼与雄花的相似；花瓣椭圆形或卵状椭圆形。核果圆球状，成熟时红色，干后黑色，内有种子 2。花期 3 ~ 9 月，果期 7 ~ 11 月。

| 生境分布 | 生于山谷或山坡林下。分布于广东信宜、高要、英德、博罗及清远（市区）等。

| 资源情况 | 野生资源较少，栽培资源丰富。药材来源于野生和栽培。

| 采收加工 | 全年均可采收，鲜用。

| 功能主治 | 酸、涩，凉。散瘀消肿，止痛。外用于牙痛。

| 用法用量 | 外用适量，涂。

| 凭证标本号 | 440781190514021LY。

大戟科 Euphorbiaceae 红雀珊瑚属 *Pedilanthus*

红雀珊瑚 *Pedilanthus tithymaloides* (Linn.) Poir.

| 药 材 名 | 扭曲草（药用部位：全株）。

| 形态特征 | 直立亚灌木。茎、枝粗壮，带肉质，呈“之”字状扭曲，无毛或嫩时被短柔毛。叶肉质，近无柄或具短柄，叶片卵形或长卵形。聚伞花序丛生于枝顶或上部叶腋内，每聚伞花序为一鞋状的总苞所包围，内含多数雄花和1雌花；雌花及雄花均无花瓣和花萼；总苞鲜红色或紫红色，仰卧，无毛，两侧对称。花期12月至翌年6月。

| 生境分布 | 生于干旱的山坡、旷野等。栽培于公园、庭院及园林绿化区。广东各地均有栽培。

| 资源情况 | 野生资源较少，栽培资源丰富。药材来源于野生和栽培。

| **采收加工** | 全年均可采收。

| **功能主治** | 酸、微涩，寒；有小毒。清热解毒，散瘀消肿，止血生肌。外用于跌打损伤，骨折，外伤出血，疖肿疮疡，结膜炎。

| **用法用量** | 外用适量，鲜品捣敷。

| **附　　注** | 本种喜温暖，适于阳光充足而不太强烈且通风良好的环境，在疏松肥沃、排水良好的土壤中栽培为宜。

大戟科 Euphorbiaceae 叶下珠属 *Phyllanthus*

越南叶下珠 *Phyllanthus cochinchinensis* Spreng.

| 药 材 名 | 乌蝇翼（药用部位：全株。别名：牙脓草）。

| 形态特征 | 灌木。叶片革质，倒卵形、长倒卵形或匙形，先端钝或圆，稀凹缺，基部渐窄，边缘干后略背卷；中脉在两面稍凸起，侧脉不明显。花雌雄异株，雌花单生或簇生；萼片 6，外面 3 萼片为卵形，内面 3 萼片为卵状菱形，边缘均为膜质，基部增厚；花盘近坛状，包围子房约 2/3；子房圆球形，3 室，花柱 3。蒴果圆球形。花果期 6 ~ 12 月。

| 生境分布 | 生于旷野、林下或灌丛中。分布于广东西部及珠江三角洲。

| 资源情况 | 野生资源较少，栽培资源丰富。药材来源于野生和栽培。

| 采收加工 | 夏、秋季采收，晒干。

| **功能主治** | 甘、淡、微涩，凉。清热解毒，消肿止痛。用于牙龈脓肿，哮喘。

| **用法用量** | 内服煎汤，9 ~ 15 g。外用适量。

| **凭证标本号** | 440781190514015LY。

大戟科 Euphorbiaceae 叶下珠属 *Phyllanthus*

余甘子 *Phyllanthus emblica* Linn.

| 药 材 名 | 油甘子（药用部位：根、叶、果实。别名：紫荆皮）。

| 形态特征 | 灌木或小乔木。叶互生，线状长圆形，先端圆，基部圆形或略呈心形，全缘。花春、夏季开放，无花瓣，多朵排成腋生的聚伞花序，花序上仅具 1 雌花或全为雄花。雄花萼片 6，倒卵形至倒披针形。雌花花萼与雄花相似；子房卵形，下半部包于杯状花盘内。蒴果呈核果状，圆球形，外果皮肉质，内果皮硬壳质；种子略带红色。花期 4 ~ 6 月，果期 7 ~ 9 月。

| 生境分布 | 生于斜坡谷地、草地及疏林中。分布于广东大部分地区。广东大部分地区有栽培。

| 资源情况 | 野生资源较少，栽培资源丰富。药材来源于野生和栽培。

| 采收加工 | 果实，冬季至翌年春季采收，晒干。

| 药材性状 | 本品果实球形或扁球形，直径 1.2 ~ 2 cm，表面棕褐色至墨绿色，有淡黄色颗粒状突起，具皱纹及不明显的 6 棱，果柄长约 1 mm，果肉（中果皮）厚 1 ~ 4 mm，质硬而脆，内果皮黄白色，硬核样，表面略具 6 棱，背缝线的偏上部有数条维管束，干后裂成 6 瓣；种子 6，近三棱形，棕色。气微，味酸涩、回甘。以个大、肉厚、回甘味浓者为佳。

| 功能主治 | 根，甘、苦，凉。归脾、肝经。清热利湿，解毒散结。用于泄泻，痢疾，黄疸，瘰疬，湿疹，蜈蚣咬伤。叶，辛，平。祛湿利尿。用于水肿，湿疹。果实，甘、微涩，凉。清热利咽，润肺止咳。用于咽喉痛，咳嗽，口干烦渴，耳痛，维生素 C 缺乏症。

| 用法用量 | 内服煎汤，3 ~ 9 g；或入丸、散剂。

| 凭证标本号 | 440523190712006LY。

大戟科 Euphorbiaceae 叶下珠属 *Phyllanthus*

落萼叶下珠 *Phyllanthus flexuosus* (Sieb. et Zucc.) Muell. Arg.

| 药 材 名 | 红五眼（药用部位：全株。别名：弯曲叶下珠）。

| 形态特征 | 灌木。高达 3 m。枝条弯曲，全株无毛。叶片纸质，椭圆形至卵形，先端渐尖或钝，基部钝至圆，背面稍带白绿色；托叶卵状三角形，早落。多数雄花和 1 雌花簇生于叶腋。雄花花梗短；萼片 5，宽卵形或近圆形，花粉粒球形或近球形。雌花萼片 6，卵形或椭圆形；子房卵圆形，3 室。蒴果浆果状，扁球形，每室有 1 种子；种子近三棱形。花期 4 ～ 5 月，果期 6 ～ 9 月。

| 生境分布 | 生于海拔 200 ～ 650 m 的山谷或溪畔疏林中。分布于广东乳源、连州、连南、阳山、封开等。

| 资源情况 | 野生资源较少，栽培资源一般。药材来源于野生和栽培。

| 采收加工 | 夏、秋季采收，晒干或鲜用。

| 功能主治 | 辛、苦，凉。清热解毒，利尿，明目，消积。用于痢疾，消化不良，肝炎，蛇咬伤，风湿病，肾盂肾炎，膀胱炎。

| 用法用量 | 内服煎汤，5 ~ 15 g。外用适量，鲜品捣敷。

| 凭证标本号 | 440224180530033LY。

大戟科 Euphorbiaceae 叶下珠属 *Phyllanthus*

青灰叶下珠 *Phyllanthus glaucus* Wall. ex Muell. Arg.

| 药 材 名 | 鼻血树（药用部位：根）。

| 形态特征 | 灌木。全株无毛。叶片膜质，椭圆形或长圆形，先端急尖，有小尖头，基部钝至圆，背面稍苍白色；托叶卵状披针形，膜质。花直径约 3 mm，数朵簇生于叶腋；花梗丝状，先端稍粗。蒴果浆果状，直径约 1 cm，紫黑色，基部有宿存的萼片；种子黄褐色。花期 4 ~ 7 月，果期 7 ~ 10 月。

| 生境分布 | 生于海拔 300 ~ 700 m 的山谷疏林中。分布于广东始兴、仁化、乐昌、南雄、五华、平远、和平、英德、连州等。

| 资源情况 | 野生资源较少，栽培资源丰富。药材来源于野生和栽培。

| 采收加工 | 夏、秋季采收，晒干。

| 功能主治 | 酸、苦，平。祛风除湿，健脾消积。用于风湿痹痛，小儿疳积。

| 用法用量 | 内服煎汤，9 ~ 15 g。

| 凭证标本号 | 440281190626030LY。

大戟科 Euphorbiaceae 叶下珠属 *Phyllanthus*

珠子草 *Phyllanthus niruri* Linn.

| 药 材 名 | 蛇仔草（药用部位：全草）。

| 形态特征 | 一年生草本。茎略带褐红色，通常自中上部分枝。枝圆柱形，橄绿色。全株无毛。叶片纸质，长椭圆形，通常 1 雄花和 1 雌花双生于每一叶腋内，有时仅 1 雌花腋生。蒴果扁球状，直径约 3 mm，褐红色，平滑，成熟后开裂为 3 个 2 裂的分果爿，轴柱及萼片宿存；种子长 1 ~ 1.5 mm，宽 0.8 ~ 1.2 mm。花果期 1 ~ 10 月。

| 生境分布 | 生于旷野和林缘。分布于广东南部沿海旷地等。

| 资源情况 | 野生资源较少，栽培资源丰富。药材来源于野生和栽培。

| 采收加工 | 夏、秋季采收。

| 功能主治 | 淡、涩，微寒。收敛，解毒，利尿，通经，健胃，镇痛。用于小儿疳积，角膜云翳，结膜炎，肾炎性水肿，尿路感染，尿路结石，肠炎腹泻，感冒发热，小便不利。

| 用法用量 | 内服煎汤，6 ~ 12 g。

| 凭证标本号 | 441827180716026LY。

大戟科 Euphorbiaceae 叶下珠属 *Phyllanthus*

小果叶下珠 *Phyllanthus reticulatus* Poir.

| 药 材 名 | 烂头钵（药用部位：根。别名：龙眼睛）。

| 形态特征 | 灌木。高达 4 m。叶片膜质至纸质，椭圆形、卵形至圆形，先端急尖、钝至圆，基部钝至圆，背面有时灰白色。通常 2 ~ 10 雄花和 1 雌花簇生于叶腋，稀组成聚伞花序；雄蕊 5，直立，其中 3 雄蕊较长，花丝合生，2 雄蕊较短而花丝离生。蒴果呈浆果状，球形或近球形，直径约 6 mm，红色，干后灰黑色。花期 3 ~ 6 月，果期 6 ~ 10 月。

| 生境分布 | 生于山地林中或灌丛中。广东除东部少见外，其余各地均有分布。

| 资源情况 | 野生资源丰富，栽培资源丰富。药材来源于野生和栽培。

| 采收加工 | 夏、秋季采收，切片，晒干。

| 功能主治 | 涩，平。消炎，收敛，止泻。用于痢疾，肠炎，肠结核，肝炎，肾炎，小儿疳积。

| 用法用量 | 内服煎汤，6 ~ 15 g。

| 凭证标本号 | 441523190404021LY。

大戟科 Euphorbiaceae 叶下珠属 *Phyllanthus*

叶下珠 *Phyllanthus urinaria* Linn.

| 药 材 名 | 阴阳草（药用部位：全草。别名：假油树、珍珠草）。

| 形态特征 | 一年生草本。叶片纸质，因叶柄扭转而呈羽状排列，长圆形或倒卵形，先端圆、钝或急尖而有小尖头，背面灰绿色，近边缘或边缘有1 ~ 3 列短粗毛。花雌雄同株；雄花 2 ~ 4 簇生于叶腋，常仅上面 1 花开花；花梗长约 0.5 mm，基部具 1 ~ 2 苞片；萼片 6，倒卵形；雄蕊 3，花丝合生成柱；花盘腺体 6，分离。蒴果圆球状，直径 1 ~ 2 mm，红色。花期 4 ~ 6 月，果期 7 ~ 11 月。

| 生境分布 | 生于旷野草地、山坡、旱田、村旁等。广东各地均有分布。

| 资源情况 | 野生资源较丰富，栽培资源丰富。药材来源于野生和栽培。

| 采收加工 | 夏、秋季采收，晒干。

| 功能主治 | 甘、微苦，凉。清热散结，健胃消积。用于痢疾，肾炎性水肿，尿路感染，暑热，目赤肿痛，小儿疳积。

| 用法用量 | 内服煎汤，15 ~ 30 g。

| 凭证标本号 | 441523190920035LY。

大戟科 Euphorbiaceae 叶下珠属 *Phyllanthus*

蜜甘草 *Phyllanthus ussuriensis* Rupr. et Maxim.

| 药 材 名 | 蜜柑草（药用部位：全草。别名：飞蛇仔）。

| 形态特征 | 一年生草本。全株无毛。叶片纸质，椭圆形至长圆形，基部近圆，下面白绿色；叶柄极短或几乎无叶柄；托叶卵状披针形。花雌雄同株，单生或数朵簇生于叶腋。雄花萼片 4，宽卵形；花盘腺体 4，分离，与萼片互生；雄蕊 2，花丝分离，药室纵裂。雌花萼片 6，长椭圆形；子房卵圆形，3 室。蒴果扁球状；种子黄褐色，具褐色疣点。花期 7 月，果期 8 ~ 9 月。

| 生境分布 | 生于多石砾山坡、林缘湿地及河岸石缝间等。分布于广东台山、大埔、五华、平远、海丰、阳春、连山及广州（市区）、深圳（市区）、肇庆（市区）等。

| 资源情况 | 野生资源较少，栽培资源丰富。药材来源于野生和栽培。

| 采收加工 | 夏、秋季采收，洗净，晒干。

| 功能主治 | 苦，寒。清热利湿，清肝明目。用于小便失禁，淋病，黄疸性肝炎，吐血，痢疾，外痔。

| 用法用量 | 内服煎汤，6 ~ 10 g。

| 凭证标本号 | 441827180714036LY。

大戟科 Euphorbiaceae 叶下珠属 *Phyllanthus*

黄珠子草 *Phyllanthus virgatus* Forst. f.

| 药 材 名 | 乳痈根（药用部位：全草）。

| 形态特征 | 一年生草本。茎基部具窄棱或有时主茎不明显。枝条通常自茎基部发出，上部扁平而具棱。全株无毛。叶片近革质，线状披针形、长圆形或狭椭圆形。通常 2 ~ 4 雄花和 1 雌花同簇生于叶腋。蒴果扁球形，紫红色，有鳞片状凸起；种子小，具细疣点。花期 4 ~ 5 月，果期 6 ~ 11 月。

| 生境分布 | 生于旷野草地、山坡、旱田、村旁等。分布于广东始兴、翁源、乳源、乐昌、南雄、徐闻、封开、五华、连平、和平、阳山、连山、英德、连州及湛江（市区）、肇庆（市区）等。

| 资源情况 | 野生资源较少，栽培资源一般。药材来源于野生和栽培。

| 采收加工 | 夏、秋季采收，晒干或鲜用。

| 功能主治 | 甘，平。清热散结，健胃消积。用于小儿疳积；外用于乳腺炎。

| 用法用量 | 内服煎汤，鲜品 9 ~ 15 g；或蒸猪瘦肉。外用适量，鲜品捣敷并煎汤洗。

| 凭证标本号 | 441825190807019LY。

大戟科 Euphorbiaceae 蓖麻属 *Ricinus*

蓖麻 *Ricinus communis* Linn.

| 药 材 名 | 蓖麻子（药用部位：种子、叶、根）。

| 形态特征 | 灌木或小乔木。茎中空，幼嫩部分被白粉。单叶互生，盾形。圆锥花序顶生或与叶对生，雄花生于花序下部，雌花生于花序上部；雄花萼片披针形或椭圆形，无毛；雄蕊极多，花丝合生成束，药室近球形，分离；雌花萼片 5，卵状披针形或线状长圆形，早落。蒴果长圆形或球形，具软刺；种子长约 1.5 cm，有灰白色斑纹及凸起的种阜。花期几全年。

| 生境分布 | 生于旷野、路旁及村旁。广东各地均有栽培。

| 资源情况 | 野生资源较少，栽培资源丰富。药材来源于野生和栽培。

| 采收加工 | 种子，秋季采摘成熟果实，晒干，除去果壳，收集种子。

| 药材性状 | 本品种子呈椭圆形或卵形，稍扁，长 1 ~ 2 cm，宽 0.5 ~ 1 cm，腹面较平，背面隆起，光滑，有灰白色与黑褐色或红棕色与黄棕色相间的花纹；种阜灰白色或浅棕色，凸起；种皮薄而脆；胚乳肥厚，白色，富油质，子叶 2，菲薄。无臭，味苦、辛。以饱满、光亮、花纹明显者为佳。

| 功能主治 | 种子，甘、辛，平；有毒。消肿，排脓，拔毒。叶，甘、辛，平；有小毒。消肿拔毒，止痒，灭蛆、杀孑孓。外用于疮疡肿毒，湿疹瘙痒。根，淡、微辛，平。祛风活血，止痛镇静。用于破伤风，癫痫，风湿痹痛，跌打瘀痛，瘰疬。

| 用法用量 | 外用适量，捣敷。

| 凭证标本号 | 441284190812533LY。

大戟科 Euphorbiaceae 美洲柏属 *Sapium*

山乌桕 *Sapium discolor* (Champ. ex Benth.) Muell. Arg.

| 药 材 名 | 红乌桕（药用部位：根皮、树皮、叶）。

| 形态特征 | 乔木。叶互生，纸质，嫩时呈淡红色，椭圆形或长卵形，先端钝或短渐尖，基部短狭或楔形，背面近边缘处常有数个圆形的腺体。花单性，雌雄同株，密生成长 4 ~ 9 cm 的顶生总状花序，雌花生于花序轴下部，雄花生于花序轴上部，有时整个花序全为雄花。蒴果黑色，球形，直径 1 ~ 1.5 cm，分果爿脱落而中轴宿存；种子近球形。花期 4 ~ 6 月。

| 生境分布 | 生于山谷或山坡混交林中。广东各地均有分布。

| 资源情况 | 野生资源较少，栽培资源丰富。药材来源于野生和栽培。

| **采收加工** | 夏、秋季采收，晒干或鲜用。

| **功能主治** | 苦，寒；有小毒。泻下逐水，散瘀消肿。根皮、树皮用于肾炎性水肿，肝硬化腹水，二便不通；叶外用于跌打肿痛，毒蛇咬伤，过敏性皮炎，湿疹，带状疱疹。

| **用法用量** | 内服煎汤，3 ~ 9 g。外用适量，鲜叶捣敷；或煎汤洗。孕妇及体虚者忌服。

| **凭证标本号** | 440281190627002LY。

大戟科 Euphorbiaceae 美洲柏属 *Sapium*

白木乌桕 *Sapium japonicum* (Sieb. et Zucc.) Pax et Hoffm.

|药 材 名|

白乳木（药用部位：根皮、叶。别名：银粟子）。

|形态特征|

灌木或乔木。叶互生，纸质，卵形、卵状长方形或椭圆形，两侧常不等，全缘，背面中上部常于近边缘的脉上有散生的腺体，基部靠近中脉之两侧亦具 2 腺体；叶柄两侧薄，呈狭翅状，先端无腺体。花单性，雌雄同株常同序，聚生成顶生总状花序，雌花数朵生于花序轴基部，雄花数朵生于花序轴上部，有时整个花序全为雄花。蒴果三棱状球形；种子扁球形，无蜡质的假种皮，有棕褐色斑纹。花期 5 ~ 6 月。

|生境分布|

生于林下。分布于广东连山、连州、仁化、乳源等。

|资源情况|

野生资源较少，栽培资源丰富。药材来源于野生和栽培。

| 采收加工 | 全年均可采收。

| 功能主治 | 苦、辛，微温。利尿消肿。用于漆毒。

| 用法用量 | 内服煎汤，15 ~ 30 g。外用适量，鲜叶捣汁搽。

大戟科 Euphorbiaceae 美洲柏属 *Sapium*

圆叶乌桕 *Sapium rotundifolium* Hemsl.

|药材名| 妹炕（药用部位：叶、果实）。

|形态特征| 灌木或乔木。叶互生，厚，近革质，近圆形，先端圆，稀凸尖，偶有尖端具不同深浅的凹缺者，基部圆、平截至微心形，全缘，腹面绿色，背面苍白色；叶柄圆柱形，先端具2腺体。花单性，雌雄同株，密生成顶生的总状花序，雌花生于花序轴下部，雄花生于花序轴上部，有时整个花序全为雄花。蒴果近球形；种子久悬于中轴上，扁球形。花期4～6月。

|生境分布| 生于林下。分布于广东英德、阳山、曲江、乳源、连州、连南、怀集、阳春及肇庆（市区）、云浮（市区）等。

| 资源情况 | 野生资源较少，栽培资源丰富。药材来源于野生和栽培。

| 采收加工 | 夏、秋季采收叶，果实成熟时采摘果实，晒干或鲜用。

| 药材性状 | 本品叶近圆形，革质，长 5.5 ~ 11 cm，宽 6 ~ 11.5 cm，基部近圆形，先端圆而有小凸尖；叶柄长 3 ~ 7 cm，先端有 2 腺体。蒴果近球形，直径约 1.5 cm，表面紫褐色。

| 功能主治 | 辛、苦，凉。解毒消肿，杀虫。用于蛇咬伤，疥癣，湿疹，疮毒。

| 用法用量 | 外用适量，鲜叶捣敷。

| 凭证标本号 | 441823200723032LY。

大戟科 Euphorbiaceae 美洲柏属 *Sapium*

乌桕 *Sapium sebiferum* (Linn.) Roxb.

| 药 材 名 | 白乌桕（药用部位：根皮、树皮、叶）。

| 形态特征 | 乔木。叶互生，纸质，菱形、菱状卵形，稀菱状倒卵形，先端骤缩成长短不等的尖头，基部阔楔形或钝，全缘；叶柄纤细，先端具 2 腺体。花单性，雌雄同株，聚集成长 6 ~ 12 cm 的顶生总状花序，雌花通常生于花序轴最下部，罕有在雌花下部亦有少数雄花着生，雄花生于花序轴上部，有时整个花序全为雄花。蒴果梨状球形，成熟时黑色，直径 1 ~ 1.5 cm。花期 4 ~ 8 月。

| 生境分布 | 生于山坡疏林或灌丛中及丘陵旷野、村边、路旁。广东除雷州半岛外各地均有分布。

周柳提供

| 资源情况 | 野生资源较少，栽培资源丰富。药材来源于野生和栽培。

| 采收加工 | 夏、秋季采收，晒干或鲜用。

| 药材性状 | 本品树皮呈槽状或筒状，长 10 ～ 40 cm，厚约 0.1 cm，浅棕色；外表面有纵皱纹或横长的皮孔，栓皮薄，易呈片状或脱落，内表面具细密纵纹；质坚而韧，不易折断，断面纤维状。气微，味微苦、涩。以条大、皮厚者为佳。

| 功能主治 | 苦，微温；有小毒。利尿，解毒，杀虫，通便。用于血吸虫病，肝硬化腹水，二便不利，毒蛇咬伤；外用于疔疮，鸡眼，乳腺炎，跌打损伤，湿疹，皮炎。

| 用法用量 | 内服煎汤，根皮、树皮 3 ～ 9 g，叶 9 ～ 15 g。外用适量，鲜叶捣敷；或煎汤洗。

| 凭证标本号 | 441523190921060LY。

周柳提供

周柳提供

大戟科 Euphorbiaceae 守宫木属 *Sauropus*

守宫木 *Sauropus androgynus* (Linn.) Merr.

|药 材 名|

树仔菜（药用部位：根、叶。别名：木枸杞）。

|形态特征|

灌木。全株无毛。叶片近膜质或薄纸质，卵状披针形、长圆状披针形或披针形，先端渐尖，基部楔形、圆形或截形。雄花 1 ~ 2 腋生或几朵与雌花簇生于叶腋；花梗纤细；花盘浅盘状，裂片倒卵形，覆瓦状排列，无退化雌蕊。雌花通常单生于叶腋。蒴果扁球状或圆球状，乳白色，宿存花萼红色；种子三棱状，黑色。花期 4 ~ 7 月，果期 7 ~ 12 月。

|生境分布|

生于田间。广东高要、饶平、揭西及广州（市区）、深圳（市区）等有栽培。

|资源情况|

野生资源较丰富，栽培资源丰富。药材来源于野生和栽培。

|采收加工|

全年均可采收。

| 功能主治 | 根，用于痢疾，便血，淋巴结结核，疥疮。叶，清热化痰，润肺通便。用于肺燥咳嗽，失音，咽喉痛，哮喘，咯血，便秘。

| 用法用量 | 内服煎汤，10 ~ 20 g。

| 凭证标本号 | 440783191102013LY。

大戟科 Euphorbiaceae 守宫木属 *Sauropus*

艾堇 *Sauropus bacciformis* (Linn.) Airy Shaw

| 药 材 名 |

桃子草（药用部位：全草。别名：胶锥饭）。

| 形态特征 |

一年生或多年生草本。茎匍匐状或斜升，单生或自基部有多条斜生或平展的分枝。枝条具锐棱或具狭的膜质的枝翅。全株无毛。叶片鲜时近肉质，干后变膜质，形状多变，长圆形、椭圆形、倒卵形、近圆形或披针形。花雌雄同株。蒴果卵珠状，直径 4 ~ 4.5 mm，高约 6 mm，幼时红色，成熟时开裂为 3 个 2 裂的分果爿；种子浅黄色，长 3.5 mm，宽 2 mm。

| 生境分布 |

生于干燥的砂壤土或岩石积土中。分布于广东汕头（市区）至雷州半岛沿海各地。

| 资源情况 |

野生资源较少，栽培资源丰富。药材来源于野生和栽培。

| 采收加工 |

夏、秋季采收，晒干。

| **功能主治** | 甘、淡、微涩，平。清热利尿，理气化痰。用于肺热咳嗽，胸肋外伤，血尿，小便混浊。

| **用法用量** | 内服煎汤，3 ~ 9 g。

| **凭证标本号** | 440523190710012LY。

大戟科 Euphorbiaceae 守宫木属 *Sauropus*

龙脷叶 *Sauropus spatulifolius* Beille

| 药 材 名 | 龙舌叶（药用部位：叶。别名：龙味叶）。

| 形态特征 | 常绿小灌木。茎粗糙，幼时被腺状短柔毛，老后渐无毛。叶通常聚生于小枝上部，常向下弯垂，鲜时近肉质，干后近革质或厚纸质，匙形、倒卵状长圆形或卵形，有时长圆形。花红色或紫红色，雌雄同枝，2 ~ 5 簇生于落叶的枝条中部或下部，或茎花，有时组成短聚伞花序；花序梗短而粗壮，着生许多披针形的苞片；苞片长约 2 mm。花期 2 ~ 10 月。

| 生境分布 | 常栽培于农田、菜地、耕地中。广东西部、南部等有栽培。

| 资源情况 | 野生资源较少，栽培资源丰富。药材来源于野生和栽培。

| 采收加工 | 全年均可采收，晒干。

| 药材性状 | 本品膜质，似蛇形，长 6 ~ 9 cm 或更长，宽 2.5 ~ 4 cm，先端钝或浑圆，基部楔形或渐狭，全缘，上表面深绿色，常有灰白色花斑，下表面黄绿色，中脉凸出，侧脉 5 ~ 6 对，近边缘处连接；质柔韧，不易破碎。气微，味淡、微苦。以叶片大而完整、色深绿者为佳。

| 功能主治 | 甘、淡，平。清热化痰，润肺通便。用于肺燥咳嗽，急性支气管炎，支气管哮喘，咯血，口干，肺痨，失音，喉痛，便秘。

| 用法用量 | 内服煎汤，6 ~ 15 g。

| 凭证标本号 | 440783190812006LY。

| 附　　注 | 本种喜疏松、排水良好的土壤，喜湿润。

大戟科 Euphorbiaceae 漆杨桃属 *Sebastiania*

地杨桃 *Sebastiania chamaelea* (Linn.) Muell. Arg.

| 药材名 |

荔枝草（药用部位：全草）。

| 形态特征 |

多年生草本。主根粗直而长，侧根纤细。茎基部多少木质化。叶互生，厚纸质，线形或线状披针形，花单性，雌雄同株，聚集成侧生或顶生、长 5 ~ 10 mm 的纤弱穗状花序，雄花多数，螺旋排列于被毛的花序轴上部，雌花 1 或数朵着生于花序轴下部或有时单独侧生。蒴果三棱状球形，分果爿背部具 2 纵列的小皮刺，脱落后中轴宿存；种子近圆柱形，光滑。花期几乎全年。

| 生境分布 |

生于旷野草地、溪边或沙滩上。分布于广东台山、徐闻、电白及珠海（市区）、阳江（市区）等。

| 资源情况 |

野生资源较少，栽培资源丰富。药材来源于野生和栽培。

| 采收加工 |

夏、秋季采收。

| 功能主治 | 淡、微辛，微温。强壮补益，祛风除湿，舒筋活血，止痛。

| 凭证标本号 | 440882180602071LY。

大戟科 Euphorbiaceae 缺斧木属 *Securinega*

叶底珠 *Securinega suffruticosa* (Pall.) Rehd.

| 药 材 名 | 叶底珠（药用部位：全株）。

| 形态特征 | 灌木，多分枝。叶片纸质，椭圆形或长椭圆形，稀倒卵形，先端急尖至钝，基部钝至楔形，全缘或间有不整齐的波状齿或细锯齿，背面浅绿色。花小，雌雄异株，簇生于叶腋。蒴果三棱状扁球形，成熟时淡红褐色，有网纹，3 爿裂，基部常有宿存的萼片；种子卵形而一侧呈扁压状，褐色而有小疣状突起。花期 3 ~ 8 月，果期 6 ~ 11 月。

| 生境分布 | 生于山坡及河边灌丛中。分布于广东乳源、乐昌、仁化、和平等。

| 资源情况 | 野生资源较少，栽培资源丰富。药材来源于野生和栽培。

| **采收加工** | 夏、秋季采收，晒干。

| **功能主治** | 甘、苦，平；有毒。祛风活血，补肾强筋。用于面神经麻痹，小儿麻痹后遗症，眩晕，耳聋，神经衰弱，嗜睡症，阳痿。

| **用法用量** | 内服煎汤，3 ~ 6 g。

大戟科 Euphorbiaceae 缺斧木属 *Securinega*

白饭树 *Securinega virosa* (Roxb. ex Willd.) Baill. [*Fluggea virosa* (Willd.) Baill.]

| 药 材 名 | 鱼眼木（药用部位：全株。别名：白倍子、金柑藤、密花叶底珠）。

| 形态特征 | 灌木。小枝具纵棱槽，有皮孔。全株无毛。叶片纸质，椭圆形、长圆形、倒卵形或近圆形，先端圆至急尖，有小尖头，基部钝至楔形，全缘，背面白绿色。花小，淡黄色，雌雄异株，多朵簇生于叶腋；苞片鳞片状，长不及 1 mm。蒴果浆果状，近圆球形，直径 3 ~ 5 mm，成熟时果皮淡白色，不开裂。花期 3 ~ 8 月，果期 7 ~ 12 月。

| 生境分布 | 生于山坡草丛中。广东各地均有分布。

| 资源情况 | 野生资源较少，栽培资源丰富。药材来源于野生和栽培。

| 采收加工 | 全年均可采收，鲜用。

| 功能主治 | 苦、微涩，凉；有小毒。清热解毒，消肿镇痛，止痒。用于寒热痧证，跌打，湿疹，疮疖。

| 用法用量 | 内服煎汤，9 ~ 15 g。外用适量，煎汤洗；或鲜叶捣敷。

| 凭证标本号 | 441623180625064LY。

大戟科 Euphorbiaceae 地构叶属 *Speranskia*

广东地构叶 *Speranskia cantonensis* (Hance) Pax et Hoffm.

| 药 材 名 |

透骨草（药用部位：全草。别名：云南地构叶）。

| 形态特征 |

草本。叶纸质，卵形或卵状椭圆形至卵状披针形，边缘具圆齿或钝锯齿，齿端有黄色腺体，两面均被短柔毛。花序上部具雄花 5 ~ 15，下部具雌花 4 ~ 10；雄花 1 ~ 2 生于苞腋；花萼裂片卵形；花瓣倒心形或倒卵形；花盘具 5 腺体；雌花花梗长约 1.5 mm；花萼裂片卵状披针形，无花瓣。蒴果扁球形，具瘤状突起；种子球形，稍具小突起，灰褐色或暗褐色。花期 2 ~ 5 月，果期 10 ~ 12 月。

| 生境分布 |

生于林下。分布于广东乳源、阳山、乐昌、连州等。

| 资源情况 |

野生资源较少，栽培资源丰富。药材来源于野生和栽培。

| 采收加工 | 夏、秋季采收。

| 功能主治 | 苦，平。祛风湿，通经络，破瘀止痛。用于风湿痹痛，癥瘕积聚，瘰疬，疔疮肿毒，跌打损伤。

| 用法用量 | 内服煎汤，15 ~ 30 g。外用适量，鲜品捣敷。

| 凭证标本号 | 440281200711022LY。

大戟科 Euphorbiaceae 白树属 *Suregada*

白树 *Suregada multiflora* (Jussieu) Baill.

| 药 材 名 | 白树（药用部位：全株）。

| 形态特征 | 灌木或乔木。枝条灰黄色至灰褐色，无毛。叶薄革质，倒卵状椭圆形至倒卵状披针形，稀长圆状椭圆形，先端短尖或短渐尖，稀圆钝，基部楔形或阔楔形，全缘，两面均无毛。聚伞花序与叶对生，花梗和萼片具微柔毛或近无毛。雄花雄蕊多数；腺体小，生于花丝基部。雌花花盘环状；子房近球形，无毛。蒴果近球形，有 3 浅纵沟，具宿存萼。花期 3 ~ 9 月。

| 生境分布 | 生于灌丛中。分布于广东台山、高州、吴川、遂溪、雷州、徐闻及茂名（市区）、阳江（市区）等。

廖浩斌提供

| 资源情况 | 野生资源较少，栽培资源丰富。药材来源于野生和栽培。

| 采收加工 | 全年均可采收。

| 功能主治 | 甘，凉。归心经。解毒疗伤。用于烧伤。

| 用法用量 | 外用适量，调油擦敷。

| 凭证标本号 | 440882180430309LY。

| 附　　注 | 本品民间用于治疗慢性阻塞性肺疾病。

大戟科 Euphorbiaceae 油桐属 *Vernicia*

油桐 *Vernicia fordii* (Hemsl.) Airy Shaw

| 药 材 名 | 三年桐（药用部位：根、叶、花、果壳、种子。别名：罂子桐、虎子桐）。

| 形态特征 | 落叶乔木。叶卵圆形，先端短尖，基部平截至浅心形，全缘，稀 1 ~ 3 浅裂，嫩叶上面被很快脱落的微柔毛，下面被渐脱落的棕褐色微柔毛，成长叶上面深绿色，无毛，下面灰绿色，被贴伏微柔毛。花雌雄同株，先于叶开放或与叶同时开放；花瓣白色，有淡红色脉纹，倒卵形，先端圆形，基部爪状。核果近球状，果皮光滑。花期 3 ~ 4 月，果期 8 ~ 9 月。

| 生境分布 | 栽培种。广东西部以北地区均有栽培。

| 资源情况 | 栽培资源丰富。药材来源于栽培。

| 采收加工 | 叶，夏、秋季采摘。花，春季采摘。果实，秋季采摘。

| 功能主治 | 甘、微辛，寒；有小毒。根，消积驱虫，祛风利湿。用于食积痞满，水肿，哮喘，瘰疬，蛔虫病。叶，解毒，杀虫。花，清热解毒，生肌。外用于热毒疮，天疱疮，烧伤。

| 用法用量 | 内服煎汤，15 ~ 30 g。外用适量，鲜品捣敷；或烧灰研末敷。

| 凭证标本号 | 441825190411030LY。

大戟科 Euphorbiaceae 油桐属 *Vernicia*

千年桐 *Vernicia montana* Lour.

| 药 材 名 | 木油桐（药用部位：叶、种子油。别名：皱桐）。

| 形态特征 | 落叶乔木。枝条无毛，散生凸起的皮孔。叶阔卵形，先端短尖至渐尖，基部心形至平截，全缘或 2 ~ 5 裂，裂缺常有杯状腺体，两面初被短柔毛，成长叶仅下面基部沿脉被短柔毛。花序生于当年生已发叶的枝条上，雌雄异株，有时同株异序；花萼无毛；花瓣白色或基部紫红色且有紫红色脉纹，倒卵形。核果卵球状；种子 3，扁球状，种皮厚，有疣突。花期 4 ~ 5 月。

| 生境分布 | 生于海拔 1 300 m 以下的疏林中。栽培于低海拔丘陵地区。广东除雷州半岛外，各地均有栽培。

| 资源情况 | 野生资源较少，栽培资源丰富。药材来源于野生和栽培。

| 采收加工 | 叶，夏、秋季采收。种子，冬季采收，压榨成脂肪油。

| 功能主治 | 苦，凉。祛风湿。用于风湿痹痛，水火烫伤。

| 用法用量 | 叶，内服煎汤，10 ~ 20 g。种子油适量，外敷。

| 凭证标本号 | 441523200719003LY。

| 附　　注 | 本种喜生于温暖向阳处。

交让木科 Daphniphyllaceae 虎皮楠属 *Daphniphyllum*

牛耳枫 *Daphniphyllum calycinum* Benth.

| 药材名 | 老虎耳（药用部位：叶、根）。

| 形态特征 | 灌木。小枝灰褐色，具稀疏皮孔。叶纸质，阔椭圆形或倒卵形，长 12 ~ 16 cm，宽 4 ~ 9 cm，先端钝或圆形，具短尖头，基部阔楔形，全缘，叶面具光泽，叶背多少被白粉，具细小乳突体；叶柄长 4 ~ 8 cm，上面平或略具槽。总状花序腋生；花萼盘状，3 ~ 4 浅裂，裂片阔三角形；雄蕊 9 ~ 10，花药长圆形；苞片卵形；子房椭圆球形。果实卵圆球形，长约 7 mm，被白粉，具小疣状突起，先端具宿存柱头。花期 4 ~ 6 月，果期 8 ~ 11 月。

| 生境分布 | 多生于海拔 60 ~ 850 m 的疏林或灌丛中。广东各地均有分布。

| 资源情况 | 野生资源较少，栽培资源丰富。药材来源于野生和栽培。

| 采收加工 | 夏、秋季采收，叶鲜用或晒干，根晒干。

| 药材性状 | 本品叶长 12 ~ 16 cm，宽约 4 ~ 9 cm，鲜叶上面具光泽，下面具白粉，晒干后两面呈绿色，具光泽。根表皮呈黑色，根皮内层呈红色，木质部中间呈浅红色。

| 功能主治 | 辛、苦，凉。清热解毒，活血舒筋。用于感冒发热，扁桃体炎，风湿关节痛，跌打肿痛，骨折，毒蛇咬伤，疮疡肿毒。

| 用法用量 | 内服煎汤，12 ~ 18 g。外用适量，鲜叶捣敷；或煎汤洗。

| 凭证标本号 | 441825190411010LY。

交让木科 Daphniphyllaceae 虎皮楠属 *Daphniphyllum*

交让木 *Daphniphyllum macropodium* Miq.

| 药 材 名 |

虎皮楠（药用部位：叶、种子。别名：豆腐树）。

| 形态特征 |

小乔木。高 3 ~ 10 m。小枝暗褐色，粗壮，具圆形大叶痕。叶革质，长圆形至倒披针形；叶柄紫红色，粗壮，长 3 ~ 6 cm。雌雄异序，雌、雄花序长均为 5 ~ 7 cm；花梗长约 0.5 cm；花萼不育；雄蕊 8 ~ 10，花丝短，长约 1 mm；雌花子房基部具大小不等的不育雄蕊 10；子房卵球形，多少被白粉。果实椭圆球形，直径约 1 cm，先端具宿存柱头，成熟果实呈暗褐色，有时被白粉，具疣状折皱。花期 3 ~ 5 月，果期 8 ~ 10 月。

| 生境分布 |

生于海拔 650 ~ 1 200 m 的阔叶林中。分布于广东乳源、乐昌等。

| 资源情况 |

野生资源较少，栽培资源丰富。药材来源于野生和栽培。

| 采收加工 | 全年均可采收，常鲜用。

| 功能主治 | 苦，凉。消肿拔毒，杀虫。用于疮疖肿毒。

| 用法用量 | 外用适量，加食盐捣敷。

| 凭证标本号 | 441324180803010LY。

交让木科 Daphniphyllaceae 虎皮楠属 *Daphniphyllum*

虎皮楠 *Daphniphyllum oldhamii* (Hemsl.) Rosenth.

| 药 材 名 | 南宁虎皮楠（药用部位：根。别名：四川虎皮楠、广西虎皮楠、长柱虎皮楠）。

| 形态特征 | 乔木。高 5 ~ 10 m。叶纸质，披针形或长圆形，长 9 ~ 14 cm，宽 2.5 ~ 4 cm，最宽处常在叶的上部，边缘反卷，叶背通常被白粉；叶柄长 2 ~ 3.5 cm，纤细，上面具槽。雄花序长 2 ~ 4 cm；花梗长约 5 mm；花萼三角状卵形，具细齿；雄蕊 7 ~ 10，花药卵形。雌花序长 4 ~ 6 cm；花梗长 4 ~ 7 mm；花萼披针形，具齿；子房长卵状，被白粉，柱头 2，叉开。果实倒卵圆球形，直径约 6 mm，暗褐色至黑色，先端具宿存柱头。花期 3 ~ 5 月，果期 8 ~ 11 月。

| 生境分布 | 生于山地阔叶林中。广东各地均有分布。

| 资源情况 | 野生资源较少，栽培资源丰富。药材来源于野生和栽培。

| 采收加工 | 夏、秋季采收，晒干或鲜用。

| 功能主治 | 辛、苦，凉。清热解毒，活血散瘀。用于感冒发热，咽喉肿痛，毒蛇咬伤，骨折创伤。

| 用法用量 | 内服煎汤，15 ~ 30 g。外用适量，鲜品捣敷。

| 凭证标本号 | 440783201003002LY。

鼠刺科 Escalloniaceae 鼠刺属 *Itea*

鼠刺 *Itea chinensis* Hook. et Arn.

| 药 材 名 | 老鼠刺（药用部位：根、花）。

| 形态特征 | 小乔木。幼枝无毛；老枝棕褐色，具纵条棱。叶薄革质，倒卵形或卵状椭圆形，先端锐尖，基部楔形，边缘具不明显圆锯齿或近全缘，两面无毛；叶柄长 1 ~ 2 cm，无毛，上面有浅槽沟。总状花序，短于叶，单生或稀 2 ~ 3 束生，直立；花多数，1 ~ 3 簇生；花瓣白色，披针形；雄蕊与花瓣近等长；子房上位，被密长柔毛。蒴果长圆状披针形，长 6 ~ 9 mm，被微毛，具纵条纹。花期 3 ~ 5 月，果期 5 ~ 12 月。

| 生境分布 | 生于山地、山坡疏林、灌丛中。分布于广东博罗、惠阳、龙门、英德及清远（市区）、广州（市区）等。

| 资源情况 | 野生资源较少，栽培资源丰富。药材来源于野生和栽培。

| 采收加工 | 夏、秋季采收，晒干。

| 功能主治 | 苦，温。祛风除湿，滋补强壮，止咳，解毒，消肿。用于身体虚弱，劳伤脱力，产后风痛，跌打损伤，腰痛带下，咳嗽，咽喉肿痛。

| 用法用量 | 内服煎汤，根 30 ~ 60 g，花 18 ~ 21 g，冲黄酒、白糖。

| 凭证标本号 | 441825190808013LY。

鼠刺科 Escalloniaceae 鼠刺属 *Itea*

矩形叶鼠刺 *Itea oblonga* Hand.-Mazz.

|药 材 名|

长圆叶鼠刺（药用部位：根）。

|形态特征|

小乔木。幼枝无毛；老枝棕褐色，有纵棱。叶薄革质，长圆形，先端渐尖，基部圆钝，边缘有明显的密集细锯齿，近基部近全缘，两面无毛，侧脉在叶缘处弯曲连接；叶柄粗壮，无毛。总状花序腋生，长于叶，单生或2 ~ 3簇生，直立；花梗长2 ~ 3 mm，被微毛，基部有叶状苞片；花瓣白色，披针形，花时直立；雄蕊与花瓣近等长，花药长圆球形；子房上位，密被长柔毛。蒴果长6 ~ 9 mm，被柔毛。花期3 ~ 5月，果期6 ~ 12月。

|生境分布|

生于山谷疏林或灌丛中。广东各地均有分布。

|资源情况|

野生资源较少，栽培资源丰富。药材来源于野生和栽培。

|采收加工|

秋季采收，晒干。

| **功能主治** | 苦，温。滋补强壮，祛风除湿，接骨续筋。用于身体虚弱，劳伤乏力，咳嗽，咽痛。

| **用法用量** | 内服煎汤，30 ~ 60 g。

| **凭证标本号** | 440281190425020LY。

绣球花科 Hydrangeaceae 溲疏属 *Deutzia*

四川溲疏 *Deutzia setchuenensis* Franch.

| 药材名 | 川溲疏（药用部位：枝、叶、果实）。

| 形态特征 | 灌木。叶纸质或膜质，卵形，先端渐尖，基部圆形或阔楔形，边缘具细锯齿；叶柄被星状毛。伞房状聚伞花序有花 6 ~ 20；花序梗被星状毛；花蕾长卵圆状；花瓣白色，卵状长圆形；外轮雄蕊长 5 ~ 6 mm，花丝先端具 2 齿，约与花药等长，花药具短柄，内轮雄蕊较短，花丝先端 2 浅裂，花药从花丝内侧近中部伸出；花柱 3，长约 3 mm。蒴果球形，直径 4 ~ 5 mm，宿存萼裂片内弯。花期 4 ~ 7 月，果期 6 ~ 9 月。

| 生境分布 | 生于山谷疏林下或溪边。分布于广东仁化、乳源、乐昌、和平等。

| 资源情况 | 野生资源较少，栽培资源丰富。药材来源于野生和栽培。

| 采收加工 | 夏、秋季采收，晒干。

| 功能主治 | 苦，微寒。清热除烦，利尿消积。用于外感暑湿，身热烦渴，热淋涩痛，小便不利，热结膀胱，小儿疳积，风湿痹痛，湿热疮毒。

| 用法用量 | 内服煎汤，10 ~ 30 g。

| 凭证标本号 | 441882180410014LY。

绣球花科 Hydrangeaceae 常山属 *Dichroa*

常山 *Dichroa febrifuga* Lour.

| 药 材 名 | 土常山（药用部位：叶、根。别名：白常山、鸡骨常山）。

| 形态特征 | 落叶灌木。茎圆柱形或有 4 浅钝棱，通常紫色。叶对生，纸质，通常椭圆形，长 6 ~ 22 cm，宽 4 ~ 8 cm，绿色或紫色，边缘有锯齿，无毛，稀下面被长柔毛；叶柄长达 5 cm。伞房状圆锥花序顶生；花两性，蓝色，直径约 8 mm；花瓣椭圆形，反折；雄蕊 10 ~ 20，花丝常有斑点；花柱 4 ~ 6，棒状。浆果近球形，直径约 5 mm，蓝色。花期 3 ~ 5 月，果期 8 ~ 9 月。

| 生境分布 | 生于山野阴湿处。广东各地均有分布。

| 资源情况 | 野生资源较少，栽培资源丰富。药材来源于野生和栽培。

| 采收加工 | 秋季采挖根，除去须根，洗净，晒干。

| 药材性状 | 本品根多少呈圆柱状，常弯曲扭转，有分枝，长 8 ~ 15 cm，直径 0.5 ~ 2 cm，棕黄色或黄色，具细纵纹，外皮易剥落，剥落处露出光滑、淡黄色的木部；质坚硬，不易折断，强折时有粉尘状物散出；横切面黄白色，有放射状纹理。无臭，味苦。以质坚硬、断面淡黄色者为佳。

| 功能主治 | 苦，寒；有小毒。截疟，解热。用于间日疟，三日疟，恶性疟疾。

| 用法用量 | 内服煎汤，5 ~ 10 g。孕妇忌服，老年体弱者慎服。

| 凭证标本号 | 441825190802009LY。

绣球花科 Hydrangeaceae 常山属 *Dichroa*

罗蒙常山 *Dichroa yaoshanensis* Y. C. Wu

| 药 材 名 | 瑶山常山（药用部位：根）。

| 形态特征 | 亚灌木。少分枝，常上部稍弯曲，下部平卧，植株密被基部球状的长毛。叶对生，纸质，卵状椭圆形，长 5 ~ 17 cm，宽 3 ~ 7.5 cm，具锯齿，两面具长粗毛；叶柄纤细。伞房状聚伞花序，花序梗极短；花蕾倒卵状，蓝色；花瓣长圆状披针形，先端急尖；雄蕊 10 ~ 12，长约 7 mm，花药椭圆形或卵形；花柱 4 ~ 5，长约 4 mm，柱头长圆形，偏斜，子房近下位。浆果近球形，直径 4 ~ 5 mm，疏被长柔毛。花期 5 ~ 7 月，果期 9 ~ 11 月。

| 生境分布 | 生于山地林下阴湿处。分布于广东乳源、新丰、信宜、五华、连山、连州等。

资源情况 野生资源较少，栽培资源丰富。药材来源于野生和栽培。

采收加工 夏、秋季采收，晒干。

功能主治 用于风湿骨痛，产后风。

绣球花科 Hydrangeaceae 绣球属 *Hydrangea*

中国绣球 *Hydrangea chinensis* Maxim.

| 药 材 名 | 狭瓣绣球（药用部位：根。别名：绿瓣绣球）。

| 形态特征 | 灌木。叶薄纸质，长圆形，先端渐尖，具尾状尖头，基部楔形，边缘中上部具疏钝齿，两面被疏短柔毛；叶柄长 0.5 ~ 2 cm，被短柔毛。伞形状或伞房状聚伞花序顶生；不育花萼片 3 ~ 4，全缘或具数个小齿；花瓣黄色，椭圆形；雄蕊 10 ~ 11，近等长；子房近半下位，花柱 3 ~ 4。蒴果卵球形；种子淡褐色，椭圆球形，略扁，无翅，具网状脉纹。花期 5 ~ 6 月，果期 9 ~ 10 月。

| 生境分布 | 生于溪边、山谷、疏林下和灌丛中。分布于广东乳源、乐昌、信宜、龙门、饶平等。

| 资源情况 | 野生资源较少，栽培资源丰富。药材来源于野生和栽培。

| 采收加工 | 夏、秋季采收，切片，晒干或鲜用。

| 功能主治 | 微辛、苦，凉。活血止痛，截疟，清热利尿。用于跌打损伤，骨折，疟疾，头痛，麻疹，小便淋痛。

| 用法用量 | 内服煎汤，3 ~ 9 g。外用适量，鲜品捣敷。

| 凭证标本号 | 441882180814063LY。

绣球花科 Hydrangeaceae 绣球属 *Hydrangea*

粤西绣球 *Hydrangea kwangsiensis* Hu

| 药材名 | 白皮绣球（药用部位：根、叶）。

| 形态特征 | 灌木。小枝圆柱形，无毛，具环状叶痕。叶纸质，披针形，基部两侧稍不对称，上面无毛，下面被微柔毛，近全缘；叶柄长 1 ~ 3 cm，基部扩大抱茎。伞房状聚伞花序，分枝 3；不育花萼片 4，白色，广椭圆形，不等大，全缘；孕性花萼筒长陀螺状；花瓣长椭圆形，蓝色；雄蕊 10 枚，近等长。蒴果长陀螺状，种子棕黄色，卵圆球形，无翅或具极短的翅。花期 5 ~ 6 月，果期 10 ~ 11 月。

| 生境分布 | 木本。生于海拔 600 ~ 1 500 m 的山谷密林或路旁疏林中。分布于广东曲江、始兴、仁化、乳源、新会、信宜、广宁、怀集、封开、连平、阳春、阳山、连山、连州等。

| 资源情况 | 野生资源较少，栽培资源丰富。药材来源于野生和栽培。

| 采收加工 | 夏、秋季采收，晒干。

| 功能主治 | 辛、苦，平。消肿镇痛，止血。用于跌打损伤，刀伤出血。

| 凭证标本号 | 441523190919021LY。

绣球花科 Hydrangeaceae 绣球属 *Hydrangea*

白皮绣球 *Hydrangea kwangsiensis* Hu var. *hedyotidea* (Chun) C. M. Hu

| 药 材 名 | 粤西绣球（药用部位：根、叶）。

| 形态特征 | 灌木。小枝圆柱形，淡褐色，无毛，具环状叶痕。叶纸质，披针形，基部两侧稍不对称，上面无毛，下面被微柔毛，边缘稍反卷，近全缘或具稀疏小齿；叶柄长 1 ~ 3 cm，基部扩大几乎全部抱茎。伞房状聚伞花序，花序轴及分枝无毛或仅顶部被短疏毛；孕性花紫红色或略带蓝色；花柱近直立。蒴果；种子棕黄色，卵圆球形。花期 5 ~ 7 月，果期 8 ~ 11 月。

| 生境分布 | 生于山谷密林、山坡路旁疏林下或山顶灌丛中。分布于广东北部各地。

| 资源情况 | 野生资源较少，栽培资源丰富。药材来源于野生和栽培。

| 采收加工 | 夏、秋季采收，晒干或鲜用。

| 功能主治 | 辛、苦，平。止血生肌。

| 用法用量 | 外用适量，鲜品捣敷。

| 凭证标本号 | 441823191113018LY。

| 附　　注 | 本种为粤西绣球 *Hydrangea kwangsiensis* Hu 的变种，前者的孕性花为紫红色或略带蓝色，花序无毛，后者的孕性花为黄色，花序有毛。

绣球花科 Hydrangeaceae 绣球属 *Hydrangea*

绣球 *Hydrangea macrophylla* (Thunb.) Ser.

| 药 材 名 | 八仙花（药用部位：全株。别名：粉团花、紫阳花）。

| 形态特征 | 灌木。叶纸质或近革质，倒卵形，先端骤尖，具短尖头，具粗齿，两面无毛或中脉两侧被短柔毛；叶柄粗壮，无毛。伞房状聚伞花序近球形，总花梗短，分枝粗壮，密被紧贴短柔毛；花密集，多数不育；不育花萼片 4，粉红色、淡蓝色或白色；孕性花极少数；雄蕊 10，花药长圆形；子房大半下位，花柱 3。蒴果未成熟时呈长陀螺状。花期 6 ~ 8 月。

| 生境分布 | 栽培种。广东大埔、和平及广州（市区）、汕头（市区）等有栽培。

| 资源情况 | 野生资源较少，栽培资源丰富。药材来源于野生和栽培。

| **采收加工** | 夏、秋季采收，晒干。

| **功能主治** | 苦、微辛，寒；有小毒。清热，抗疟。用于疟疾，心热惊悸，烦躁。

| **用法用量** | 内服煎汤，9 ~ 12 g。

绣球花科 Hydrangeaceae 绣球属 *Hydrangea*

圆锥绣球 *Hydrangea paniculata* Sieb.

| 药 材 名 | 水亚木（药用部位：根。别名：土常山、栎叶绣球）。

| 形态特征 | 灌木。叶纸质，2 ~ 3 对生或轮生，卵形或椭圆形，边缘有密集小锯齿；叶柄长 1 ~ 3 cm。圆锥状聚伞花序，花序轴及分枝密被短柔毛；不育花较多，白色；萼片 4，不等大，全缘；孕性花萼筒陀螺状，花瓣白色，卵形或卵状披针形；雄蕊不等长，花药近圆形；子房半下位，花柱 3，钻状。蒴果椭圆形，先端突出部分圆锥形。花期 7 ~ 8 月，果期 10 ~ 11 月。

| 生境分布 | 生于溪边或湿地上。分布于广东东部和北部各地。

| 资源情况 | 野生资源较少，栽培资源丰富。药材来源于野生和栽培。

| 采收加工 | 夏、秋季采收，晒干。

| 功能主治 | 辛，凉；有小毒。截疟退热，消肿和中。用于疟疾，食积不化，胸腹胀满。

| 用法用量 | 内服煎汤，6 ~ 9 g。

| 凭证标本号 | 441825190804016LY。

绣球花科 Hydrangeaceae 绣球属 *Hydrangea*

柳叶绣球 *Hydrangea stenophylla* Merr. & Chun

| 药 材 名 |

狭叶绣球（药用部位：根、叶、花）。

| 形态特征 |

灌木。一年生小枝淡紫色，无毛和皮孔。叶纸质，披针形，边缘稍反卷，有疏离锯形小齿，上面光滑无毛，下面常呈紫红色，被微柔毛；叶柄长 1 ~ 2 cm，无毛。伞房状聚伞花序；不育花稀少，萼片 3 ~ 4，淡黄色，卵形或近圆形，不等大；孕性花绿白色，花瓣椭圆形；雄蕊 8 ~ 10，几乎等长，花药阔长圆形；子房近半下位，花柱 3 ~ 4，头状。蒴果阔椭圆球状；种子淡褐色，卵圆球形，无翅，具网状脉纹。花期 5 ~ 6 月，果期 9 ~ 10 月。

| 生境分布 |

生于山地林下或灌丛中。分布于广东乐昌、仁化、始兴、恩平、封开、英德等。

| 资源情况 |

野生资源较少，栽培资源丰富。药材来源于野生和栽培。

| 采收加工 | 夏、秋季采收，晒干。

| 功能主治 | 清热解毒，除湿退黄，止痛，凉血止血，截疟。用于疟疾，心热惊悸。

| 用法用量 | 内服煎汤，15 ~ 20 g。

| 凭证标本号 | 441882190614005LY。

绣球花科 Hydrangeaceae 绣球属 *Hydrangea*

蜡莲绣球 *Hydrangea strigosa* Rehd.

| 药 材 名 | 羊耳朵树（药用部位：根。别名：土常山）。

| 形态特征 | 灌木。叶纸质，长圆形或卵状披针形，边缘有具硬尖头的小齿；叶柄长 1 ~ 7 cm，被糙伏毛。伞房状聚伞花序；不育花萼片 4 ~ 5，阔卵形，结果时长 1.3 ~ 2.7 cm，宽 1.1 ~ 2.5 cm；孕性花淡紫红色，萼筒钟状，长约 2 mm；花瓣长卵形，长 2 ~ 2.5 mm，初时先端稍连合，后分离，早落；雄蕊不等长，花药长圆形；子房下位，花柱 2，近棒状，直立或外弯。蒴果坛状，先端平截，基部圆。花期 7 ~ 8 月，果期 11 ~ 12 月。

| 生境分布 | 生于林下、溪边。分布于广东乳源、乐昌、连州、饶平等。

| 资源情况 | 野生资源较少，栽培资源丰富。药材来源于野生和栽培。

| 采收加工 | 夏、秋季采收，晒干。

| 功能主治 | 辛，凉；有小毒。截疟退热，消肿和中。用于疟疾，食积不化，胸腹胀满。

| 用法用量 | 内服煎汤，6 ~ 9 g。

| 凭证标本号 | 441825190412032LY。

绣球花科 Hydrangeaceae 冠盖藤属 *Pileostegia*

星毛冠盖藤 *Pileostegia tomentella* Hand.-Mazz.

| 药 材 名 | 星毛青棉花（药用部位：根）。

| 形态特征 | 常绿攀缘灌木。叶革质，长圆形或倒卵状长圆形，先端尖头突出，基部圆形或心形，近全缘或具粗齿，背卷，嫩叶上面疏被星状毛，背面密被毛；叶柄长 1.2 ~ 1.5 cm。伞房状圆锥花序顶生；苞片被星状毛；花白色，花瓣卵形；雄蕊 8 ~ 10；柱头圆锥状，4 ~ 6 裂，被毛。蒴果陀螺状，平顶，被稀疏星状毛，具宿存花柱，具棱，暗褐色；种子细小，棕色。花期 3 ~ 8 月，果期 9 ~ 12 月。

| 生境分布 | 生于山地阔叶林内和河边，攀缘于树上或石上。分布于广东曲江、始兴、翁源、乳源、新丰、信宜、怀集、高要、博罗、惠东、龙门、大埔、蕉岭、连平、阳山、连山等。

| 资源情况 | 野生资源较少，栽培资源丰富。药材来源于野生和栽培。

| 采收加工 | 夏、秋季采收，晒干或鲜用。

| 功能主治 | 辛、苦，温。祛风除湿，散瘀止痛。

| 用法用量 | 内服煎汤，15 ~ 30 g。外用适量，鲜品捣敷。

| 凭证标本号 | 441825191004010LY。

绣球花科 Hydrangeaceae 冠盖藤属 *Pileostegia*

冠盖藤 *Pileostegia viburnoides* Hook. f. et Thoms.

| 药 材 名 | 青棉花藤（药用部位：根、藤、叶。别名：旱禾树、青棉花）。

| 形态特征 | 常绿攀缘状灌木。小枝圆柱形，灰褐色，无毛。叶对生，薄革质，椭圆状倒披针形或长椭圆形，全缘，常稍背卷，无毛；叶柄长 1 ~ 3 cm。伞房状圆锥花序顶生，无毛或稍被褐锈色微柔毛；花白色；花梗长 3 ~ 5 mm；萼筒圆锥状，裂片三角形，无毛；花瓣卵形，雄蕊 8 ~ 10；花柱长约 1 mm，无毛，柱头圆锥形，4 ~ 6 裂。蒴果圆锥形，具 5 ~ 10 肋纹或棱。花期 7 ~ 8 月，果期 9 ~ 12 月。

| 生境分布 | 生于山谷林中，常攀缘于乔木或石壁上。分布于广东翁源、乳源、乐昌、五华、和平、阳春、阳山、连山、高州、信宜、广宁、怀集、封开、博罗、龙门及广州（市区）、茂名（市区）、惠州（市区）、

梅州（市区）等。

| 资源情况 | 野生资源较少，栽培资源丰富。药材来源于野生和栽培。

| 采收加工 | 夏、秋季采收，晒干。

| 功能主治 | 苦，温。祛风除湿，散瘀止痛，接骨。用于外伤出血。

| 用法用量 | 内服煎汤，15 ~ 30 g；或浸酒。外用适量，捣敷；或研末敷。

| 凭证标本号 | 441882180814014LY。

绣球花科 Hydrangeaceae 钻地风属 *Schizophragma*

钻地风 *Schizophragma integrifolium* Oliv.

| 药 材 名 | 全叶钻地风（药用部位：根、藤。别名：桐叶藤、利筋藤）。

| 形态特征 | 木质藤本。叶纸质，椭圆形或阔卵形，全缘或具有硬尖头的小齿，无毛或背面沿脉被柔毛，脉腋间常具髯毛；叶柄无毛。伞房状聚伞花序密被柔毛；不育花萼片单生或 2 ~ 3 聚生，披针形或阔椭圆形，结果时长 3 ~ 7 cm，宽 2 ~ 5 cm，黄白色；孕性花萼筒陀螺状，萼齿三角形；花瓣长卵形，长 2 ~ 3 mm，先端钝；雄蕊近等长，花药近圆形；子房近下位。蒴果钟状或陀螺状，较小。花期 6 ~ 7 月，果期 10 ~ 11 月。

| 生境分布 | 生于山坡疏林内或林缘。分布于广东乳源、信宜、封开、阳春等。

王晓兰提供

| 资源情况 | 野生资源较少，栽培资源丰富。药材来源于野生和栽培。

| 采收加工 | 夏、秋季采收，晒干。

| 功能主治 | 淡，凉。舒筋活络，祛风活血。用于风湿筋骨痛。

| 用法用量 | 内服煎汤，9 ~ 15 g。

王晓兰提供

王晓兰提供

蔷薇科 Rosaceae 龙芽草属 *Agrimonia*

小花龙芽草 *Agrimonia nipponica* Koidz. var. *occidentalis* Skalicky

| 药 材 名 |

龙芽草（药用部位：全草或地下冬芽）。

| 形态特征 |

多年生草本。主根粗短，常呈块状。茎高 30 ~ 90 cm，上部密被短柔毛，下部密被黄色长硬毛。叶为间断奇数羽状复叶；小叶片无柄或有短柄，先端通常急尖或圆钝，基部宽楔形，上面伏生疏柔毛，下面沿脉横生稀疏长硬毛，被稀疏腺体或不明显。花序通常分枝；花梗长 1 ~ 3 mm；花小。果实小，半球形，被疏柔毛，先端具数层钩刺，开展。花果期 8 ~ 11 月。

| 生境分布 |

生于山坡草地、山谷溪边、灌丛、林缘及疏林下。分布于广东从化、翁源、乳源、乐昌、怀集、封开、高要、龙门、阳春、阳山、连山、英德、新兴及广州（市区）、茂名（市区）等。

| 资源情况 |

野生资源较少，栽培资源丰富。药材来源于野生和栽培。

| 采收加工 | 全草，夏、秋季采收，晒干。

| 药材性状 | 本品茎呈方柱形，多分枝，四面有纵沟，茎高 30 ~ 90 cm；表面绿褐色，粗糙；质硬而脆，断面有髓或中空。叶对生，皱缩，多破碎，绿褐色，3 深裂，边缘有锯齿。穗状花序细长，有小花多数。无臭，味苦。

| 功能主治 | 苦、涩，平。全草，收敛止血，消炎止痢。用于咯血，吐血，崩漏下血，血痢，感冒发热。冬芽，驱虫。

| 用法用量 | 内服煎汤，10 ~ 18.5 g，大剂量可用 18.5 ~ 35 g。

| 凭证标本号 | 440281200710006LY。

蔷薇科 Rosaceae 龙芽草属 *Agrimonia*

龙芽草 *Agrimonia pilosa* Ledeb.

| 药 材 名 | 仙鹤草（药用部位：全草或地下冬芽）。

| 形态特征 | 多年生草本。高 30 ~ 100 cm，密生长柔毛。奇数羽状复叶互生，有小叶 5 ~ 7，小叶椭圆状卵形、倒卵形或长椭圆形，边缘具锯齿，两面密生长柔毛，背面具多数腺点。总状花序顶生或腋生；花黄色，直径 0.6 ~ 1 cm；萼筒杯状，外面有槽，先端具钩状刺毛，萼裂片 5；花瓣 5。瘦果倒圆锥形，具宿存萼。花果期 5 ~ 12 月。

| 生境分布 | 生于海拔 200 ~ 800 m 的山谷林中或丘陵灌丛、旷野。广东各地均有分布。

| 资源情况 | 野生资源较少，栽培资源丰富。药材来源于野生和栽培。

| 采收加工 | 全草，夏、秋季采收，晒干或鲜用。

| 药材性状 | 本品全草长 50 ~ 100 cm，全体被白色柔毛。茎下部圆柱形，近木质，直径 4 ~ 6 mm，红棕色，上部方柱形，四面略有凹沟，棕褐色，节明显；体轻，质硬，易折断，断面中空。奇数羽状复叶互生，暗绿色，常皱缩卷折，小叶片质脆易碎，有大小 2 种，相间生于叶轴上，先端小叶较大，完整小叶片展平后呈卵形或长椭圆形，边缘有锯齿；托叶 2，斜卵形。总状花序细长；花萼下部呈筒状，萼筒上部有钩刺，先端 5 裂；花瓣黄色。气微，味微苦。以质嫩、叶多者为佳。

| 功能主治 | 苦、涩，平。全草，收敛止血，消炎止痢。冬芽，驱虫。用于呕血，咯血，衄血，尿血，便血，功能失调性子宫出血，胃肠炎，痢疾，肠道滴虫病；外用于痈疔疮，阴道毛滴虫病。

| 用法用量 | 全草，内服煎汤，15 ~ 50 g，鲜品可用至 100 g。外用适量，鲜品捣敷；或煎汤涂；或熬膏涂。

| 凭证标本号 | 441825190806018LY。

蔷薇科 Rosaceae 桃属 *Amygdalus*

桃 *Amygdalus persica* Linn.

| 药 材 名 | 毛桃（药用部位：种子、根、茎或茎皮、叶、花、自落的幼果、树脂）。

| 形态特征 | 小乔木。高达 8 m。叶互生，长圆形或倒卵状披针形，两面无毛或下面脉腋有短柔毛；叶柄长 1 ~ 2 cm，常有腺体。花单生，先于叶开放，粉红色，直径 2 ~ 2.5 cm；萼管钟形，外面被柔毛；花瓣 5；子房上位，被短柔毛。核果卵球形，长 3 ~ 7 cm 或更长，淡绿色至淡黄色，具红晕，密被短柔毛；核呈扁椭圆球形。花期 3 ~ 4 月，果熟期常为 7 ~ 9 月。

| 生境分布 | 生于海拔 800 ~ 1 200 m 的山坡、山谷沟地或荒野疏林及灌丛中。

广东各地均有栽培。

| 资源情况 | 野生资源较少，栽培资源丰富。药材来源于野生和栽培。

| 采收加工 | 种子，夏、秋季果实成熟时采收，取种子，晒干。

| 药材性状 | 本品种子呈扁平长卵形或椭圆形，长 1.2 ~ 1.8 cm，宽 0.8 ~ 1.2 cm，厚 0.2 ~ 0.4 cm。一端尖，另一端钝圆形而稍偏斜，边缘较薄；表面黄棕色或红棕色，有皱纹和多数颗粒状突起，自合点散射出多数纵向维管束，尖端一侧有 1 短线状种脐；种皮薄而脆；子叶 2，乳白色，富油质。气微，味微苦。以粒大、扁平、饱满、不泛油者为佳。

| 功能主治 | 种子，甘、苦，平。活血行瘀，润燥滑肠。根、茎或茎皮，苦，平。清热利湿，活血止痛，截疟，杀虫。叶，苦，平。清热解毒，杀虫止痒。花，苦，平。泻下通便，利水消肿。自落的幼果，苦，平。止痛，止汗。树脂，苦，平。和血，益气，止渴。

| 用法用量 | 内服煎汤，5 ~ 10 g。

| 凭证标本号 | 441882180508012LY。

蔷薇科 Rosaceae 杏属 *Armeniaca*

梅 *Armeniaca mume* Sieb.

| 药 材 名 | 酸梅（药用部位：花蕾、果实。别名：红梅花、黄仔、合汉梅）。

| 形态特征 | 小乔木。高达 10 m。小枝光滑无毛。单叶互生，叶片卵形或圆卵形，边缘具锐利小锯齿。花于冬、春季间先于叶开放，单生，稀双生，白色；花梗长 1 ~ 3 mm；萼管宽钟形，裂片卵形；花瓣 5，倒卵形，着生于萼管口处。核果近球形，直径 2 ~ 3 cm，成熟时黄色，核椭圆状扁球形，具纵沟纹和小孔穴。花期冬、春季，果期 5 ~ 6 月。

| 生境分布 | 栽培种。广东各地均有栽培。

| 资源情况 | 栽培资源丰富。药材来源于栽培。

| 采收加工 | 果实，春、夏季间果实近成熟时采摘，焙干。

| 药材性状 | 本品果实呈不规则球形或扁圆球形，直径 1.5 ~ 3 cm，表面棕黑色至乌黑色，皱缩不平，在放大镜下可见有细毛茸，一端有圆形的果柄痕，果肉柔软，乌黑色或黑棕色，果核坚硬，椭圆形，棕黄色，表面有小凹点，内含淡黄色种子 1；种子形状及气味酷似杏仁。气微或具烟熏气，味极酸。以个大、体重、肉厚、乌黑、完整、味极酸者为佳。

| 功能主治 | 酸、涩，温。敛肺涩肠，生津止渴，驱蛔止痢。用于肺虚久咳，口干烦渴，胆道蛔虫症，胆囊炎，细菌性痢疾，慢性腹泻，月经过多，恶性肿瘤，牛皮癣；外用于疮疡久不收口，鸡眼，胬肉，头疮，牛皮癣。

| 用法用量 | 内服煎汤，3 ~ 9 g。外用适量，烧炭研末敷；或以乌梅肉湿润后捣烂涂。

| 凭证标本号 | 441523200110005LY。

蔷薇科 Rosaceae 杏属 *Armeniaca*

杏 *Armeniaca vulgaris* Lam. [*Prunus armeniaca* Linn.]

| 药材名 | 杏子（药用部位：种子。别名：杏仁、山杏）。

| 形态特征 | 小乔木。高 5 ~ 8 m。叶阔卵形至近圆形，先端短尖至短渐尖，基部圆形或近心形，边缘有钝圆齿；叶柄近先端有 2 腺体。花白色或略带红色，单生；花瓣 5，圆形或倒卵形，基部具短爪。核果近球形，成熟时黄白色或黄红色，微被短柔毛，具沟槽；种子扁圆形。花期 3 ~ 4 月，果期 6 ~ 7 月。

| 生境分布 | 栽培种。广东各地均有栽培。

| 资源情况 | 栽培资源丰富。药材来源于栽培。

| 采收加工 | 夏季采收，晒干。

| 药材性状 | 本品呈卵形或椭圆形，压扁，长 1 ～ 1.9 cm，宽 0.8 ～ 1.5 cm，厚 5 ～ 8 mm，上端尖，下端钝圆，较肥厚，且左右不对称，黄棕色至深棕色，上端一侧有短线形种脐，下端自合点处向上具多数深棕色的脉纹，种皮薄，除去种皮，可见 2 乳白色子叶，富油质。无臭，味苦。以颗粒饱满、完整者为佳。

| 功能主治 | 苦，温；有小毒。止咳，平喘，宣肺润肠。用于咳嗽气喘，便秘。

| 用法用量 | 内服煎汤，4.5 ～ 9 g。宜后下，服用勿过量，婴儿慎用。

| 附　　注 | 本品所含苦杏仁苷水解后产生有毒物质氢氰酸，过量服用可导致中毒。

蔷薇科 Rosaceae 樱属 *Cerasus*

郁李 *Cerasus japonica* (Thunb.) Lois.

| 药 材 名 |

秧李（药用部位：种子。别名：爵梅、复花郁李、菊李）。

| 形态特征 |

灌木。高约 1.5 m。单叶互生，卵形或卵状披针形，边缘具锐利重锯齿，无毛。花 2 ~ 3 簇生于叶腋，无毛；花瓣白色或淡红色，倒卵形；雄蕊多枚，离生，较花瓣短；花柱约与雄蕊等长或较长于雄蕊，无毛。核果近球形，成熟时暗红色，有光泽。花期 5 月，果期 7 ~ 8 月。

| 生境分布 |

生于山地林中。分布于广东乳源、乐昌。

| 资源情况 |

野生资源较少，栽培资源丰富。药材来源于野生和栽培。

| 采收加工 |

夏、秋季采收，晒干。

| 药材性状 |

本品呈卵圆形，长 5 ~ 7 mm 或稍过之，直

径 3 ~ 5 mm，黄白色或浅棕色，先端渐尖，基部钝圆，种脐位于先端，线形，自合点位于基部，向上具多条纵脉纹，种皮薄，除去种皮可见 2 富油质的乳白色子叶。气微，味微苦。以颗粒饱满、大小均匀、完整、色黄白或灰白者为佳。

| 功能主治 | 辛、苦、甘，平。润肠通便，下气利水。用于大肠气滞，肠燥便秘，水肿腹满，脚气浮肿，小便不利。

| 用法用量 | 内服煎汤，3 ~ 10 g。孕妇慎用。

| 凭证标本号 | 441882180511002LY。

蔷薇科 Rosaceae 樱属 *Cerasus*

樱桃 *Cerasus pseudocerasus* (Lindl.) G. Don

| 药 材 名 | 樱珠（药用部位：果核、叶。别名：唐实樱、乌皮樱桃、崖樱桃）。

| 形态特征 | 乔木。高 2 ~ 6 m。叶片卵形或长圆状卵形，上面近无毛，下面沿脉或脉间有疏毛，边有尖锐重锯齿，齿端有小腺体；叶柄先端有 1 或 2 大腺体。花序伞房状或近伞形，有花 3 ~ 6；花先于叶开放；花瓣白色，卵圆形。核果近球形，红色。花期 3 ~ 4 月，果期 5 ~ 6 月。

| 生境分布 | 栽培种。广东仁化等有栽培。

| 资源情况 | 栽培资源丰富。药材来源于栽培。

| 采收加工 | 夏季采收，晒干。

| 药材性状 | 本品干燥果核呈扁卵形，长 8 ~ 12 mm，直径 7 ~ 9 mm，先端略尖而微歪，如鸟喙状，另一端有圆形凹入的小孔，外表面白色或淡黄色，有不明显的小凹点，腹缝线微凸出，背缝线明显而凸出，两侧具 2 纵向凸起的肋纹。质坚硬，不易破碎。内有种子 1，种子表面不规则皱缩，红黄色，久置变褐色。

| 功能主治 | 果核，辛，热。发表，透疹。用于麻疹不透。叶，平喘，杀虫。用于慢性咳嗽痰喘，阴道毛滴虫病。

| 用法用量 | 内服煎汤，果核 5 ~ 15 g，叶 25 ~ 50 g。外用适量，捣敷。

| 凭证标本号 | 441623180810017LY。

蔷薇科 Rosaceae 樱属 *Cerasus*

山樱花 *Cerasus serrulata* (Lindl.) G. Don ex London

| **药 材 名** | 樱花（药用部位：种仁）。

| **形态特征** | 乔木。高 3 ~ 8 m。叶片卵状椭圆形或倒卵状椭圆形，边有渐尖单锯齿及重锯齿，齿尖有小腺体；叶柄先端有 1 ~ 3 圆形腺体。花序伞房总状或近伞形，有花 2 ~ 3；花瓣白色，稀粉红色，倒卵形。核果球形或卵球形，紫黑色，直径 8 ~ 10 mm。花期 4 ~ 5 月，果期 6 ~ 7 月。

| **生境分布** | 生于山沟、溪旁及杂木林中。分布于广东乐昌等。

| **资源情况** | 野生资源较少，栽培资源丰富。药材来源于野生和栽培。

| 采收加工 | 7 月果实成熟时采摘，去净果肉，洗净，晒干，除去种皮，取种仁。

| 功能主治 | 辛，平。清肺透疹，解毒，利尿。

| 用法用量 | 内服煎汤，10 ~ 15 g。

| 凭证标本号 | 441827180322021LY。

蔷薇科 Rosaceae 木瓜海棠属 *Chaenomeles*

木瓜 *Chaenomeles sinensis* (Thouin) Koehne

| 药 材 名 | 光皮木瓜（药用部位：果实。别名：木桃）。

| 形态特征 | 大灌木或小乔木。高 5 ~ 10 m。小枝无刺。叶互生，椭圆状卵形或椭圆状长圆形，边缘密生芒刺状锐利锯齿，锯齿先端具腺体。花粉红色，单生于叶腋；花萼钟状，无毛；花冠大，直径 2.5 ~ 3 cm。梨果近椭圆形，长 10 ~ 15 cm，木质，近褐色，成熟时有香气，5 室；种子多数。花期 4 月，果期 9 ~ 10 月。

| 生境分布 | 栽培种。广东广州（市区）等有园艺栽培。

| 资源情况 | 栽培资源丰富。药材来源于栽培。

| 采收加工 | 夏、秋季果实绿黄色时采摘，剖 2 瓣或 4 瓣，置沸水中烫后晒干。

| 药材性状 | 本品多呈条状或阔条状，厚 2 ~ 3.5 cm，长 4 ~ 9 cm，外表面红棕色，平滑不皱，略粗糙，剖开面平坦，果肉颗粒状，较厚。

| 功能主治 | 酸、涩，温。和脾敛肺，平肝舒筋，止痛，清暑消毒，祛风湿。用于腓肠肌痉挛，腰膝酸痛，吐泻腹痛，风湿性关节炎，肺炎，支气管炎，肺结核，咳嗽，跌打损伤，扭伤。

| 用法用量 | 内服煎汤，5 ~ 10 g。

蔷薇科 Rosaceae 木瓜海棠属 *Chaenomeles*

皱皮木瓜 *Chaenomeles speciosa* (Sweet) Nakai

| 药 材 名 | 铁脚梨（药用部位：果实。别名：贴梗木瓜、贴梗海棠）。

| 形态特征 | 落叶灌木。高达 2 m。小枝有刺。单叶互生，叶片卵形至椭圆形，两面无毛，或背面沿脉上有短柔毛。花簇生，先于叶或与叶同时开放；花瓣猩红色，稀为淡红色或乳白色，倒卵形或近圆形，基部延伸成短爪。果实球形或卵形，直径 4 ~ 6 cm，黄色或黄绿色，味芳香；果柄短或近无柄。花期 3 ~ 4 月，果期 9 ~ 10 月。

| 生境分布 | 生于山坡、林下或林缘。分布于广东饶平等。

| 资源情况 | 野生资源较少，栽培资源丰富。药材来源于野生和栽培。

| 采收加工 | 夏、秋季果实绿黄色时采摘，置沸水中烫至外皮显灰白色后捞出，

对半纵剖后晒干。

| 药材性状 | 本品为卵圆形或长圆形，通常纵剖成 2 瓣，长 4 ~ 9 cm，宽 2 ~ 5 cm，厚 2 ~ 8 mm，外皮棕红色或紫红色，因干缩而有多数不规则深褶和皱纹，边缘向内卷曲，剖面淡红棕色，细腻，中央有凹陷的子房室，种子大多数已脱落。

| 功能主治 | 酸，温。舒筋活络，和胃化湿。用于湿痹拘挛，腰膝关节酸重疼痛，吐泻转筋，脚气水肿。

| 用法用量 | 内服煎汤，6 ~ 9 g。

蔷薇科 Rosaceae 山楂属 *Crataegus*

野山楂 *Crataegus cuneata* Sieb. et Zucc.

| 药 材 名 | 山梨（药用部位：果实。别名：小叶山楂、南山楂）。

| 形态特征 | 落叶灌木。高 1 ~ 1.5 m。叶互生，叶片纸质或微革质，阔倒卵形或长圆状倒卵形，上部边缘有锐利重锯齿，常 3 ~ 7 浅裂，下面初时被疏柔毛，后变光秃。花白色，排成顶生伞房花序；总花梗和花梗均被柔毛；花瓣近圆形或呈稍扁的圆形。梨果圆球形或扁球形，红色或黄色，内含 4 ~ 5 平滑的小核。花期 5 ~ 6 月，果期 9 ~ 11 月。

| 生境分布 | 生于山谷或山地灌丛中。分布于广东乳源、乐昌、阳春等。

| 资源情况 | 野生资源较少，栽培资源一般。药材来源于野生和栽培。

| 采收加工 | 秋季果实成熟时，切片，晒干，或用沸水稍烫后压扁晒干。

| 药材性状 | 本品为圆片，皱缩不平，直径 1 ~ 2.5 cm，厚 2 ~ 4 mm；外皮红色，具皱纹，有灰白色小斑点；果肉深黄色至浅棕色。中部横切片具 5 浅黄色果核，但核多脱落而中空，有的片上可见短而细的果柄或花萼残迹。气微清香，味酸、微甜。以大小均匀、色红、不带果柄者为佳。

| 功能主治 | 酸、甘，温。消食化滞，散瘀止痛，化浊降脂。用于积滞，消化不良，泻痢腹痛，小儿疳积，细菌性痢疾，肠炎，瘀血经闭，产后腹痛，高脂血症，高血压，绦虫病，冻疮。

| 用法用量 | 内服煎汤，10 ~ 16 g。

| 凭证标本号 | 441882190417002LY。

蔷薇科 Rosaceae 蛇莓属 *Duchesnea*

皱果蛇莓 *Duchesnea chrysantha* (Zoll. & Mor.) Miq.

| 药 材 名 | 地棉（药用部位：茎叶）。

| 形态特征 | 多年生草本。匍匐茎长 30 ~ 50 cm，有柔毛。小叶片菱形、倒卵形或卵形，先端圆钝，基部楔形，边缘有钝或锐锯齿，近基部全缘，上面近无毛，下面疏生长柔毛。花直径 5 ~ 15 mm；花瓣倒卵形，长 2.5 ~ 5 mm，黄色，先端微凹或圆钝，无毛。瘦果卵球形，长 4 ~ 6 mm，红色，具多数明显皱纹，无光泽。花期 5 ~ 7 月，果期 6 ~ 9 月。

| 生境分布 | 生于草地上。分布于广东增城、从化、翁源、梅县、平远、连山、英德及惠州（市区）等。

| 资源情况 | 野生资源较丰富，栽培资源一般。药材来源于野生和栽培。

| 采收加工 | 全年均可采收，晒干。

| 功能主治 | 消肿镇痛，清热解毒。用于毒蛇咬伤，烫伤，疔疮。

| 用法用量 | 外用适量，捣敷。

| 凭证标本号 | 440982140804001LY。

蔷薇科 Rosaceae 蛇莓属 *Duchesnea*

蛇莓 *Duchesnea indica* (Andr.) Focke

| 药 材 名 | 蛇泡草（药用部位：全草。别名：蛇盘草、三爪风、东方草莓）。

| 形态特征 | 多年生草本。全体被白色柔毛。根茎较粗壮。茎长而纤细，匍匐。三出复叶，互生；小叶片卵状菱形或倒卵形，两侧小叶片较小，先端钝圆，基部楔形而偏斜，边缘具钝锯齿，两面散生柔毛或表面近无毛。花单生于叶腋，黄色；花瓣 5，倒卵形。瘦果小，多数，着生于呈球形凸起的肉质花托上，集成聚合果，鲜红色，并为宿存萼所包。花期 4 月，果期 5 ~ 6 月。

| 生境分布 | 生于山坡、村边路旁较潮湿肥沃处。分布于广东除西南部以外的各个地区。

| 资源情况 | 野生资源较少，栽培资源丰富。药材来源于野生和栽培。

| 采收加工 | 春、秋季采收，洗净，晒干或鲜用。

| 药材性状 | 本品多皱缩卷曲，全体被白色柔毛。匍匐茎细长，黄褐色。叶多皱缩破碎，三出复叶，互生，叶柄长 5 ~ 8 cm，叶柄基部有 2 广披针形的托叶；完整小叶片菱状卵形，长 1.5 ~ 3 cm，宽 1.2 ~ 2 cm，先端钝，基部宽楔形，边缘具钝圆齿，两面散生柔毛或表面近无毛。花单生于叶腋；花梗长达 5.5 cm；花瓣、花萼多脱落，留有膨大凸起的球形花托。气微，味苦。以干燥，色灰绿、叶多、无杂质者为佳。

| 功能主治 | 甘、酸，寒；有小毒。清热解毒，散瘀消肿。外用于腮腺炎，毒蛇咬伤，结膜炎，疔疮肿毒，带状疱疹，烫火伤，湿疹。

| 用法用量 | 内服煎汤，15 ~ 25 g；或捣汁。外用适量，捣敷；或研末撒。

| 凭证标本号 | 441422190316087LY。

王晓兰提供

蔷薇科 Rosaceae 枇杷属 *Eriobotrya*

大花枇杷 *Eriobotrya cavaleriei* (Lévl.) Rehd.

| 药 材 名 |

广东枇杷（药用部位：根皮。别名：山枇杷）。

| 形态特征 |

常绿乔木。高 4 ~ 6 m。叶片集生于枝顶，长圆形、长圆状披针形或长圆状倒披针形，边缘疏生内曲浅锐锯齿，上面光亮无毛，下面近无毛。总花梗和花梗有稀疏棕色短柔毛；花瓣白色，倒卵形。果实椭圆形或近球形，直径 1 ~ 1.5 cm，橘红色，肉质，具颗粒状突起，无毛或微有柔毛，先端有反折的宿存萼。花期 4 ~ 5 月，果期 7 ~ 8 月。

| 生境分布 |

生于海拔 300 ~ 1 500 m 的山谷林中。分布于广东乳源、新丰、乐昌、信宜、怀集、封开、德庆、博罗、惠东、龙门、梅县、大埔、平远、蕉岭、和平、阳山、连山、英德、连州、郁南及深圳（市区）等。

| 资源情况 |

野生资源丰富，栽培资源较少。药材主要来源于野生。

| **采收加工** | 秋、冬季采收，晒干。

| **功能主治** | 甘、酸，平。止咳平喘，消肿镇痛。用于咳嗽多痰，气喘，跌打骨折。

| **用法用量** | 内服煎汤，10 ~ 15 g。

| **凭证标本号** | 441825210314002LY。

蔷薇科 Rosaceae 枇杷属 *Eriobotrya*

台湾枇杷 *Eriobotrya deflexa* (Hemsl.) Nakai

| 药 材 名 | 野枇杷（药用部位：果实）。

| 形态特征 | 常绿乔木。高 5 ~ 12 m。叶片集生于小枝先端，长圆形或长圆状披针形，先端短尾尖或渐尖，基部楔形，边缘微向外卷，疏生不规则

内弯的粗钝锯齿。圆锥花序顶生；花直径 15 ~ 18 mm；花瓣白色，圆形或倒卵形，无毛；子房无毛。果实近球形，黄红色，无毛；种子 1 ~ 2，卵形或长椭圆形。花期 5 ~ 6 月，果期 6 ~ 8 月。

| 生境分布 | 生于海拔 70 ~ 1 000 m 的山谷溪边林中。分布于广东从化、乳源、信宜、饶平等。

| 资源情况 | 野生资源较少，栽培资源一般。药材来源于野生和栽培。

| 采收加工 | 秋季采摘。

| 功能主治 | 甘、微酸，凉。清热。用于发热。

| 用法用量 | 内服煎汤，10 ~ 15 g。

蔷薇科 Rosaceae 枇杷属 *Eriobotrya*

香花枇杷 *Eriobotrya fragrans* Champ. ex Benth.

| 药材名 | 香花枇杷（药用部位：叶）。

| 形态特征 | 常绿小乔木或灌木。高可达 10 m。叶片革质，长圆状椭圆形，先端急尖或短渐尖，基部楔形或渐狭。圆锥花序顶生；花直径约 15 mm；花瓣白色，椭圆形，基部有棕色绒毛；雄蕊 20，较花瓣短；花柱 4 ~ 5，中部以下有白色长柔毛，子房有柔毛。果实球形，直径 1 ~ 2.5 cm，表面具颗粒状突起，并有绒毛，具反折的宿存萼。花期 4 ~ 5 月，果期 8 ~ 9 月。

| 生境分布 | 生于海拔 200 ~ 1 400 m 的山地林中。分布于广东从化、乳源、新丰、信宜、恩平、广宁、封开、龙门、高要、蕉岭、兴宁、阳春、阳山、连山及惠州（市区）、梅州（市区）、深圳（市区）、河源（市区）、

茂名（市区）等。

| 资源情况 | 野生资源较少，栽培资源丰富。药材来源于野生和栽培。

| 采收加工 | 晒干，去毛。

| 功能主治 | 苦，平。清肺止咳。

| 凭证标本号 | 441882180505053LY。

蔷薇科 Rosaceae 枇杷属 *Eriobotrya*

枇杷 *Eriobotrya japonica* (Thunb.) Lindl.

| 药 材 名 |

卢橘（药用部位：叶、根、果核。别名：卢桔、金丸）。

| 形态特征 |

常绿小乔木。高 5 ~ 7 m。叶革质，长椭圆形或倒卵形，先端渐尖或短尖，基部楔形，下延，边缘有疏锯齿，叶面无毛，背面密被灰褐色绒毛。圆锥花序顶生，具多花；花梗和总花梗密被绣色绒毛；花白色，芳香；花萼壶形，被绒毛，5 裂；花瓣 5，卵形。果实椭圆球形或球形，成熟时黄色或橙色。花期 10 ~ 12 月，果期 5 ~ 6 月。

| 生境分布 |

栽培种。广东各地均有栽培。

| 资源情况 |

栽培资源丰富。药材来源于栽培。

| 采收加工 |

叶，全年均可采收，晒干。

| 药材性状 |

本品叶片较少破碎，呈倒卵形或长卵形，长

12 ~ 30 cm，宽 4 ~ 9 cm，边缘具疏毛，中脉显著凸起，叶面灰绿色至黄棕色，光亮，背面被毛；革质，甚脆，易折断。气微，味甘、淡。以色灰绿、叶面具光泽、无枝梗、不破碎者为佳。

| 功能主治 | 叶，苦，平。化痰止咳，和胃降气。用于支气管炎，痰多喘促，肺热咳喘，胃热呕吐，烦热口渴。根，苦，平。清肺止咳，镇痛下乳。果核，苦，寒。疏肝理气。化痰止咳，和胃降气。用于支气管炎，痰多喘促，肺热咳喘，胃热呕吐，烦热口渴。

| 用法用量 | 内服煎汤，3 ~ 10 g。

| 凭证标本号 | 441825190804029LY。

蔷薇科 Rosaceae 草莓属 *Fragaria*

草莓 *Fragaria* × *ananassa* Duch.

| 药 材 名 | 凤梨草莓（药用部位：果实）。

| 形态特征 | 多年生草本。高 10 ～ 40 cm。茎低于叶或近相等，密被开展黄色柔毛。三出复叶，小叶具短柄，质地较厚，倒卵形或菱形。聚伞花序，有花 5 ～ 15；花两性，直径 1.5 ～ 2 cm；花瓣白色，近圆形或倒卵状椭圆形，基部具不明显的爪。聚合果大，直径达 3 cm，鲜红色，宿存萼直立，紧贴于果实；瘦果尖卵形，光滑。花期 4 ～ 5 月，果期 6 ～ 7 月。

| 生境分布 | 栽培种。广东各地均有栽培。

| 资源情况 | 栽培资源丰富。药材来源于栽培。

| **采收加工** | 冬、春季采收，鲜用。

| **药材性状** | 本品聚合果肉质，膨大成球形或卵球形，直径 1.5 ~ 3 cm，鲜红色；瘦果多数嵌生在肉质膨大的花托上。气清香，味甜、酸。

| **功能主治** | 甘、微酸，凉。清热止渴，健胃消食。用于口渴，食欲不振，消化不良。

蔷薇科 Rosaceae 棣棠属 *Kerria*

棣棠 *Kerria japonica* (Linn.) DC.

| 药 材 名 | 棣棠花（药用部位：嫩茎叶、花。别名：画眉杠）。

| 形态特征 | 落叶灌木。高 1 ~ 2 m，稀达 3 m。叶互生，三角状卵形或卵圆形，先端长渐尖，基部圆形、截形或微心形，边缘有尖锐重锯齿，两面绿色，叶面无毛或有稀疏柔毛，背面沿脉或脉腋有柔毛。单花，着生在当年生侧枝先端；花梗无毛；花直径 2.5 ~ 6 cm；萼片宿存；花瓣黄色，宽椭圆形。瘦果倒卵形至半球形，褐色或黑褐色，表面无毛，有折皱。花期 4 ~ 6 月，果期 6 ~ 8 月。

| 生境分布 | 生于山涧、岩石旁或灌丛中。分布于广东乐昌等。

| 资源情况 | 野生资源较少，栽培资源一般。药材来源于野生和栽培。

| 采收加工 | 夏、秋季采收，晒干。

| 药材性状 | 本品花呈扁球形，直径 2.5 ~ 6 cm，黄色；萼片先端 5 深裂，裂片卵形，筒部短广，萼筒内有环状花盘；花瓣 5，金黄色，广椭圆形，具钝头；雄蕊多数；雌蕊 5。气微，味苦、涩。

| 功能主治 | 苦、涩，平。嫩茎叶，祛风利湿，解毒。用于风湿关节痛，小儿消化不良，痈疖肿毒，荨麻疹，湿疹。花，化痰止咳。用于肺结核咳嗽。

| 用法用量 | 内服煎汤，茎叶 9 ~ 18 g，花 3 ~ 9 g。外用适量，煎汤洗。

蔷薇科 Rosaceae 桂樱属 *Laurocerasus*

腺叶桂樱 *Laurocerasus phaeosticta* (Hance) S. K. Schenid.

| 药 材 名 | 腺叶野樱（药用部位：种子。别名：黑星樱、腺叶稠李、腺叶野樱）。

| 形态特征 | 小乔木。高 4 ~ 12 m。叶片近革质，狭椭圆形、长圆形或长圆状披针形，稀倒卵状长圆形，全缘，基部近叶缘处常有 2 较大的扁平基腺。总状花序单生于叶腋；花直径 4 ~ 6 mm；花瓣近圆形，白色，直径 2 ~ 3 mm，无毛。果实近球形或横向椭圆球形，紫黑色，无毛；核壁薄而平滑。花期 4 ~ 5 月，果期 7 ~ 10 月。

| 生境分布 | 生于山地林中。广东各地均有分布。

| 资源情况 | 野生资源较少，栽培资源丰富。药材来源于野生和栽培。

| 采收加工 | 夏、秋季采收，晒干。

| **功能主治** | 活血化瘀，镇咳利尿，润燥滑肠。

| **用法用量** | 内服煎汤，9 ～ 15 g。

| **凭证标本号** | 441523190516046LY。

蔷薇科 Rosaceae 桂樱属 *Laurocerasus*

刺叶桂樱 *Laurocerasus spinulosa* (Sieb. et Zucc.) Schneid.

| 药材名 | 刺叶稠李（药用部位：种子）。

| 形态特征 | 常绿乔木。高可达 20 m，稀为灌木。叶片草质至薄革质，长圆形或倒卵状长圆形，中部以上或近先端常具少数针状锐锯齿，两面无毛，近基部沿叶缘或在叶边常具 1 或 2 对基腺。总状花序生于叶腋，单生；萼筒钟形或杯形；花瓣圆形，白色，无毛。果实椭圆球形，褐色至黑褐色，无毛；核壁较薄，表面光滑。花期 9 ~ 10 月，果期 11 月至翌年 3 月。

| 生境分布 | 生于海拔 400 ~ 1 500 m 的山坡阳处、疏密杂木林中或山谷、沟边阴暗阔叶林林下及林缘。分布于广东仁化、乳源、新丰、乐昌、怀集、博罗、龙门、大埔、五华、平远、蕉岭、和平、连山、连州、普宁

及广州（市区）等。

| **资源情况** | 野生资源较少，栽培资源一般。药材来源于野生和栽培。

| **采收加工** | 冬季采收，晒干。

| **功能主治** | 酸、苦，平。止痢。用于痢疾。

| **用法用量** | 内服煎汤，9 ~ 15 g。

| **凭证标本号** | 440783200328001LY。

蔷薇科 Rosaceae 桂樱属 *Laurocerasus*

大叶桂樱 *Laurocerasus zippeliana* (Miq.) Yü et Lu

| 药 材 名 | 大叶稠李（药用部位：根、叶。别名：黑茶树、驳骨木、大叶野樱）。

| 形态特征 | 常绿乔木。高 10 ~ 25 m。叶片革质，宽卵形至椭圆状长圆形或宽长圆形，长 10 ~ 19 cm，宽 4 ~ 8 cm，叶边具稀疏或稍密的粗锯齿，齿顶有黑色硬腺体；叶柄有 1 对扁平的基腺。总状花序单生或 2 ~ 4 簇生于叶腋；萼筒钟形；花瓣近圆形，白色。果实长圆柱形或卵球形；种皮黑褐色，无毛，核壁表面稍具网纹。花期 7 ~ 10 月，果期冬季。

| 生境分布 | 生于石灰岩山地阳坡杂木林中或山坡混交林林下。分布于广东韶关（市区）、肇庆（市区）、佛山（市区）、广州（市区）等。

| 资源情况 | 野生资源较少，栽培资源一般。药材来源于野生和栽培。

| 采收加工 | 全年均可采收。

| 功能主治 | 淡、微涩，平。根，用于鹤膝风，跌打损伤。叶，镇咳祛痰，祛风解毒。用于鹤膝风，跌打损伤，咳嗽，喘息，子宫痉挛；外用于全身瘙痒。

| 用法用量 | 根，叶，内服煎汤，6 ~ 10 g。叶，外用适量，煎汤洗。

| 凭证标本号 | 441825190803018LY。

蔷薇科 Rosaceae 苹果属 *Malus*

尖嘴林檎 *Malus doumeri* (Bois) Chev.

| 药 材 名 | 尖嘴海棠（药用部位：果实、叶。别名：台湾海棠、锐齿亚洲海棠、麦氏海棠）。

| 形态特征 | 乔木。高达 15 m。叶片长椭圆状卵形至卵状披针形，先端渐尖，基部圆形或楔形，边缘有不整齐尖锐锯齿。花序近伞形；花瓣卵形，基部有短爪，黄白色。果实球形，直径 4 ~ 5.5 cm，黄红色；宿存萼有短筒，萼片反折，先端隆起，果心分离，外面有点，果柄长 1 ~ 3 cm。

| 生境分布 | 生于海拔 200 ~ 1 600 m 的山地林中。分布于广东阳山、乳源、五华、连南、连平、仁化、连州、信宜、封开、大埔、和平、英德、梅县、平远、惠阳、新丰、乐昌、高要、连山及河源（市区）、广州

（市区）等。

| **资源情况** | 野生资源较少，栽培资源一般。药材来源于野生和栽培。

| **采收加工** | 秋、冬季采收，晒干。

| **功能主治** | 酸、甘，微温。消积，健胃。用于脾胃虚弱，食积。

| **用法用量** | 内服煎汤，30 ~ 50 g。

| **凭证标本号** | 441825210313064LY。

蔷薇科 Rosaceae 苹果属 *Malus*

三叶海棠 *Malus sieboldii* (Regel) Rehd.

| 药材名 | 野梨子（药用部位：果实。别名：山楂梨、山楂子、野黄子）。

| 形态特征 | 灌木。高 2 ~ 6 m。叶片卵形、椭圆形或长椭圆形，边缘有尖锐锯齿，常 3 裂，稀 5 浅裂。花 4 ~ 8，集生于小枝先端；花瓣长倒卵形，基部有短爪，淡粉红色；花丝长短不齐，长约为花瓣之半；花柱较雄蕊稍长。果实近球形，直径 6 ~ 8 mm，红色或褐黄色，萼片脱落，果柄长 2 ~ 3 cm。花期 4 ~ 5 月，果期 8 ~ 9 月。

| 生境分布 | 生于海拔 450 ~ 900 m 的山地灌丛或林中。分布于广东仁化、乳源、乐昌、连山、连南、连州等。

| 资源情况 | 野生资源较少，栽培资源一般。药材来源于野生和栽培。

| **采收加工** | 秋、冬季采收，晒干。

| **功能主治** | 酸，微温。消食健胃。用于饮食积滞。

| **用法用量** | 内服煎汤，6 ~ 12 g。

蔷薇科 Rosaceae 石楠属 *Photinia*

中华石楠 *Photinia beauverdiana* Schneid.

| 药 材 名 | 假思桃（药用部位：叶、根。别名：波氏石楠、牛筋木、厚叶中华石楠）。

| 形态特征 | 落叶灌木或小乔木。高 3 ~ 10 m。叶片薄纸质，长圆形、倒卵状长圆形或卵状披针形，边缘疏生具腺锯齿，下面中脉疏生柔毛。花多数，组成复伞房花序；总花梗和花梗无毛，密生疣点；萼筒杯状；花瓣白色，卵形或倒卵形，先端圆钝，无毛。果实卵形，紫红色，无毛，微有疣点，先端有宿存萼，果柄长 1 ~ 2 cm。花期 5 月，果期 7 ~ 8 月。

| 生境分布 | 生于海拔 600 ~ 1 500 m 的山地林中。分布于广东乳源、乐昌、信宜、连山、罗定及肇庆（市区）等。

| 资源情况 | 野生资源较少，栽培资源丰富。药材来源于野生和栽培。

| 采收加工 | 叶，夏、秋季采收，晒干。根，全年均可采收，洗净，切片，晒干。

| 药材性状 | 本品叶长椭圆形、倒卵状长圆形或卵状披针形，长 5 ~ 10 cm，宽 2 ~ 4 cm，先端渐尖或突渐尖，基部渐狭成楔形，边缘有疏锯齿，上面无毛，下面脉上有毛，叶脉网状，侧脉 9 ~ 14 对；叶柄长 5 ~ 10 mm，微被毛。纸质，质脆易碎。气微，味淡。

| 功能主治 | 辛、苦，平。行气活血，祛风止痛。用于风湿痹痛，肾虚足膝酸软，头风头痛，跌打损伤。

| 用法用量 | 内服煎汤，5 ~ 9 g。

蔷薇科 Rosaceae 石楠属 *Photinia*

贵州石楠 *Photinia davidsoniae* Rehd. et Wils.

| 药材名 | 山官木（药用部位：根、叶。别名：凿树、椤木、椤木石楠）。

| 形态特征 | 乔木。叶片革质，卵形、倒卵形或长圆形，先端尾尖，基部楔形，边缘有刺状齿，两面皆无毛。复伞房花序顶生，直径约 5 cm；总花梗和花梗有柔毛；花直径约 1 cm；萼筒杯状，萼片三角形，外面有柔毛；花瓣白色，近圆形，直径约 4 mm，先端微缺，无毛；雄蕊 20，较花瓣稍短；花柱 2 ～ 3，合生。花期 5 月。

| 生境分布 | 生于海拔 600 ～ 1 000 m 的灌丛中。

| 资源情况 | 野生资源较少，栽培资源丰富。药材来源于野生和栽培。

| 采收加工 | 全年均可采收。

| 功能主治 | 辛、苦，平；有小毒。养阴补肾，利筋骨，祛风止痛。用于风湿痹痛。

| 凭证标本号 | 441882180508001LY。

蔷薇科 Rosaceae 石楠属 *Photinia*

光叶石楠 *Photinia glabra* (Thunb.) Maxim.

| 药 材 名 | 山官木（药用部位：枝叶。别名：石斑木、红檬子、光凿树）。

| 形态特征 | 常绿乔木。高 3 ~ 5 m。叶片革质，幼时及老时皆呈红色，椭圆形、长圆形或长圆状倒卵形，边缘疏生浅钝细锯齿，两面无毛。花多数，组成顶生复伞房花序；总花梗和花梗均无毛；花直径 7 ~ 8 mm；花瓣白色，反卷，内面近基部有白色绒毛，基部有短爪；雄蕊约与花瓣等长或较短于花瓣；子房先端有柔毛。果实卵形，红色，无毛。花期 4 ~ 5 月，果期 9 ~ 10 月。

| 生境分布 | 生于海拔 500 ~ 800 m 的山坡杂木林中。分布于广东曲江、乳源、乐昌、封开、平远、蕉岭、紫金、阳山、连山、连南、英德、连州及梅州（市区）、河源（市区）、广州（市区）等。

| 资源情况 | 野生资源较少，栽培资源丰富。药材来源于野生和栽培。

| 采收加工 | 夏、秋季采收，晒干。

| 药材性状 | 本品叶椭圆形、长圆形或椭圆状倒卵形，长 5 ~ 9 cm，宽 2 ~ 4 cm，先端渐尖或短渐尖，基部楔形，边缘有细锯齿，两面均无毛，叶柄长 0.5 ~ 1.5 cm，无毛。革质。气微，味苦。

| 功能主治 | 酸，温。祛风寒，强腰膝，补虚，镇痛，解热。用于风湿痹痛。

| 用法用量 | 内服煎汤，10 ~ 15 g。

| 凭证标本号 | 441224180612031LY。

蔷薇科 Rosaceae 石楠属 *Photinia*

小叶石楠 *Photinia parvifolia* (Pritz.) Schneid.

药 材 名 山红子（药用部位：根。别名：牛李子、牛筋木）。

形态特征 落叶灌木。高 1 ~ 3 m。叶片草质，椭圆形、椭圆状卵形或菱状卵形，长 4 ~ 8 cm，宽 1 ~ 3.5 cm，边缘有具腺尖锐锯齿，初疏生柔毛，以后无毛。花 2 ~ 9，组成伞形花序，无总花梗；花梗细，有疣点；花直径 0.5 ~ 1.5 cm；花瓣白色，有极短爪，内面基部疏生长柔毛。果实椭圆球形或卵形，橘红色或紫色，无毛，有直立的宿存萼，内含 2 ~ 3 卵球形种子，果柄长 1 ~ 2.5 cm，密布疣点。花期 4 ~ 5 月，果期 7 ~ 8 月。

生境分布 生于海拔 1 000 m 以下的低山丘陵灌丛中。分布于广东从化、曲江、始兴、仁化、翁源、乳源、新丰、乐昌、南雄、信宜、广宁、怀集、

丁明艳提供

封开、惠东、龙门、五华、平远、蕉岭、兴宁、龙川、连平、和平、阳春、阳山、连山、连南、英德、连州、饶平及汕头（市区）、惠州（市区）等。

| 资源情况 | 野生资源较少，栽培资源一般。药材来源于野生和栽培。

| 采收加工 | 秋、冬季采收，晒干。

| 功能主治 | 苦、涩，微寒；无毒。清热解毒，活血止痛。用于黄疸，乳痈，牙痛。

| 用法用量 | 内服煎汤，25 ~ 50 g。

| 凭证标本号 | 441825191002013LY。

丁明艳提供

丁明艳提供

蔷薇科 Rosaceae 石楠属 *Photinia*

石楠 *Photinia serrulata* Lindl.

| 药 材 名 | 石楠叶（药用部位：根、叶。别名：凿木）。

| 形态特征 | 小乔木。高 4 ～ 6 m。叶片革质，长椭圆形、长倒卵形或倒卵状椭圆形，边缘疏生具腺细锯齿，成熟后两面皆无毛，中脉显著，侧脉 25 ～ 30 对。复伞房花序顶生；总花梗和花梗无毛；萼筒杯状，无毛；花瓣白色，近圆形，内外两面皆无毛。果实球形，直径 5 ～ 6 mm，红色，后成褐紫色，有 1 种子；种子卵形，长 2 mm，棕色，平滑。花期 4 ～ 5 月，果期 10 月。

| 生境分布 | 生于山地杂木林中。分布于广东乳源、乐昌、平远、阳山、连山、连州等。

| **资源情况** | 野生资源较少，栽培资源丰富。药材来源于野生和栽培。

| **采收加工** | 夏、秋季采收，晒干。

| **功能主治** | 辛、苦，平；有小毒。祛风止痛。用于头风头痛，腰膝无力，风湿筋骨疼痛。

| **用法用量** | 内服煎汤，3 ~ 9 g。

蔷薇科 Rosaceae 石楠属 *Photinia*

毛叶石楠 *Photinia villosa* (Thunb.) DC.

药材名 糯米珠（药用部位：根、果实。别名：细毛扇骨木、活鸡丁）。

形态特征 落叶灌木或小乔木。高 2 ~ 5 m。叶片草质，倒卵形或长圆状倒卵形，两面初有白色长柔毛，以后仅下面叶脉有柔毛；叶柄有长柔毛。花 10 ~ 20，组成顶生伞房花序；总花梗和花梗有长柔毛，花梗在果期具疣点；萼筒杯状，外面有白色长柔毛；花瓣白色，外面无毛，内面基部具柔毛，有短爪。果实圆球形或卵形，红色或黄红色，稍有柔毛，先端有直立的宿存萼。花期 4 月，果期 8 ~ 9 月。

生境分布 生于海拔 800 ~ 1 200 m 的山坡灌丛中。分布于广东乳源、信宜等。

资源情况 野生资源较少，栽培资源一般。药材来源于野生和栽培。

| 采收加工 | 根，全年均可采收，洗净，晒干。果实，8 ~ 9 月果实成熟时采摘，晒干或鲜用。

| 功能主治 | 辛、苦，平。清热解毒，和中健脾。治湿热内蕴，呕吐，泄泻，痢疾，劳伤疲乏。

| 用法用量 | 果实，内服煎汤，鲜品 200 ~ 250 g，冲黄酒、红糖。

| 凭证标本号 | 441825190412047LY。

蔷薇科 Rosaceae 委陵菜属 *Potentilla*

委陵菜 *Potentilla chinensis* Ser.

| 药材名 | 朝天委陵菜（药用部位：全草。别名：生血丹、一白草、二歧委陵菜）。

| 形态特征 | 多年生草本。花茎直立或上升，高 20 ~ 70 cm，被稀疏短柔毛及白色绢状长柔毛。基生叶有小叶 5 ~ 15 对，叶柄被短柔毛及绢状长柔毛；小叶片边缘羽状中裂，边缘向下反卷，背面被白色绒毛，沿脉被白色绢状长柔毛，茎生叶与基生叶相似，小叶对数较少。伞房状聚伞花序，花梗长 0.5 ~ 1.5 cm；花瓣黄色，宽倒卵形，比萼片稍长。瘦果卵球形，有明显皱纹。花果期 4 ~ 10 月。

| 生境分布 | 生于山坡、草地、沟谷、林缘。分布于广东连州、乳源、始兴等。

| 资源情况 | 野生资源稀少，栽培资源一般。药材来源于野生和栽培。

| 采收加工 | 夏、秋季采收，晒干或鲜用。

| 药材性状 | 本品根呈圆柱形或类圆锥形，略扭曲，有的有分枝，长 5 ~ 17 cm，直径 0.5 ~ 1.5 cm；表面暗棕色或暗紫红色，有纵纹，粗皮呈片状剥落；根头部稍膨大；质硬，易折断，断面皮部薄，暗棕色，常与木部分离，射线呈放射状排列。叶基生，单数羽状复叶，有柄；小叶狭长椭圆形，边缘羽状中裂，下表面和叶柄均呈灰白色，密被灰白色绒毛。气微，味涩、微苦。

| 功能主治 | 苦，寒。凉血止痢，清热解毒。用于赤痢腹痛，久痢不止，痔疮出血，疮痈肿毒。

| 用法用量 | 内服煎汤，15 ~ 30 g。外用适量，鲜品捣敷。

| 凭证标本号 | 441882180510008LY。

蔷薇科 Rosaceae 委陵菜属 *Potentilla*

翻白草 *Potentilla discolor* Bge.

| 药 材 名 | 鸡腿根（药用部位：全草。别名：天藕）。

| 形态特征 | 多年生草本。高 15 ~ 40 cm，全株除叶面外均密生白色绒毛和混生长柔毛。根肥大，呈纺锤形，多分枝。茎基部多分枝。奇数羽状复叶，基生叶通常有 2 ~ 4 对小叶，小叶长圆形至长椭圆形，边缘有钝锯齿或缺刻状锯齿；茎生叶通常为三出复叶。花序为聚伞花序，花黄色。瘦果肾形，多数，着生于干燥的花托上而成聚合果。花期 5 ~ 8 月，果期 6 ~ 9 月。

| 生境分布 | 生于低海拔至中海拔的山顶、山坡或旷野草丛。分布于广东仁化、乳源、乐昌、平远、阳山、连山、英德等。

| 资源情况 | 野生资源较少，栽培资源一般。药材来源于野生和栽培。

| 采收加工 | 夏、秋季花开前采收，除去泥土，洗净，晒干或鲜用。

| 药材性状 | 本品根呈纺锤形或圆锥形，常有分枝，长 3 ~ 8 cm，直径 0.4 ~ 1 cm，表面暗棕红色或黄棕色，有扭曲的纵槽纹而皱缩，根头部常有 2 ~ 3 分枝，先端有密被白色绵毛的叶及叶柄；质坚实，断面乳白色，粉性，皮部薄，木部占大部分。叶皱缩或卷曲，浅灰绿色，密被白色绒毛，间有长柔毛，质脆易破碎，展平后叶为奇数羽状复叶，基生叶具 5 ~ 9 小叶，小叶长椭圆形，边缘有锯齿，茎生叶具 3 小叶；表面暗绿色，背面灰白色，密被绒毛。气微臭，味微涩。以干燥、根暗棕红色、无花茎者为佳。

| 功能主治 | 甘、微苦，平。凉血止血。

| 用法用量 | 内服煎汤，15 ~ 25 g，鲜品 50 ~ 100 g；或浸酒。外用适量，捣敷。

| 凭证标本号 | 441882180411029LY。

蔷薇科 Rosaceae 委陵菜属 *Potentilla*

三叶委陵菜 *Potentilla freyniana* Bornm.

|药材名|

三张叶（药用部位：全草）。

|形态特征|

多年生草本。花茎纤细，直立或上升，高 8 ~ 25 cm，被平铺或开展疏柔毛。基生叶为掌状三出复叶，小叶长圆形、卵形或椭圆形，边缘有多数急尖锯齿，两面疏生平铺柔毛；茎生叶 1 ~ 2，叶柄短，叶边锯齿减少。伞房状聚伞花序顶生，有多花；花梗外被疏柔毛；花直径 0.8 ~ 1 cm；花瓣淡黄色，长圆状倒卵球形。成熟瘦果卵球形，直径 0.5 ~ 1 mm，表面有显著脉纹。花果期 3 ~ 6 月。

|生境分布|

生于山地、山坡草丛。分布于广东曲江、乐昌、连山等。

|资源情况|

野生资源较少，栽培资源丰富。药材来源于野生和栽培。

|采收加工|

夏、秋季采收，晒干或鲜用。

| 功能主治 | 苦、涩，凉。止痛止血。用于肠炎，牙痛，胃痛，腰痛，胃肠出血，月经不调，产后出血过多，骨髓炎，跌打损伤，外伤出血，骨结核，烫火伤，毒蛇咬伤。

| 用法用量 | 内服煎汤，9 ~ 15 g。外用适量，鲜品捣敷。

| 凭证标本号 | 440281190427032LY。

蔷薇科 Rosaceae 委陵菜属 *Potentilla*

蛇含委陵菜 *Potentilla kleiniana* Wight. et Arn.

| 药 材 名 | 蛇含（药用部位：全草。别名：五爪龙、翻白草）。

| 形态特征 | 一年生或多年生草本。基生叶为近鸟足状 5 小叶，小叶倒卵形或长圆状倒卵形，边缘有多数急尖或圆钝锯齿，下部茎生叶有 5 小叶，上部茎生叶有 3 小叶，小叶与基生小叶相似，唯叶柄较短。聚伞花序密集于枝顶如假伞形；花梗密被开展长柔毛；花直径 0.8 ~ 1 cm；花瓣黄色，倒卵形。瘦果近圆柱形，一面稍平，直径约 0.5 mm，具皱纹。花果期 4 ~ 9 月。

| 生境分布 | 生于海拔 300 ~ 600 m 的丘陵或旷野草地上。分布于广东始兴、仁化、乳源、乐昌、南雄、平远、连平、和平、连山、英德等。

| 资源情况 | 野生资源较少，栽培资源丰富。药材来源于野生和栽培。

| 采收加工 | 夏、秋季采收，晒干或鲜用。

| 功能主治 | 苦，微寒。清热解毒，止咳化痰。用于外感咳嗽，百日咳，咽喉肿痛，小儿高热惊风，疟疾，痢疾；外用于腮腺炎，毒蛇咬伤，带状疱疹，疔疮，痔疮，外伤出血。

| 用法用量 | 内服煎汤，5 ~ 50 g。外用适量，鲜品捣敷；或取汁搽。

| 凭证标本号 | 441882190616006LY。

蔷薇科 Rosaceae 委陵菜属 *Potentilla*

三叶朝天委陵菜 *Potentilla supina* Linn. var. *ternata* Peterm.

| 药 材 名 | 委陵菜（药用部位：全草）。

| 形态特征 | 一年生或二年生草本。主根细长，有稀疏侧根。茎平展，分枝极多，矮小铺地或微上升，稀直立。基生叶有小叶 3，顶生小叶有短柄或几无柄，常 2 ~ 3 深裂或不裂。伞房状聚伞花序；花梗常密被短柔毛；花直径 0.6 ~ 0.8 cm；花瓣黄色，倒卵形，与萼片近等长或较短于萼片。瘦果长圆柱形，先端尖，表面具脉纹，腹部鼓胀若翅或有时不明显。花果期 3 ~ 10 月。

| 生境分布 | 生于海拔 100 ~ 1 900 m 的水边湿地、荒坡草地、河岸沙地及盐碱地。分布于广东连平、翁源、梅县、高要及清远（市区）、广州（市区）等。

| 资源情况 | 野生资源较少，栽培资源一般。药材来源于野生和栽培。

| 采收加工 | 夏季采收，晒干。

| 功能主治 | 甘、酸，寒。收敛止泻，凉血止血，滋阴益肾。用于骨结核，口腔炎，瘰疬，跌打损伤，外伤出血。

| 用法用量 | 内服煎汤，15 ～ 30 g；或浸酒。外用适量，捣敷；或煎汤洗；或研末撒。

| 凭证标本号 | 441882180409007LY。

蔷薇科 Rosaceae 李属 *Prunus*

李 *Prunus salicina* Lindl.

| 药 材 名 | 山李子（药用部位：根、种仁。别名：嘉庆子、嘉应子）。

| 形态特征 | 落叶乔木。高 9 ~ 12 m。叶片长圆状倒卵形或长椭圆形，边缘有圆钝重锯齿。通常 3 花并生；花梗长 1 ~ 2 cm，通常无毛；花直径 1.5 ~ 2.2 cm；萼筒钟状；花瓣白色，长圆状倒卵形，有明显带紫色脉纹，具短爪。核果球形、卵球形或近圆锥形，果柄凹入，先端微尖，基部有纵沟，外被蜡粉；核卵圆球形或长圆球形，有皱纹。花期 4 月，果期 7 ~ 8 月。

| 生境分布 | 栽培种。广东各地均有栽培。

| 资源情况 | 栽培资源丰富。药材来源于栽培。

| 采收加工 | 夏季采收，晒干。

| 功能主治 | 根，苦，寒。清热解毒，利湿，止痛。用于牙痛，消渴，痢疾，带下。种仁，苦，平。活血祛瘀，滑肠，利水。用于跌打损伤，瘀血作痛，大便燥结，浮肿。

| 用法用量 | 内服煎汤，根 9 ~ 15 g，种仁 9 ~ 12 g。

| 凭证标本号 | 440281200709049LY。

蔷薇科 Rosaceae 火棘属 *Pyracantha*

全缘火棘 *Pyracantha atalantioides* (Hance) Stapf

| 药 材 名 | 木瓜刺（药用部位：根、叶。别名：救军粮）。

| 形态特征 | 常绿灌木或小乔木。高达 6 m。通常有枝刺。叶片椭圆形或长圆形，通常全缘或有时具不明显的细锯齿。复伞房花序；花梗和花萼外被黄褐色柔毛；花直径 7 ~ 9 mm；萼筒钟状，外被柔毛；花瓣白色，卵形，长 4 ~ 5 mm。梨果扁球形，直径 4 ~ 6 mm，亮红色。花期 4 ~ 5 月，果期 9 ~ 11 月。

| 生境分布 | 生于海拔 200 ~ 900 m 的山地林中或灌丛中。分布于广东乳源、乐昌、阳山、连山、清新、英德、连州等。

| 资源情况 | 野生资源较少，栽培资源一般。药材来源于野生和栽培。

| **采收加工** | 夏、秋季采收，晒干。

| **功能主治** | 酸、苦，凉。解毒拔脓，消肿止痛。用于阴疽，感冒。

| **用法用量** | 内服煎汤，15 ~ 30 g。

| **凭证标本号** | 440281190817005LY。

蔷薇科 Rosaceae 梨属 *Pyrus*

豆梨 *Pyrus calleryana* Dcne.

| 药 材 名 | 杜梨（药用部位：根、叶、果实。别名：糖梨、赤梨、梨丁子）。

| 形态特征 | 乔木。高 5 ~ 8 m。叶片宽卵形至卵形，边缘有钝锯齿，两面无毛。伞形总状花序，具花 6 ~ 12；总花梗和花梗均无毛；花直径 2 ~ 2.5 cm；萼筒无毛；花瓣卵形，长约 13 mm，宽约 10 mm，基部具短爪，白色。梨果球形，黑褐色，有斑点，萼片脱落，2 ~ 3 室，有细长果柄。花期 4 月，果期 8 ~ 9 月。

| 生境分布 | 生于海拔 200 ~ 800 m 的山地林中。分布于广东始兴、仁化、乳源、新丰、乐昌、南雄、封开、德庆、高要、博罗、梅县、大埔、丰顺、平远、蕉岭、紫金、连平、阳春、阳山、英德、新兴、郁南、罗定及广州（市区）、深圳（市区）、茂名（市区）、惠州（市区）、

清远（市区）等。

| 资源情况 | 野生资源较少，栽培资源丰富。药材来源于野生和栽培。

| 采收加工 | 夏、秋季采收根、叶，秋、冬季采收果实，晒干。

| 功能主治 | 涩、微甘，凉。润肺止咳，清热解毒。根、叶用于肺燥咳嗽，急性结膜炎；果实用于饮食积滞，泻痢。

| 用法用量 | 内服煎汤，15 ~ 30 g。

| 凭证标本号 | 441882180412008LY。

蔷薇科 Rosaceae 梨属 *Pyrus*

楔叶豆梨 *Pyrus calleryana* Dcne. var. *koehnei* (Schneid.) T. T. Yü

| 药材名 | 野梨仔（药用部位：根、叶。别名：铁梨树、棠梨）。

| 形态特征 | 本种与豆梨 *Pyrus calleryana* Dcne. 的区别在于本种叶片多卵形或菱状卵形，先端急尖或渐尖，基部宽楔形；子房 3 ~ 4 室。

| 生境分布 | 生于海拔 80 ~ 900 m 的山地林中。分布于广东大部分地区。

| 资源情况 | 野生资源较少，栽培资源一般。药材来源于野生和栽培。

| 采收加工 | 秋、冬季采收。

| 功能主治 | 涩、微甘，凉。润肺止咳，清热解毒。

| 凭证标本号 | 441825190708012LY。

蔷薇科 Rosaceae 梨属 *Pyrus*

梨 *Pyrus pyrifolia* (Burm. f.) Nakai

| 药材名 | 沙梨（药用部位：果皮）。

| 形态特征 | 乔木。高 7 ~ 15 m。叶片卵状椭圆形或卵形，边缘有刺芒状锯齿，两面无毛或嫩时有褐色绵毛。伞形总状花序，具花 6 ~ 9；总花梗和花梗幼时微具柔毛；花直径 2.5 ~ 3.5 cm；萼片边缘有腺齿，内面密被褐色绒毛；花瓣卵形，基部具短爪，白色。果实近球形，浅褐色，有浅色斑点；种子卵形，微扁，长 8 ~ 10 mm，深褐色。花期 4 月，果期 8 月。

| 生境分布 | 生于低海拔丘陵、平地或林缘。分布于广东乳源、乐昌、连州及广州（市区）等。

| 资源情况 | 野生资源较少，栽培资源丰富。药材来源于野生和栽培。

| 采收加工 | 夏、秋季采收，晒干或鲜用。

| 功能主治 | 甘、涩，凉。清暑解渴，生津收敛。用于干咳，热病烦渴，多汗等。

| 用法用量 | 内服煎汤，9 ～ 15 g，鲜品 60 ～ 120 g。

| 凭证标本号 | 440783200425009LY。

蔷薇科 Rosaceae 梨属 *Pyrus*

麻梨 *Pyrus serrulata* Rehd.

| 药 材 名 | 淡水梨（药用部位：果实。别名：黄皮梨、麻梨子）。

| 形态特征 | 乔木。高 8 ~ 10 m。叶片卵形至长卵形，边缘有细锐锯齿。伞形总状花序；总花梗和花梗均被褐色绵毛，后毛逐渐脱落；花直径 2 ~ 3 cm；萼筒外面有稀疏绒毛，萼片外面有稀疏绒毛，内面密生绒毛；花瓣宽卵形，基部具短爪，白色。果实近球形或倒卵球形，长 1.5 ~ 2.2 cm，深褐色，有浅褐色腺点，3 ~ 4 室，果柄长 3 ~ 4 cm。花期 4 月，果期 6 ~ 8 月。

| 生境分布 | 生于山地林中。分布于广东乳源、乐昌、大埔、丰顺、平远、连平、和平、阳山、英德、连州、饶平及广州（市区）、云浮（市区）、深圳（市区）等。

| 资源情况 | 野生资源较少，栽培资源丰富。药材来源于野生和栽培。

| 采收加工 | 夏、秋季采收，鲜用。

| 功能主治 | 甘、微酸，凉。润肺清心，消痰降火，解渴，解酒毒。

| 凭证标本号 | 441882190616028LY。

蔷薇科 Rosaceae 石斑木属 *Rhaphiolepis*

车轮梅 *Rhaphiolepis indica* (Linn.) Lindl.

| 药材名 | 石斑木（药用部位：根、叶。别名：春花木）。

| 形态特征 | 常绿灌木，稀为小乔木。高可达 4 m。叶片集生于枝顶，卵形、长圆形，稀倒卵形或长圆状披针形，叶面平滑无毛，背面无毛或被稀疏绒毛，网脉明显。顶生圆锥花序或总状花序；总花梗和花梗被锈色绒毛；花直径 1 ~ 1.3 cm；花瓣 5，白色或淡红色，倒卵形或披针形。果实球形，紫黑色，直径约 5 mm，果柄短粗。花期 4 月，果期 7 ~ 8 月。

| 生境分布 | 生于海拔 20 ~ 1 800 m 的山地和丘陵灌丛或林中。分布于广东翁源、乳源、新丰、乐昌、南澳、鹤山、徐闻、德庆、博罗、惠东、梅县、大埔、丰顺、陆丰、连平、和平、连山、清新、英德、连州、中山、

新兴及广州（市区）、阳江（市区）、深圳（市区）、肇庆（市区）等。

| 资源情况 | 野生资源较少，栽培资源丰富。药材来源于野生和栽培。

| 采收加工 | 夏、秋季采收，晒干或鲜用。

| 功能主治 | 微苦、涩，寒。活血消肿，凉血解毒。用于跌打损伤，骨髓炎，关节炎；叶外用于刀伤出血。

| 用法用量 | 内服煎汤，15 ~ 30 g。

| 凭证标本号 | 441825190806025LY。

蔷薇科 Rosaceae 蔷薇属 *Rosa*

月季花 *Rosa chinensis* Jacq.

| 药 材 名 | 月月红（药用部位：花、根、叶）。

| 形态特征 | 直立灌木。高 1 ~ 2 m。奇数羽状复叶互生，小叶阔卵形或卵状长圆形，边缘具锐锯齿；叶柄和叶轴有皮刺和短腺毛；托叶宿存，边缘有腺毛。花单生或数朵聚生于枝顶；花梗散生短腺毛；花冠重瓣，花瓣倒卵形；雄蕊多数，着生于花盘周围；花柱离生，伸出萼筒外。蔷薇果卵圆球形或梨形，长 1.5 ~ 2 cm，成熟时红色。

| 生境分布 | 栽培种。广东始兴、乳源、乐昌、封开、博罗、龙门、连平、英德及广州（市区）等有栽培。

| 资源情况 | 栽培资源丰富。药材来源于栽培。

| 采收加工 | 花，初开时采摘，阴干或低温干燥。叶，春季至秋季枝叶茂盛时采收，鲜用或晒干。

| 药材性状 | 本品花呈短球形，直径 1.5 ~ 2.5 cm；花托长圆形；萼片 5 片，暗绿色，羽状分裂，先端尾尖；花冠重瓣，花瓣多数或部分散落，倒卵圆形，紫红色或粉红色，脉纹明显；雄蕊多数，黄色。体轻，质脆易碎。气清香，味淡、微苦。以完整、色紫红、气清香者为佳。

| 功能主治 | 甘，温。活血调经，散毒消肿。用于疮疡肿毒，瘰疬，跌打损伤，腰膝肿痛，外伤出血。

| 用法用量 | 内服煎汤，1.5 ~ 4.5 g。外用适量。不宜久煎。过量可引起腹痛，多服、久服可引起便溏、腹泻。孕妇慎用。

| 凭证标本号 | 440783201004009LY。

蔷薇科 Rosaceae 蔷薇属 *Rosa*

小果蔷薇 *Rosa cymosa* Tratt.

| 药材名 | 小金樱（药用部位：根、叶。别名：七姊妹）。

| 形态特征 | 攀缘灌木。高 2 ~ 5 m。小枝有弯生的钩状刺。奇数羽状复叶互生，小叶 3 ~ 5，稀 7，卵状披针形或椭圆形，边缘有内弯的锐锯齿，两面光滑无毛；托叶线形，早落。花数朵聚成伞房花序；花梗被柔毛；花白色，直径约 2 cm；花瓣 5，倒卵状长圆形，先端凹；雄蕊多数；子房上位。果实小，近球形，直径 4 ~ 10 mm，成熟时红色。花期 4 ~ 5 月，果期 6 ~ 7 月。

| 生境分布 | 生于灌丛中。分布于广东增城、从化、始兴、仁化、翁源、乳源、乐昌、南雄、南澳、怀集、龙门、大埔、丰顺、五华、平远、蕉岭、兴宁、龙川、连平、和平、阳山、连山、连南、英德、饶平及云浮（市区）、

汕头（市区）、河源（市区）、梅州（市区）、清远（市区）等。

| 资源情况 | 野生资源较少，栽培资源丰富。药材来源于野生和栽培。

| 采收加工 | 6 ~ 7 月果实成熟时采收，晒干。

| 功能主治 | 根，苦、涩，平。祛风除湿，收敛固脱。叶，苦，平。解毒消肿。用于风痰咳嗽，跌打损伤。

| 用法用量 | 内服煎汤，30 ~ 60 g。外用适量，捣敷。

| 凭证标本号 | 440281190424005LY。

蔷薇科 Rosaceae 蔷薇属 *Rosa*

软条七蔷薇 *Rosa henryi* Bouleng.

| 药 材 名 | 饭罗泡（药用部位：根。别名：湖北蔷薇、亨氏蔷薇）。

| 形态特征 | 灌木。高 3 ~ 5 m。小枝有短扁、弯曲的皮刺或无刺。小叶通常 5，近花序小叶常为 3；小叶片长圆形、卵形、椭圆形或椭圆状卵形，边缘有锐锯齿，两面均无毛；托叶宿存。花 5 ~ 15，组成伞形伞房状花序；花直径 3 ~ 4 cm；花瓣白色，宽倒卵形；花柱结合成柱，被柔毛，比雄蕊稍长。果实近球形，直径 8 ~ 10 mm，成熟后褐红色，有光泽，果柄有稀疏腺点，萼片脱落。

| 生境分布 | 生于海拔 300 ~ 1 200 m 的丘陵、山谷林中或灌丛中。分布于广东增城、从化、始兴、仁化、翁源、乳源、新丰、乐昌、南雄、信宜、封开、德庆、惠东、龙门、梅县、大埔、五华、平远、蕉岭、兴宁、

丁明艳提供

和平、阳山、连山、英德、连州、饶平、揭西及深圳（市区）、河源（市区）等。

| 资源情况 | 野生资源较丰富，栽培资源丰富。药材来源于野生和栽培。

| 采收加工 | 全年均可采收。

| 功能主治 | 辛、苦、涩，温。消肿止痛，祛风除湿，止血解毒，补脾固涩。用于月经过多，带下，阴挺，遗尿，老年尿频，慢性腹泻，跌打损伤，风湿痹痛，口腔破溃，疮疖肿痛，咳嗽痰喘。

| 凭证标本号 | 441523191018015LY。

丁明艳提供

丁明艳提供

蔷薇科 Rosaceae 蔷薇属 *Rosa*

金樱子 *Rosa laevigata* Michx.

| 药材名 | 刺糖果（药用部位：果实）。

| 形态特征 | 攀缘灌木。高达 5 m。枝条散生扁而弯的钩刺。奇数羽状复叶，小叶 3 ~ 5，椭圆状卵形或倒卵形，边缘有锐锯齿，小叶片和叶轴有皮刺和腺毛；托叶宿存，贴生于叶柄。花单生于侧枝先端，白色；花萼有腺毛和皮刺；花瓣阔倒卵形，先端稍凹；雄蕊和心皮均多数；花柱离生，比雄蕊短。果实梨形或倒卵状球形，密被刺毛，有宿存萼，紫绿色，成熟时橙黄色。花期 4 ~ 6 月，果期 7 ~ 11 月。

| 生境分布 | 生于低海拔的山地林中或灌丛。分布于广东除西南部以外的各个地区。

| 资源情况 | 野生资源较少，栽培资源丰富。药材来源于野生和栽培。

| 采收加工 | 秋末冬初果实红熟时采摘，用沸水烫后晒干，撞去毛刺。

| 药材性状 | 本品呈长椭圆形或倒卵形，长 2 ~ 3.5 cm，直径 1 ~ 2 cm。表面暗棕红色或红黄色，微有光泽，全体有刺毛脱落后残存的点状突起，先端有似喇叭口形的宿存萼或盘状花萼残基，中间黄色花柱基略突出。质硬，切开可见内壁呈淡红黄色，被绒毛，内含淡黄色、被绒毛的小瘦果 30 ~ 40。气微，味甘、酸、微涩。

| 功能主治 | 酸、甘，平。补肾固精。用于肝肾亏虚，腰膝酸软，神经衰弱，高血压，神经性头痛，久咳，自汗，盗汗，脾虚泄泻，慢性肾炎，遗精，遗尿，尿频，带下，崩漏。

| 用法用量 | 内服煎汤，3 ~ 15 g。

| 凭证标本号 | 441825190412006LY。

蔷薇科 Rosaceae 蔷薇属 *Rosa*

野蔷薇 *Rosa multiflora* Thunb.

| 药 材 名 | 多花蔷薇（药用部位：花、叶、根、果实。别名：小金樱、赤簕、营实）。

| 形态特征 | 攀缘灌木。小枝圆柱形，有短粗、稍弯曲的皮束。小叶 5 ~ 9，小叶片倒卵形、长圆形或卵形，边缘有尖锐单锯齿，稀混有重锯齿，背面有柔毛；托叶篦齿状，大部贴生于叶柄。花多数排成圆锥状花序；花直径 1.5 ~ 2 cm；花瓣白色，宽倒卵形；花柱结合成束，无毛，比雄蕊稍长。果实近球形，直径 6 ~ 8 mm，红褐色或紫褐色，有光泽，无毛，萼片脱落。

| 生境分布 | 生于山地林中。分布于广东乳源、乐昌、南雄、英德、连州及广州（市区）等。

| 资源情况 | 野生资源较少，栽培资源丰富。药材来源于野生和栽培。

| 采收加工 | 春季采收花，秋季采收叶、根、果实，晒干或鲜用。

| 功能主治 | 花，苦、涩，寒。清暑解渴，止血。外用于烫火伤，外伤出血。叶，苦，寒。清热解毒。外用于痈疖疮疡。根，苦，平。祛风活血，调经固涩。果实，酸，温。祛风湿，利关节。

| 用法用量 | 内服煎汤，根 15 ~ 30 g，花、果实 3 ~ 9 g。外用适量根、叶，鲜品捣敷；或干品研末敷。

| 凭证标本号 | 441324180802032LY。

蔷薇科 Rosaceae 蔷薇属 *Rosa*

粉团蔷薇 *Rosa multiflora* Thunb. var. *cathayensis* Rehd. et Wils.

| 药 材 名 | 十姊妹（药用部位：根、叶。别名：红刺玫）。

| 形态特征 | 本种与野蔷薇 *Rosa multiflora* Thunb. 的区别在于本种花为粉红色，单瓣。

| 生境分布 | 生于海拔 500 ~ 700 m 的山地林中或灌丛中。分布于广东乳源、乐昌、南雄等。广东广州（市区）等有栽培。

| 资源情况 | 野生资源较少，栽培资源丰富。药材来源于野生和栽培。

| 采收加工 | 全年均可采收。

| 功能主治 | 苦、微涩，平。清暑化湿，疏肝利胆。用于暑热胸闷，口渴，呕吐，

食少，口疮，口糜，烫伤，黄疸，痞积，带下。

| **用法用量** | 内服煎汤，15 ~ 20 g。

| **凭证标本号** | 441823210410045LY。

蔷薇科 Rosaceae 悬钩子属 *Rubus*

腺毛莓 *Rubus adenophorus* Rolfe

| 药材名 | 红牛毛刺根（药用部位：根。别名：雀不站、红毛草）、红牛毛刺叶（药用部位：叶）。

| 形态特征 | 攀缘灌木。高 0.5 ~ 2 m。小枝具紫红色腺毛、柔毛和宽扁的稀疏皮刺。小叶 3，宽卵形或卵形，下面沿叶脉有稀疏腺毛，边缘具粗锐重锯齿；托叶线状披针形，具柔毛和稀疏腺毛。总状花序顶生或腋生；花梗、苞片和花萼均密被带黄色长柔毛和紫红色腺毛；花瓣倒卵形或近圆形，基部具爪，紫红色。果实球形，红色，无毛或微具柔毛；核具明显皱纹。花期 4 ~ 6 月，果期 6 ~ 7 月。

| 生境分布 | 生于海拔 300 ~ 800 m 的山地、丘陵林中或灌丛中。分布于广东仁化、乳源、乐昌、南雄、大埔、丰顺、平远、阳山、连山、连南、

饶平等。

| 资源情况 | 野生资源较少，栽培资源丰富。药材来源于野生和栽培。

| 采收加工 | **红牛毛刺根、红牛毛刺叶：**全年均可采收。

| 功能主治 | **红牛毛刺根：**甘、涩，温。和血调气，止痛，止痢。用于痨伤疼痛，吐血，痢疾，疝气。

红牛毛刺叶：甘、涩，温。收湿敛疮。外用于黄水疮。

| 用法用量 | **红牛毛刺根：**内服煎汤，10 ~ 30 g。

红牛毛刺叶：外用适量，研末撒。

| 凭证标本号 | 441882190616011LY。

蔷薇科 Rosaceae 悬钩子属 *Rubus*

粗叶悬钩子 *Rubus alceaefolius* Poir.

| 药 材 名 | 大叶蛇泡簕（药用部位：根、叶。别名：狗头泡、老虎泡、八月泡）。

| 形态特征 | 攀缘灌木。高达 5 m。单叶，近圆形或宽卵形，上面疏生长柔毛，下面密被黄灰色至锈色绒毛，边缘不规则 3 ~ 7 浅裂；托叶大，羽状深裂或不规则撕裂。顶生狭圆锥花序或近总状，稀单生；总花梗、花梗和花萼被浅黄色至锈色绒毛状长柔毛；花直径 1 ~ 1.6 cm；花瓣宽倒卵形或近圆形，白色。果实近球形，直径达 1.8 cm，肉质，红色；核有皱纹。花期 7 ~ 9 月，果期 10 ~ 11 月。

| 生境分布 | 生于山地林中或灌丛中。分布于广东除西南部以外的各个地区。

| 资源情况 | 野生资源较少，栽培资源丰富。药材来源于野生和栽培。

| 采收加工 | 夏、秋季采收，晒干。

| 功能主治 | 淡、甘，平。清热利湿，活血散瘀。用于肝炎，肝脾肿大，口腔炎，乳腺炎，痢疾，肠炎，跌打损伤，风湿骨痛；外用于外伤出血。

| 用法用量 | 内服煎汤，15 ~ 30 g。外用适量，研末撒敷。

| 凭证标本号 | 441825190504020LY。

蔷薇科 Rosaceae 悬钩子属 *Rubus*

周毛悬钩子 *Rubus amphidasys* Focke ex Diels.

| 药材名 | 周毛悬钩子（药用部位：全株）。

| 形态特征 | 蔓性小灌木。高 0.3 ~ 1 m。枝密被红褐色长腺毛、软刺毛和淡黄色长柔毛。单叶，宽长卵形，两面均被长柔毛，边缘 3 ~ 5 浅裂。花常 5 ~ 12 组成近总状花序；总花梗、花梗和花萼均密被红褐色长腺毛、软刺毛和淡黄色长柔毛；花直径 1 ~ 1.5 cm；花瓣宽卵形至长圆形，白色，基部几无爪。果实扁球形，直径约 1 cm，暗红色，无毛，包藏在宿存萼内。花期 5 ~ 6 月，果期 7 ~ 8 月。

| 生境分布 | 生于海拔 400 ~ 1 600 m 的山坡路旁丛林或竹林内、山地红黄壤林下。分布于广东南雄、封开、连平等。

| 资源情况 | 野生资源较少，栽培资源丰富。药材来源于野生和栽培。

| 采收加工 | 全年均可采收，洗净，晒干或鲜用。

| 功能主治 | 苦，平。活血调经，祛风除湿。用于月经不调，带下，风湿痹痛，外伤出血。

| 用法用量 | 内服煎汤，15 ~ 30 g。外用适量，鲜品捣敷。

| 凭证标本号 | 441422190217538LY。

蔷薇科 Rosaceae 悬钩子属 *Rubus*

寒莓 *Rubus buergeri* Miq.

| 药 材 名 | 寒刺泡（药用部位：全株或叶。别名：山火莓）。

| 形态特征 | 直立或匍匐小灌木。茎常伏地生根。单叶，卵形至近圆形，上面微具柔毛或仅沿叶脉具柔毛，下面密被绒毛，边缘 5 ～ 7 浅裂；托叶早落。花组成短总状花序，顶生或腋生；总花梗和花梗密被绒毛状长柔毛，无刺或疏生针刺；花直径 0.6 ～ 1 cm；花萼外密被淡黄色长柔毛和绒毛；花瓣倒卵形，白色。果实近球形，直径 6 ～ 10 mm，紫黑色，无毛；核具粗皱纹。花期 7 ～ 8 月，果期 9 ～ 10 月。

| 生境分布 | 生于中低海拔的阔叶林林下或山地疏密杂木林内。分布于广东始兴、翁源、乳源、新丰、乐昌、广宁、龙门、大埔、平远、和平、阳山、连州、饶平等。

| 资源情况 | 野生资源较少，栽培资源丰富。药材来源于野生和栽培。

| 采收加工 | 全年均可采收，洗净，晒干或鲜用。

| 功能主治 | 甘、酸，凉。活血止血，清热解毒。叶用于肾虚腰痛，五心烦热。

| 用法用量 | 内服煎汤，15 ~ 30 g。外用适量，鲜叶捣敷；或干叶研末撒。

| 凭证标本号 | 441623180809040LY。

蔷薇科 Rosaceae 悬钩子属 *Rubus*

掌叶覆盆子 *Rubus chingii* Hu

| 药 材 名 | 华东覆盆子（药用部位：果实）。

| 形态特征 | 灌木。高 1.5 ~ 3 m。枝细，具皮刺，无毛。单叶，近圆形，边缘掌状深裂，稀 3 裂或 7 裂，具重锯齿。单花腋生；花梗长，无毛；萼筒毛较稀或近无毛；花瓣椭圆形或卵状长圆形，白色，先端圆钝。果实近球形，红色，直径 1.5 ~ 2 cm，密被灰白色柔毛；核有皱纹。花期 3 ~ 4 月，果期 5 ~ 6 月。

| 生境分布 | 栽培种。广东广州（市区）等有栽培。

| 资源情况 | 栽培资源丰富。药材来源于栽培。

| 采收加工 | 夏季果实成熟时采收，晒干。

| 药材性状 | 本品为聚合果，由多数小核果聚合而成，呈圆锥形或扁圆锥形，高 0.6 ~ 1.3 cm，直径 0.5 ~ 1.2 cm。表面黄绿色或淡棕色，先端钝圆，基部中心凹入。宿存萼棕褐色，下有果柄痕。小果易剥落，每个小果呈半月形，背面密被灰白色茸毛，两侧有明显的网纹，腹部有凸起的棱线。体轻，质硬。气微，味微酸、涩。

| 功能主治 | 甘、酸，温。益肾，固精，缩尿。用于肾虚遗尿，小便频数，阳痿早泄，遗精滑精。

| 用法用量 | 内服煎汤，6 ~ 12 g。

蔷薇科 Rosaceae 悬钩子属 *Rubus*

毛萼莓 *Rubus chroosepalus* Focke

| 药 材 名 |

毛萼悬钩子（药用部位：根。别名：紫萼莓、紫萼悬钩子）。

| 形态特征 |

半常绿攀缘灌木。枝细，疏生微弯皮刺。单叶，近圆形或宽卵形，上面无毛，下面密被灰白色或黄白色绒毛。圆锥花序顶生；总花梗和花梗均被绢状长柔毛；花直径 1 ~ 1.5 cm；花萼外密被灰白色或黄白色绢状长柔毛；无花瓣。果实球形，直径约 1 cm，紫黑色或黑色，无毛；核具皱纹。花期 5 ~ 6 月，果期 7 ~ 8 月。

| 生境分布 |

生于海拔 550 ~ 1 000 m 的山谷林中。分布于广东乳源、阳山等。

| 资源情况 |

野生资源较少，栽培资源丰富。药材来源于野生和栽培。

| 采收加工 |

全年均可采收。

| 功能主治 | 酸、苦，凉。清热解毒，止泻。用于疮毒疖肿，肠炎泄泻。

| 凭证标本号 | 441823200722027LY。

蔷薇科 Rosaceae 悬钩子属 *Rubus*

蛇泡筋 *Rubus cochinchinensis* Tratt.

| 药 材 名 | 越南悬钩子（药用部位：根、叶。别名：小猛虎、鸡足刺、猫枚筋）。

| 形态特征 | 攀缘灌木。枝、叶柄、花序和叶片下面中脉上疏生弯曲小皮刺。掌状复叶常具 5 小叶，小叶片椭圆形、倒卵状椭圆形或椭圆状披针形，表面无毛，背面密被褐黄色绒毛。花组成顶生圆锥花序或腋生近总状花序；总花梗、花梗和花萼均密被黄色绒毛；花直径 8 ～ 12 mm；花萼钟状，无刺；花瓣近圆形，白色。果实球形，幼时红色，成熟时变黑色。花期 3 ～ 5 月，果期 7 ～ 8 月。

| 生境分布 | 生于低海拔至中海拔的山地、丘陵林中或灌丛中。分布于广东台山、徐闻及阳江（市区）等。

| **资源情况** | 野生资源较少，栽培资源一般。药材来源于野生和栽培。

| **采收加工** | 夏、秋季采收，晒干。

| **功能主治** | 苦、辛，温。祛风，除湿行气。用于腰腿痛，四肢痹痛，风湿骨痛。

| **用法用量** | 内服煎汤，6 ~ 18 g。外用适量，捣敷。

| **凭证标本号** | 440781190712021LY。

蔷薇科 Rosaceae 悬钩子属 *Rubus*

小柱悬钩子 *Rubus columellaris* Tutch.

| 药 材 名 | 三叶吊杆泡（药用部位：叶）。

| 形态特征 | 攀缘灌木。高 1 ~ 2.5 m。小叶 3，有时为单叶，椭圆形或长卵状披针形，两面无毛或叶面疏生平贴柔毛，边缘具粗锯齿。花 3 ~ 7 组成伞房状花序，着生于侧枝先端或腋生；花大，开展时直径 3 ~ 4 cm；花瓣匙状长圆形或长倒卵形，白色，基部具爪。果实近球形或稍呈长圆球形，直径达 1.5 cm，长达 1.7 cm，橘红色或褐黄色，无毛；核较小，具浅皱纹。花期 4 ~ 5 月，果期 6 月。

| 生境分布 | 生于海拔 200 ~ 750 m 的山谷林中或灌丛中。分布于广东始兴、乳源、乐昌、南雄、博罗、大埔、平远、蕉岭、连平、阳山、连山、连南、英德及广州（市区）、清远（市区）等。

| 资源情况 | 野生资源较少，栽培资源丰富。药材来源于野生和栽培。

| 采收加工 | 夏、秋季采收，晒干。

| 功能主治 | 甘、酸，寒。清热解毒。用于痢疾，胃炎，肠炎，风湿性关节炎，乳痛，毒蛇咬伤。

| 用法用量 | 内服煎汤，20 ~ 30 g。

| 凭证标本号 | 441882180505048LY。

蔷薇科 Rosaceae 悬钩子属 *Rubus*

山莓 *Rubus corchorifolius* Linn. f.

| 药 材 名 | 三月泡（药用部位：根、叶。别名：五月泡）。

| 形态特征 | 直立灌木。高 1 ~ 3 m。单叶，卵形至卵状披针形，背面沿中脉疏生小皮刺，边缘不分裂或 3 裂，通常不育枝上的叶 3 裂，有不规则锐锯齿或重锯齿；托叶与叶轴合生。花单生或少数生于短枝上；花梗具细柔毛；花萼外密被细柔毛，无刺；花瓣长圆形或椭圆形，白色。果实由很多小核果组成，近球形或卵球形，直径 1 ~ 1.2 cm，红色，密被细柔毛；核具皱纹。花期 2 ~ 3 月，果期 4 ~ 6 月。

| 生境分布 | 生于海拔 100 ~ 600 m 的山地林中或灌丛中。分布于广东增城、从化、仁化、乳源、乐昌、新会、信宜、怀集、封开、博罗、龙门、平远、连山、连南、英德、连州及云浮（市区）、梅州（市区）、

河源（市区）、清远（市区）等。

| 资源情况 | 野生资源较少，栽培资源丰富。药材来源于野生和栽培。

| 采收加工 | 夏、秋季采收，晒干或鲜用。

| 功能主治 | 根，苦、涩，平。活血散瘀，止血，祛风利湿。叶，苦，凉。消肿解毒。

| 用法用量 | 根，内服煎汤，15 ~ 30 g。叶，外用适量，鲜品捣敷。

| 凭证标本号 | 441825190412042LY。

蔷薇科 Rosaceae 悬钩子属 *Rubus*

插田泡 *Rubus coreanus* Miq.

| 药材名 | 高丽悬钩子（药用部位：根。别名：插田藨）。

| 形态特征 | 灌木。高 1 ~ 3 m。枝具近直立或钩状扁平的皮刺。小叶通常 5，稀 3，卵形、菱状卵形或宽卵形，边缘有不整齐粗锯齿或缺刻状粗锯齿；托叶线状披针形，有柔毛。伞房花序生于侧枝先端；总花梗和花梗均被灰白色短柔毛；花瓣倒卵形，淡红色至深红色。果实近球形，直径 5 ~ 8 mm，深红色至紫黑色，无毛或近无毛。花期 4 ~ 6 月，果期 6 ~ 8 月。

| 生境分布 | 生于山谷和山地灌丛中。分布于广东乐昌、连山等。

| 资源情况 | 野生资源较少，栽培资源一般。药材来源于野生和栽培。

| 采收加工 | 夏、秋季采收，晒干或鲜用。

| 功能主治 | 涩、苦，凉。活血止血，祛风除湿。用于跌打损伤，骨折，月经不调，吐血，衄血，风湿痹痛，水肿，小便不利，瘰疬。

| 用法用量 | 内服煎汤，6 ~ 15 g。外用适量，鲜品捣敷。体弱无瘀血者慎用。

| 凭证标本号 | 441827180407035LY。

蔷薇科 Rosaceae 悬钩子属 *Rubus*

戟叶悬钩子 *Rubus hastifolius* Lévl. et Vant.

| 药材名 | 红绵藤（药用部位：叶）。

| 形态特征 | 常绿攀缘灌木。长达 12 m。枝密被灰白色绒毛，疏生短小皮刺。单叶，长圆状披针形或卵状披针形，叶背密被红棕色绒毛。花 3 ~ 8 组成伞房状花序，顶生或腋生；总花梗和花梗密被红棕色绢状长柔毛；花直径 1.5 cm；花萼外密被红棕色绢状长柔毛；花瓣倒卵形，白色。果实近球形，稍压扁，肉质，红色，熟透时变紫黑色，无毛；核具浅皱纹。花期 3 ~ 5 月，果期 4 ~ 6 月。

| 生境分布 | 生于中海拔的山地灌丛中。分布于广东从化、乐昌、连山等。

| 资源情况 | 野生资源较少，栽培资源一般。药材来源于野生和栽培。

| 采收加工 | 春、夏季采收，鲜用或晒干。

| 功能主治 | 涩，平。收敛止血。用于咯血，吐血，崩漏，尿血，金疮出血。

| 用法用量 | 内服煎汤，6 ~ 15 g；或制成糖浆。外用适量，捣敷；或制成药液湿敷。

蔷薇科 Rosaceae 悬钩子属 *Rubus*

蓬蘽 *Rubus hirsutus* Thunb.

| 药 材 名 | 野杜利（药用部位：叶、根。别名：三月泡）。

| 形态特征 | 灌木。高 1 ~ 2 m。枝被柔毛和腺毛，疏生皮刺。小叶 3 ~ 5，卵形或宽卵形，两面疏生柔毛。花常单生于侧枝先端；花梗具柔毛和腺毛；花大；花萼外密被柔毛和腺毛；花瓣倒卵形或近圆形，白色，基部具爪。果实近球形，直径 1 ~ 2 cm，无毛。花期 4 月，果期 5 ~ 6 月。

| 生境分布 | 生于海拔 500 m 的山谷林中。分布于广东平远、连山等。

| 资源情况 | 野生资源较少，栽培资源一般。药材来源于野生和栽培。

| 采收加工 | 秋季果实成熟时采收。

| 功能主治 | 甘、微苦，平。叶，消炎，接骨。用于断指。根，祛风活络，清热解毒。用于小儿惊风，风湿筋骨痛。

| 用法用量 | 内服煎汤，7.5 ~ 15 g。

| 凭证标本号 | 441823190312004LY。

蔷薇科 Rosaceae 悬钩子属 *Rubus*

无腺白叶莓 *Rubus innominatus* S. Moore var. *kuntzeanus* (Hemsl.) Bailey

| 药 材 名 |

天青地白扭（药用部位：根。别名：酸母子）。

| 形态特征 |

落叶灌木。高 1 ~ 4 m。茎直立。茎枝、叶柄、叶片下面、总花梗、小花梗和花萼外面均无腺毛。三出复叶；小叶卵形至长椭圆状卵形，长 6 ~ 12 cm，宽 3 ~ 6.5 cm，顶生小叶较大，先端渐尖，基部圆形至浅心形，上面疏生白柔毛，下面密生白绒毛，边缘具不整齐的粗齿，近无柄；托叶线形。夏季开红色花，总状花序短；总轴和小花梗密生短绒毛；花萼 5；花瓣 5，倒卵形，有啮蚀状边缘，与萼片几等长。聚合果球形，橘红色，直径 1.5 cm。花期 5 ~ 6 月，果期 7 ~ 8 月。

| 生境分布 |

生于山地路旁的灌丛中。分布于广东乳源等。

| 资源情况 |

野生资源较少，栽培资源一般。药材来源于野生和栽培。

| 采收加工 |

秋、冬季采挖，洗净，鲜用或切片晒干。

| **功能主治** | 辛，温。祛风散寒，止咳平喘。用于小儿风寒咳逆，气喘。

| **用法用量** | 内服煎汤，鲜品 50 g。

| **凭证标本号** | 441882180411001LY。

蔷薇科 Rosaceae 悬钩子属 *Rubus*

灰毛泡 *Rubus irenaeus* Focke

| 药 材 名 | 地五泡藤（药用部位：根、叶）。

| 形态特征 | 常绿矮小灌木。高 0.5 ～ 2 m。花枝疏生细小皮刺或无刺。单叶，近革质，近圆形，上面无毛，下面密被灰色或黄灰色绒毛；叶柄密被绒毛状柔毛，无刺或具极稀的小皮刺。花多数组成顶生伞房状或近总状花序；总花梗和花梗密被绒毛状柔毛；花瓣近圆形，白色，具爪。果实球形，直径 1 ～ 1.5 cm，红色，无毛；核具网纹。花期 5 ～ 6 月，果期 8 ～ 9 月。

| 生境分布 | 生于海拔约 900 m 的山谷溪边林中。分布于广东乳源、乐昌、阳山等。

| 资源情况 | 野生资源较少，栽培资源丰富。药材来源于野生和栽培。

| 采收加工 | 全年均可采收。

| 功能主治 | 咸，平。理气止痛，散毒生肌。用于气痞腹痛，口角生疮。

| 用法用量 | 内服煎汤，15 ~ 30 g；或浸酒。外用适量，研末调敷。

| 凭证标本号 | 441826151203208LY。

蔷薇科 Rosaceae 悬钩子属 *Rubus*

高粱泡 *Rubus lambertianus* Ser.

| 药 材 名 |

细烟筒子（药用部位：根、叶。别名：秧泡子）。

| 形态特征 |

攀缘灌木。高达 3 m。枝幼时有细柔毛或近无毛。单叶宽卵形，表面疏生柔毛或沿叶脉有柔毛，背面被疏柔毛，中脉上常疏生小皮刺，边缘明显 3 ~ 5 裂或呈波状。圆锥花序顶生，生于枝上部叶腋内的花序常近总状；花直径约 8 mm；花瓣倒卵形，白色，无毛。果实小，近球形，直径 6 ~ 8 mm，由多数小核果组成，无毛，成熟时红色；核较小，有明显皱纹。花期 7 ~ 8 月，果期 9 ~ 11 月。

| 生境分布 |

生于海拔 200 ~ 1 600 m 的丘陵或山地林中、灌丛中。分布于广东大部分地区。

| 资源情况 |

野生资源较少，栽培资源丰富。药材来源于野生和栽培。

| 采收加工 |

夏、秋季采收，晒干。

| 功能主治 | 甘、苦，平。活血调经，消肿解毒。用于产后腹痛，血崩，产褥热，痛经，坐骨神经痛，风湿关节痛，偏瘫；叶外用于创伤出血。

| 用法用量 | 内服煎汤，15 ~ 60 g。外用适量，叶捣敷。

| 凭证标本号 | 441623180809007LY。

蔷薇科 Rosaceae 悬钩子属 *Rubus*

白花悬钩子 *Rubus leucanthus* Hance

| 药 材 名 | 泡藤（药用部位：根）。

| 形态特征 | 攀缘灌木。高 1 ~ 3 m。小叶 3，两面无毛或叶面稍具柔毛，边缘有粗单锯齿。花 3 ~ 8 形成伞房状花序，生于侧枝先端；花梗无毛；花直径 1 ~ 1.5 cm；花瓣长卵形或近圆形，白色，与萼片等长或稍长于萼片。果实近球形，直径 1 ~ 1.5 cm，红色。花期 4 ~ 5 月，果期 6 ~ 7 月。

| 生境分布 | 生于海拔 200 ~ 700 m 的山地林中或灌丛中。分布于广东大部分地区。

| 资源情况 | 野生资源较少，栽培资源丰富。药材来源于野生和栽培。

| **采收加工** | 夏、秋季采收，晒干。

| **功能主治** | 酸、甘，平。利湿止泻。用于腹泻，赤痢，烫伤，崩漏。

| **用法用量** | 内服煎汤，20 ~ 30 g。

| **凭证标本号** | 440783190715047LY。

蔷薇科 Rosaceae 悬钩子属 *Rubus*

太平莓 *Rubus pacificus* Hance

| 药材名 | 大叶莓（药用部位：全株）。

| 形态特征 | 常绿矮小灌木。高 40 ~ 100 cm。单叶，革质，宽卵形至长卵形，上面无毛，下面密被灰色绒毛，边缘不明显浅裂。花 3 ~ 6 组成顶生短总状或伞房状花序；总花梗、花梗和花萼密被绒毛状柔毛；花大，直径 1.5 ~ 2 cm；花瓣近卵圆形，白色，先端微缺刻状，基部具短爪，稍长于萼片。果实球形，直径 1.2 ~ 1.6 cm，红色，无毛；核具皱纹。花期 6 ~ 7 月，果期 8 ~ 9 月。

| 生境分布 | 生于海拔 800 m 的山顶疏林中。分布于广东乳源等。

| 资源情况 | 野生资源较少，栽培资源一般。药材来源于野生和栽培。

| **采收加工** | 6 ~ 8 月割取带花全株，洗净，晒干。

| **功能主治** | 辛、苦、酸，平。清热活血。用于发热，产后腹痛。

| **用法用量** | 内服煎汤，30 ~ 60 g。

| **凭证标本号** | 440281200709044LY。

蔷薇科 Rosaceae 悬钩子属 *Rubus*

茅莓 *Rubus parvifolius* Linn.

| 药 材 名 | 蛇泡簕（药用部位：根、茎叶。别名：三月泡、红梅消）。

| 形态特征 | 攀缘状亚灌木。长 1 ~ 2 m。枝条被毛及钩刺。叶互生，奇数羽状复叶，有小叶 3；小叶菱状圆形，边缘有不整齐粗锯齿或缺刻状粗重锯齿，上面近无毛，下面密被灰白色绒毛。伞房花序；花两性，粉红色。聚合果由多数小核果组合而成，近球形，直径约 1.5 cm，红色。花期 5 ~ 6 月，果期 7 ~ 8 月。

| 生境分布 | 生于山地荒地、路旁、疏林中或灌丛中。分布于广东大部分地区。

| 资源情况 | 野生资源较少，栽培资源丰富。药材来源于野生和栽培。

| 采收加工 | 秋季采挖根，夏、秋季采收茎叶，鲜用或切段晒干。

| 药材性状 | 本品根呈不规则圆柱形，多扭曲，长 2.5 ~ 4 cm，直径 0.4 ~ 1.2 cm。根头部较粗大，间有残留茎基，表面灰褐色，有纵皱纹，有时外皮呈片状剥落，露出红棕色内皮。质坚硬，不易折断，断面略平坦，淡黄色，可见放射状纹理。气微，味微涩。以根粗、不带地上茎、色棕褐、质坚实者为佳。

| 功能主治 | 苦、涩，凉。清热凉血，散结，止痛，利尿消肿。用于感冒发热，咽喉肿痛，咯血，吐血，痢疾，肠炎，肝炎，肝脾肿大，肾炎性水肿，尿路感染，尿路结石，月经不调，带下，风湿骨痛，跌打肿痛；外用于湿疹。

| 用法用量 | 内服煎汤，15 ~ 30 g。外用适量，鲜茎叶捣敷；或煎汤熏洗。

| 凭证标本号 | 441523190405001LY。

蔷薇科 Rosaceae 悬钩子属 *Rubus*

梨叶悬钩子 *Rubus pirifolius* Smith

| 药 材 名 |

红簕钩（药用部位：根。别名：蛇泡、太平悬钩子）。

| 形态特征 |

攀缘灌木。枝具柔毛和扁平皮刺。单叶，卵形、卵状长圆形或椭圆状长圆形，两面沿叶脉有柔毛，边缘具不整齐的粗锯齿。圆锥花序顶生或生于上部叶腋内；总花梗、花梗和花萼密被灰黄色短柔毛；花瓣小，白色，长椭圆形或披针形。果实直径 1 ~ 1.5 cm，由数个小核果组成，带红色，无毛；小核果较大，长 5 ~ 6 mm，宽 3 ~ 5 mm，有皱纹。花期 4 ~ 7 月，果期 8 ~ 10 月。

| 生境分布 |

生于低海拔至中海拔的山地、丘陵林中或灌丛中。分布于广东大部分地区。

| 资源情况 |

野生资源较少，栽培资源一般。药材来源于野生和栽培。

| 采收加工 |

秋、冬季采挖，洗净，鲜用或切片晒干。

| 功能主治 | 淡、涩，凉。清肺止咳，行气解郁。用于寒湿腹痛。

| 用法用量 | 内服煎汤，10 ~ 30 g，鲜品 60 ~ 90 g；或炖猪瘦肉。

| 凭证标本号 | 440224181204010LY。

蔷薇科 Rosaceae 悬钩子属 *Rubus*

绣毛莓 *Rubus reflexus* Ker

| 药 材 名 | 红泡刺（药用部位：根、叶）。

| 形态特征 | 攀缘灌木。高达 2 m。枝被锈色绒毛状毛，有稀疏小皮刺。单叶，表面无毛或沿叶脉疏生柔毛，背面密被锈色绒毛。花数朵集生于叶腋或组成顶生短总状花序；总花梗和花梗密被锈色长柔毛；花萼外密被锈色长柔毛和绒毛；花瓣长圆形至近圆形，白色，与萼片近等长。果实近球形，深红色；核有皱纹。花期 6 ~ 7 月，果期 8 ~ 9 月。

| 生境分布 | 生于海拔 300 ~ 1 000 m 的山坡林中或灌丛中。分布于广东大部分地区。

| 资源情况 | 野生资源较少，栽培资源丰富。药材来源于野生和栽培。

| 采收加工 | 根，夏、秋季采收，晒干。

| 功能主治 | 根，苦，平。祛风除湿，活血消肿，强筋骨。叶，活血止血。用于骨折，跌打损伤，痢疾，腹痛，发热头重。

| 用法用量 | 内服煎汤，15 ~ 30 g。

| 凭证标本号 | 441823190612002LY。

蔷薇科 Rosaceae 悬钩子属 *Rubus*

浅裂锈毛莓 *Rubus reflexus* Ker var. *hui* (Diels apud Hu) Metc.

| 药 材 名 | 胡氏悬钩子（药用部位：果实。别名：山佛手）。

| 形态特征 | 本种与锈毛莓 *Rubus reflexus* Ker 的区别在于本种叶片心状宽卵形或近圆形，长 8 ~ 13 cm，宽 7 ~ 12 cm，边缘浅裂，裂片急尖，顶生裂片比侧生裂片稍长或二者近等长。

| 生境分布 | 生于海拔 250 ~ 1 000 m 的丘陵、山地的灌丛中或林中。分布于广东从化、始兴、乳源、乐昌、南雄、德庆、博罗、惠东、龙门、大埔及深圳（市区）、肇庆（市区）等。

| 资源情况 | 野生资源较少，栽培资源丰富。药材来源于野生和栽培。

| 采收加工 | 8 ~ 9 月果实成熟时采摘，鲜用或晒干。

| **功能主治** | 微苦、辛，平。活血补血，补肾接骨。用于湿热痢疾，风湿痹痛。

| **用法用量** | 内服煎汤，3 ~ 9 g。外用适量，捣敷。

蔷薇科 Rosaceae 悬钩子属 *Rubus*

深裂锈毛莓 *Rubus reflexus* Ker var. *lanceolobus* Metc.

| 药材名 | 红泡刺（药用部位：根。别名：七爪风、黄牛簕桐、七裂叶悬钩子）。

| 形态特征 | 本种与锈毛莓 *Rubus reflexus* Ker 的区别在于本种叶片心状宽卵形或近圆形，边缘 5 ～ 7 深裂，裂片披针形或长圆状披针形。

| 生境分布 | 生于海拔 160 ～ 600 m 的山地、丘陵林中或灌丛中。分布于广东始兴、乳源、乐昌、宝安、高州、信宜、怀集、封开、高要、博罗、龙门、连平、阳春、连山、连南、英德、新兴及茂名（市区）等。

| 资源情况 | 野生资源较少，栽培资源丰富。药材来源于野生和栽培。

| 采收加工 | 全年均可采收，洗净，晒干。

| **功能主治** | 苦，平。祛风除湿，活血消肿。用于风湿痹痛，月经过多，崩漏，夹色伤寒，痢疾，风火牙痛。

| **用法用量** | 内服煎汤，6 ~ 9 g。

| **凭证标本号** | 441823191018016LY。

蔷薇科 Rosaceae 悬钩子属 *Rubus*

空心泡 *Rubus rosaefolius* Smith

| 药 材 名 | 倒触伞（药用部位：根、嫩枝尖、叶。别名：蔷薇莓、白花三月泡）。

| 形态特征 | 直立或攀缘灌木。高 2 ~ 3 m。小枝常有浅黄色腺点，疏生较直立皮刺。小叶 5 ~ 7，卵状披针形或披针形，两面疏生柔毛，有浅黄色发亮的腺点，背面沿中脉有稀疏小皮刺。花常 1 ~ 2，顶生或腋生；花直径 2 ~ 3 cm；花萼外被柔毛和腺点；花瓣长圆形、长倒卵形或近圆形，白色。果实卵球形或长圆状卵球形，红色，有光泽，无毛；核有深窝孔。花期 3 ~ 5 月，果期 6 ~ 7 月。

| 生境分布 | 生于海拔 50 ~ 500 m 的山地林中或灌丛中。分布于广东大部分地区。

| 资源情况 | 野生资源较少，栽培资源丰富。药材来源于野生和栽培。

| 采收加工 | 夏、秋季采收，鲜用或切片晒干。

| 功能主治 | 涩、微辛、苦，平。清热止咳，收敛止血，解毒接骨。用于肺热咳嗽，百日咳，咯血，盗汗，牙痛，筋骨痹痛，跌打损伤；外用于烫火伤。

| 用法用量 | 内服煎汤，15 ~ 30 g；或根浸酒。外用适量，嫩枝尖捣敷。

| 凭证标本号 | 441825190412019LY。

蔷薇科 Rosaceae 悬钩子属 *Rubus*

甜茶 *Rubus suavissimus* S. Lee.

| 药材名 | 甜叶悬钩子（药用部位：根、叶）。

| 形态特征 | 直立或倾斜有刺落叶灌木。高 1 ~ 3 m。茎、枝常被白粉。单叶互生，掌状 5 深裂或 7 深裂，边缘具重锯齿，两面被短柔毛；托叶常宿存，

下半部贴生于叶柄。花白色，单生于短枝先端，弯垂。聚合果卵球形，成熟时橙红色。花期 3 ～ 4 月，果期 6 月。

| 生境分布 | 生于海拔 200 ～ 900 m 的山地林中或灌丛中。广东阳山、连州、广宁及广州（市区）等有栽培。

| 资源情况 | 野生资源较少，栽培资源丰富。药材来源于野生和栽培。

| 采收加工 | 夏、秋季采收，晒干。

| 功能主治 | 甘、酸，温。补肾，降血压，清热生津。用于咽喉肿痛，无名肿毒，糖尿病，肾炎，小便不利，风湿骨痛，痢疾，高血压。

| 用法用量 | 内服煎汤，15 ～ 30 g。

蔷薇科 Rosaceae 悬钩子属 *Rubus*

红腺悬钩子 *Rubus sumatranus* Miq.

| 药 材 名 | 牛奶莓（药用部位：细根、块根。别名：腺毛悬钩子、马泡、长果悬钩子）。

| 形态特征 | 直立或攀缘灌木。小枝、叶轴、叶柄、花梗和花序均被紫红色腺毛、柔毛和皮刺。小叶 5 ~ 7，稀 3，卵状披针形至披针形，两面疏生柔毛，边缘具不整齐的尖锐锯齿。3 或数花组成伞房状花序，稀单生；花瓣长倒卵形或匙状，白色，基部具爪；花丝线形。果实长圆球形，长 1.2 ~ 1.8 cm，橘红色，无毛。花期 4 ~ 6 月，果期 7 ~ 8 月。

| 生境分布 | 生于海拔 200 ~ 900 m 的山地林中或灌丛中。广东各地均有分布。

| 资源情况 | 野生资源较少，栽培资源丰富。药材来源于野生和栽培。

| 采收加工 | 秋季采挖，洗净，晒干。

| 功能主治 | 苦，寒。清热解毒，开胃，利水。用于产后寒热腹痛，食纳不佳，身面浮肿，中耳炎，湿疹，黄水疮。

| 用法用量 | 内服煎汤，9 ~ 15 g。

| 凭证标本号 | 441825190806021LY。

蔷薇科 Rosaceae 悬钩子属 *Rubus*

木莓 *Rubus swinhoei* Hance

| 药 材 名 |

高脚老虎扭（药用部位：全株。别名：斯氏悬钩子）。

| 形态特征 |

落叶或半常绿灌木。高 1 ~ 4 m。单叶，宽卵形至长圆状披针形，下面密被灰色绒毛或近无毛，脉上疏生钩状小皮刺，边缘有不整齐粗锐锯齿。花常 5 ~ 6，组成总状花序；总花梗、花梗和花萼均被紫褐色腺毛和稀疏针刺；花直径 1 ~ 1.5 cm；花瓣白色，宽卵形或近圆形。果实球形，直径 1 ~ 1.5 cm，成熟时由绿紫红色变为黑紫色；核具明显皱纹。花期 5 ~ 6 月，果期 7 ~ 8 月。

| 生境分布 |

生于海拔 300 ~ 570 m 的山地、丘陵林中或灌丛中。分布于广东从化、始兴、仁化、乳源、乐昌、南雄、博罗、大埔、连山、英德、连州、饶平及深圳（市区）、惠州（市区）等。

| 资源情况 |

野生资源较少，栽培资源丰富。药材来源于野生和栽培。

| 采收加工 | 全年均可采收。

| 功能主治 | 涩、苦，平。凉血止血，活血调经，收敛解毒。用于阳痿，遗精，尿频，遗尿，虚劳，目暗。

| 用法用量 | 内服煎汤，6 ~ 12 g。

| 凭证标本号 | 441882180506018LY。

蔷薇科 Rosaceae 悬钩子属 *Rubus*

灰白毛莓 *Rubus tephrodes* Hance

| 药 材 名 | 乌龙摆尾（药用部位：根、叶、种子。别名：蓬藁、黑乌苞、灰绿悬钩子）。

| 形态特征 | 攀缘灌木。高 3 ~ 4 m。枝密被灰白色茸毛。单叶，近圆形，表面有疏柔毛或疏腺毛，背面密被灰白色茸毛。大型圆锥花序顶生；总花梗和花梗密被茸毛或茸毛状柔毛；花直径约 1 cm；花萼外密被灰白色茸毛；花瓣小，白色，近圆形至长圆形。果实球形，较大，直径达 1.4 cm，紫黑色，无毛，由多数小核果组成；核有皱纹。花期 6 ~ 8 月，果期 8 ~ 10 月。

| 生境分布 | 生于山地、丘陵林中或灌丛中。分布于广东乳源、乐昌、阳春、阳山、连山、连州等。

| 资源情况 | 野生资源较少，栽培资源丰富。药材来源于野生和栽培。

| 采收加工 | 夏、秋季采收，晒干。

| 功能主治 | 根，祛风除湿，活血调经。用于风湿疼痛，慢性肝炎，腹泻，痢疾，跌打损伤，月经不调。叶，止血，解毒。外用于外伤出血，痈疖疮疡。种子，补气益精。用于病后体虚，神经衰弱。

| 用法用量 | 内服煎汤，根 15 ~ 60 g，种子 15 ~ 30 g。外用适量，叶捣敷。

| 凭证标本号 | 441823200707023LY。

蔷薇科 Rosaceae 悬钩子属 *Rubus*

无腺灰白毛莓 *Rubus tephrodes* Hance var. *ampliflorus* (Lévl. et Vant.) Hand.-Mazz.

| 药 材 名 | 无腺灰白毛莓（药用部位：根）。

| 形态特征 | 攀缘灌木。高 3 ~ 4 m。枝密被灰白色绒毛，疏生微弯皮刺，无腺毛和刺毛。单叶，近圆形，上面有疏柔毛，下面密被灰白色绒毛。

大型圆锥花序顶生；总花梗和花梗密被绒毛或绒毛状柔毛，无腺毛；花瓣小，白色，近圆形至长圆形，比萼片短。果实球形，较大，紫黑色，无毛，由多数小核果组成；核有皱纹。花期 6 ~ 8 月，果期 8 ~ 10 月。

| **生境分布** | 生于低海拔的山地。分布于广东乳源、乐昌、阳春、阳山、连山、连州等。

| **资源情况** | 野生资源较少，栽培资源丰富。药材来源于野生和栽培。

| **采收加工** | 全年均可采收。

| **功能主治** | 酸、辛，温。活血通络，祛风除湿。

蔷薇科 Rosaceae 地榆属 *Sanguisorba*

地榆 *Sanguisorba officinalis* Linn.

| **药 材 名** | 黄瓜香（药用部位：根。别名：玉札、山枣子）。

| **形态特征** | 多年生草本。根肉质肥厚，纺锤状。奇数羽状复叶，有小叶 5 ~ 19；基生叶较大，具长柄；茎生叶较小，互生，叶柄短，两面无毛。花小而稠密，排成顶生伞房状穗状花序，穗状花序圆柱状；萼管喉部缢缩，裂片 4，花瓣状，紫红色，椭圆形或卵形；花瓣无。瘦果卵形，长约 3 mm，褐色，具纵棱，包藏于宿存萼内。花果期 7 ~ 10 月。

| **生境分布** | 生于海拔 150 ~ 1 200 m 的山谷、丘陵或平地的灌丛或草丛。分布于广东乳源、乐昌、阳山、连州等。

| **资源情况** | 野生资源较少，栽培资源一般。药材来源于野生和栽培。

| 采收加工 | 春、秋季采挖，除去须根，洗净，晒干或趁鲜时斜切片晒干。

| 药材性状 | 本品呈不规则圆柱形或纺锤形，稍弯曲或扭曲，长 5 ~ 25 cm，直径 0.5 ~ 2 cm。表面灰褐色、棕褐色或紫褐色，粗糙，有纵皱纹、横裂纹及须根痕，表皮不易剥离。质坚硬，不易折断，切片厚 0.2 ~ 0.5 cm，圆形或椭圆形，切面浅棕色或淡黄色，形成层明显，木质部有明显的放射状纹理。气微，味苦、涩。以根条粗大或片大、不带残茎、质坚硬、断面粉红色者为佳。

| 功能主治 | 苦、酸，微寒。凉血止血，收敛止泻。用于咯血，吐血，便血，尿血，痔疮出血，功能失调性子宫出血，带下，痢疾，慢性炎症；外用于烫火伤。

| 用法用量 | 内服煎汤，4.5 ~ 9 g。外用适量，研末涂敷。

| 凭证标本号 | 440232160113006LY。

蔷薇科 Rosaceae 花楸属 *Sorbus*

水榆花楸 *Sorbus alnifolia* (Sieb. et Zucc.) K. Koch

| 药 材 名 | 粘枣子（药用部位：果实。别名：千筋树、枫榆、花楸）。

| 形态特征 | 乔木。高达 20 m。小枝具灰白色皮孔。叶片卵形至椭圆状卵形，边缘有不整齐的尖锐重锯齿，有时微浅裂，两面无毛或在下面的中脉和侧脉上微具短柔毛。总花梗和花梗具稀疏柔毛；萼筒钟状；花瓣卵形或近圆形，白色。果实椭圆状球形或卵形，直径 7 ~ 10 mm，红色或黄色，不具斑点或具极少数细小斑点，2 室，萼片脱落后果实先端残留圆斑。花期 5 月，果期 8 ~ 9 月。

| 生境分布 | 生于山地林中。分布于广东乳源等。

| 资源情况 | 野生资源较少，栽培资源一般。药材来源于野生和栽培。

| **采收加工** | 秋季果实成熟时采摘，晒干。

| **功能主治** | 甘，平。养血补虚。用于血虚萎黄，劳倦乏力。

| **用法用量** | 内服煎汤，60 ~ 150 g。

蔷薇科 Rosaceae 花楸属 *Sorbus*

美脉花楸 *Sorbus caloneura* (Stapf) Rehd.

| 药 材 名 | 山黄果（药用部位：根、果实。别名：豆格盘、川花楸）。

| 形态特征 | 乔木或灌木。高达 10 m。叶片长椭圆形、长椭圆状卵形至长椭圆状倒卵形，上面常无毛，下面叶脉上有稀疏柔毛，侧脉 10 ~ 18 对。复伞房花序有多花，总花梗和花梗被稀疏黄色柔毛；萼筒钟状；花瓣宽卵形，白色。果实球形，稀倒卵形，直径约 1 cm，长 1 ~ 1.4 cm，褐色，外被显著斑点，4 ~ 5 室，萼片脱落后残留圆斑。花期 4 月，果期 8 ~ 10 月。

| 生境分布 | 生于海拔 400 ~ 1 200 m 的山谷、溪边或山坡林中。分布于广东仁化、翁源、乳源、乐昌、信宜、怀集、丰顺、五华、阳山、连山、连南、英德、饶平等。

| 资源情况 | 野生资源较少，栽培资源丰富。药材来源于野生和栽培。

| 采收加工 | 根，全年均可采收。果实，秋季采摘。

| 功能主治 | 甘、辛，平。消食健胃，收敛止泻。用于肠炎下痢，小儿疳积。

| 凭证标本号 | 441623180812046LY。

蔷薇科 Rosaceae 花楸属 *Sorbus*

石灰花楸 *Sorbus folgneri* (Schneid.) Rehd.

| 药 材 名 | 粉背叶（药用部位：茎。别名：石灰树、华盖木、毛栒子）。

| 形态特征 | 乔木。高达 10 m。叶片卵形至椭圆状卵形，边缘有细锯齿或新枝上的叶片有重锯齿和浅裂片，上面无毛，下面密被白色绒毛，中脉和侧脉上也具绒毛。复伞房花序具多花；总花梗和花梗均被白色绒毛；花瓣卵形，白色。果实椭圆形，直径 6 ~ 7 mm，红色，近平滑或有极少数不明显的细小斑点，2 ~ 3 室。花期 4 ~ 5 月，果期 7 ~ 8 月。

| 生境分布 | 生于中海拔的山地林中。分布于广东乳源、乐昌、连州等。

| 资源情况 | 野生资源较少，栽培资源丰富。药材来源于野生和栽培。

| 采收加工 | 全年均可采收。

| **功能主治** | 酸、苦，平。祛风除湿，舒筋活络。

| **用法用量** | 内服煎汤，20 ~ 30 g。外用适量，煎汤洗。

蔷薇科 Rosaceae 绣线菊属 *Spiraea*

绣球绣线菊 *Spiraea blumei* G. Don

| 药 材 名 | 珍珠绣球（药用部位：根。别名：麻叶绣球）。

| 形态特征 | 灌木。高 1 ~ 2 m。叶片菱状卵形至倒卵形，边缘自近中部以上有少数圆钝缺刻状锯齿或 3 ~ 5 浅裂，两面无毛，基部具有不明显的 3 脉或羽状脉。伞形花序有总梗，无毛；花瓣宽倒卵形，白色；子房无毛或仅在腹部微具短柔毛。蓇葖果较直立，无毛，花柱位于背部先端，倾斜开展，萼片直立。花期 4 ~ 6 月，果期 8 ~ 10 月。

| 生境分布 | 生于低海拔的山谷溪边或旷野灌丛。分布于广东乳源等。

| 资源情况 | 野生资源较少，栽培资源丰富。药材来源于野生和栽培。

| 采收加工 | 全年均可采挖，洗净，晒干。

| 功能主治 | 辛，微温。活血止痛，解毒祛湿。用于跌打损伤，瘀血疼痛。

蔷薇科 Rosaceae 绣线菊属 *Spiraea*

麻叶绣线菊 *Spiraea cantoniensis* Lour.

| 药 材 名 | 麻球（药用部位：叶、枝）。

| 形态特征 | 灌木。高达 1.5 m。叶片菱状披针形至菱状长圆形，上面深绿色，下面灰蓝色，两面无毛，有羽状叶脉。伞形花序具多花；花瓣近圆形或倒卵形，白色；子房近无毛。蓇葖果直立开张，无毛，花柱顶生，常倾斜开展，具直立开张萼片。花期 4 ~ 5 月，果期 7 ~ 9 月。

| 生境分布 | 生于低海拔的山坡灌丛。分布于广东乳源、英德、连州及广州（市区）等。

| 资源情况 | 野生资源较少，栽培资源丰富。药材来源于野生和栽培。

| 采收加工 | 春、夏季采收，晒干或鲜用。

功能主治 苦，凉。清热解毒，凉血，祛瘀，杀菌。外用于跌打损伤，疮疥，疥癣。

用法用量 外用适量，鲜品煎汤洗。

蔷薇科 Rosaceae 绣线菊属 *Spiraea*

中华绣线菊 *Spiraea chinensis* Maxim.

| **药材名** | 华绣线菊（药用部位：根。别名：铁黑汉条）。

| **形态特征** | 灌木。高 1.5 ~ 3 m。叶片菱状卵形至倒卵形，边缘有缺刻状粗锯齿或具不明显 3 裂，表面暗绿色，被短柔毛，背面密被黄色绒毛。伞形花序具花 16 ~ 25；花瓣近圆形，白色；子房具短柔毛。蓇葖果开张，全体被短柔毛，花柱顶生，直立或稍倾斜，具直立、稀反折的萼片。花期 3 ~ 6 月，果期 6 ~ 10 月。

| **生境分布** | 生于山地林中或灌丛中。分布于广东乳源、博罗、平远、和平、阳山、连州等。

| **资源情况** | 野生资源较少，栽培资源丰富。药材来源于野生和栽培。

| 采收加工 | 夏、秋季采收，晒干。

| 功能主治 | 微甘、苦，凉。清热解毒，祛风散瘀。用于风湿关节痛，咽喉肿痛。

| 用法用量 | 内服煎汤，15 ~ 20 g。

| 凭证标本号 | 440281190701003LY。

蔷薇科 Rosaceae 绣线菊属 *Spiraea*

渐尖粉花绣线菊 *Spiraea japonica* Linn. f. var. *acuminata* Franch.

| 药 材 名 | 狭叶绣线菊（药用部位：全株。别名：吹火筒）。

| 形态特征 | 直立灌木。高达 1.5 m。叶片长卵形至披针形，先端渐尖，基部楔形，长 3.5 ~ 8 cm，边缘有尖锐重锯齿，下面沿叶脉有短柔毛。复伞房花序直径 10 ~ 14 cm；花瓣卵形至圆形，粉红色。蓇葖果半开张，无毛或沿腹缝线有稀疏柔毛，花柱顶生，稍倾斜开展，萼片常直立。花期 6 ~ 7 月，果期 8 ~ 9 月。

| 生境分布 | 生于山坡旷地、疏密杂木林中、山谷或河沟旁。分布于广东乳源、乐昌等。

| 资源情况 | 野生资源较少，栽培资源一般。药材来源于野生和栽培。

| 采收加工 | 全年均可采收。

| 功能主治 | 微苦，平。清热解毒，活血调经，通利二便。用于闭经，月经不调，便结腹胀，小便不利。

| 用法用量 | 内服煎汤。

| 凭证标本号 | 440281190627024LY。

蔷薇科 Rosaceae 绣线菊属 *Spiraea*

光叶粉花绣线菊 *Spiraea japonica* Linn. f. var. *fortunei* (Planch.) Rehd.

| 药 材 名 | 光叶绣线菊（药用部位：根、嫩叶。别名：蚂蝗梢、大绣线菊）。

| 形态特征 | 直立灌木。较粉花绣线菊 *Spiraea japonica* Linn. f. 高大。叶片长圆状披针形，先端短渐尖，基部楔形，边缘具尖锐重锯齿，长 5 ~ 10 cm，上面有皱纹，两面无毛，下面有白霜。复伞房花序直径 4 ~ 8 cm；花粉红色；花盘不发达。蓇葖果半开张，无毛或沿腹缝线有稀疏柔毛，花柱顶生，稍倾斜开展，萼片常直立。花期 6 ~ 7 月，果期 8 ~ 9 月。

| 生境分布 | 生于山坡、田野或杂木林下。分布于广东乳源等。

| 资源情况 | 野生资源较少，栽培资源一般。药材来源于野生和栽培。

| **采收加工** | 根，全年均可采收，洗净，晒干。嫩叶，夏季采收。

| **功能主治** | 苦，凉。清热解毒。用于目赤肿痛，头痛，牙痛，肺热咳嗽；外用于创伤出血。

| **用法用量** | 内服煎汤，9 ~ 15 g。外用适量，煎汤熏洗。

蔷薇科 Rosaceae 野珠兰属 *Stephanandra*

华空木 *Stephanandra chinensis* Hance

| 药 材 名 | 中国小米空木（药用部位：根。别名：野珠兰）。

| 形态特征 | 灌木。高达 1.5 m。叶片卵形至长椭圆状卵形，边缘常浅裂并有重锯齿，两面无毛或下面沿叶脉微具柔毛；托叶线状，宿存。顶生疏松的圆锥花序；总花梗和花梗均无毛；花瓣倒卵形，白色。蓇葖果近球形，直径约 2 mm，被稀疏柔毛，具宿存直立的萼片；种子 1，卵球形。花期 5 月，果期 7 ~ 8 月。

| 生境分布 | 生于海拔 1 000 ~ 1 500 m 的阔叶林边或灌丛中。分布于广东仁化、乳源、连州等。

| 资源情况 | 野生资源较少，栽培资源一般。药材来源于野生和栽培。

| 采收加工 | 全年均可采收。

| 功能主治 | 苦，微寒。解毒利咽，止血调经。用于咽喉肿痛，血崩，月经不调。

| 用法用量 | 内服煎汤，15 ~ 30 g。

| 凭证标本号 | 441224180901008LY。

蜡梅科 Calycanthaceae 蜡梅属 *Chimonanthus*

蜡梅 *Chimonanthus praecox* (Linn.) Link

| 药 材 名 | 黄梅花（药用部位：花蕾、根或根皮、茎。别名：黄腊梅、腊木、铁筷子）。

| 形态特征 | 落叶灌木。高达 4 m。叶纸质至近革质，卵圆形、椭圆形、宽椭圆形至卵状椭圆形。花着生于第二年生枝条叶腋内，先花后叶，芳香；花被片圆形、长圆形、倒卵形、椭圆形或匙形。果托近木质化，坛状或倒卵状椭圆形，长 2 ~ 5 cm，直径 1 ~ 2.5 cm，口部收缩，并具有钻状披针形的被毛附生物。花期 11 月至翌年 3 月，果期 4 ~ 11 月。

| 生境分布 | 栽培种。广东各地均有栽培。

| 资源情况 | 栽培资源丰富。药材来源于栽培。

| 采收加工 | 冬季采收花蕾，夏、秋季采收根、茎，晒干。

| 功能主治 | 花蕾，辛，凉。解暑生津，开胃散郁，止咳。用于暑热头晕，呕吐，气郁胃闷，麻疹，百日咳。根或根皮，辛，温。祛风，解毒，止血。根用于风寒感冒，腰肌劳损，风湿性关节炎；根皮外用于刀伤出血。

| 用法用量 | 内服煎汤，花蕾 3 ~ 6 g，根 10 ~ 15 g。外用适量，根或根皮研末调敷。

| 凭证标本号 | 441823200102001LY。

含羞草科 Mimosaceae 相思树属 *Acacia*

大叶相思 *Acacia auriculiformis* A. Cunn. ex Benth.

| 药 材 名 | 耳叶相思（药用部位：叶）。

| 形态特征 | 常绿乔木。枝条下垂，树皮平滑，灰白色；小枝无毛，皮孔显著。叶状柄镰状长圆形，长 10 ~ 20 cm，宽 1.5 ~ 4（~ 6）cm，两端渐狭，有较显著的 3 ~ 7 主脉。穗状花序长 3.5 ~ 8 cm，簇生于叶腋或枝顶；花橙黄色；花萼长 0.5 ~ 1 mm，先端浅齿裂；花瓣长圆形，长 1.5 ~ 2 mm；花丝长 2.5 ~ 4 mm。荚果成熟时旋卷，长 5 ~ 8 cm，宽 8 ~ 12 mm，果瓣木质，每果实内有约 12 种子；种子黑色，围以折叠的珠柄。

| 生境分布 | 栽培种。广东广州（市区）、肇庆（市区）、深圳（市区）等有栽培。

| 资源情况 | 野生资源较少，栽培资源丰富。药材来源于野生和栽培。

| 采收加工 | 全年均可采收，晒干。

| 功能主治 | 用于风湿肿痛。

| 用法用量 | 内服煎汤，1 ~ 3 g。

| 凭证标本号 | 441523190917004LY。

含羞草科 Mimosaceae 相思树属 *Acacia*

儿茶 *Acacia catechu* (Linn. f.) Willd.

| 药 材 名 |

儿茶膏（药材来源：树干加水煎汁而成的干浸膏。别名：孩儿茶、黑儿茶）。

| 形态特征 |

乔木。高 6 ~ 10 m。树皮棕色，常呈条状薄片样开裂，不脱落。小枝被短柔毛。托叶下面常有 1 对扁平、棕色的钩状刺或无。二回羽状复叶，总叶柄近基部及叶轴顶部数对羽片间有腺体；叶轴被长柔毛；羽片 10 ~ 30 对；小叶 20 ~ 50 对，线形，被缘毛。穗状花序长 2.5 ~ 10 cm，生于叶腋；花淡黄色或白色；花萼长 1.2 ~ 1.5 cm，钟状，萼齿三角形，被毛；花瓣披针形或倒披针形，长 2.5 cm，被疏柔毛。荚果带状，长 5 ~ 12 cm，棕色，有光泽，开裂，先端有喙尖；种子 3 ~ 10。花期 4 ~ 8 月，果期 9 月至翌年 1 月。

| 生境分布 |

栽培种。广东湛江（市区）、广州（市区）等有引种栽培。

| 资源情况 |

栽培资源丰富。药材来源于栽培。

| 采收加工 | 全年均可采收，树干加水煎汁制成干浸膏。

| 药材性状 | 本品呈方形或不规则块状，大小不一。表面棕褐色或黑褐色，光滑而稍有光泽。质硬，易碎，断面不整齐，具光泽，有细孔，遇潮有黏性。无臭，味涩、苦，略回甘。

| 功能主治 | 苦、涩，微寒。清热化痰，敛疮止血。

| 用法用量 | 内服煎汤，1 ~ 3 g。外用适量，研末撒；或研末调敷。

含羞草科 Mimosaceae 相思树属 *Acacia*

台湾相思 *Acacia confusa* Merr.

| 药 材 名 | 相思仔（药用部位：枝叶。别名：台湾柳、相思树）。

| 形态特征 | 乔木。高 6 ~ 15 m，无毛。枝灰色或褐色，无刺；小枝纤细。苗期第一片真叶为羽状复叶，后小叶退化，叶柄变为叶状柄；叶状柄革质，长 6 ~ 10 cm，披针形，直或微呈弯镰状，两面无毛。头状花序球形，簇生于叶腋，直径约 1 cm；花金黄色，有微香；花萼长约为花冠之半；花瓣淡绿色；雄蕊长超出花冠；子房被黄褐色柔毛。荚果扁平，长 4 ~ 9（~ 12）cm，干时深褐色，有光泽，种子间微缢缩，先端钝而有凸头；种子 2 ~ 8，椭圆形，压扁。花期 3 ~ 10 月，果期 8 ~ 12 月。

| 生境分布 | 栽培种。广东各地均有栽培。

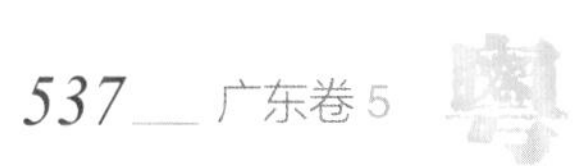

| 资源情况 | 栽培资源丰富。药材来源于栽培。

| 采收加工 | 全年均可采收，晒干。

| 功能主治 | 祛腐生肌。外用于烂疮。

| 用法用量 | 外用适量，煎汤洗。

| 凭证标本号 | 441523190402013LY。

含羞草科 Mimosaceae 相思树属 *Acacia*

金合欢 *Acacia farnesiana* (Linn.) Willd.

| 药材名 | 鸭皂树（药用部位：树皮、根、叶。别名：消息花、金钱梅、牛角花）。

| 形态特征 | 灌木或小乔木。高 2 ~ 4 m。树皮粗糙，褐色，多分枝；小枝常呈“之”字形弯曲。托叶针刺状；二回羽状复叶，长 2 ~ 7 cm，叶轴槽状，被灰白色柔毛，有腺体；羽片 4 ~ 8 对；小叶 10 ~ 20 对，线状长圆形，无毛。头状花序簇生于叶腋，直径 1 ~ 1.5 cm；总花梗被毛；苞片位于总花梗的先端或近顶部；花黄色，有香味；雄蕊长约为花冠的 2 倍。荚果膨胀，近圆柱状，长 3 ~ 7 cm，褐色，无毛，劲直或弯曲；种子多数，褐色，卵形。花期 3 ~ 6 月，果期 7 ~ 11 月。

| 生境分布 | 栽培种。广东西南部、中部各地均有栽培。

| 资源情况 | 栽培资源丰富。药材来源于栽培。

| **采收加工** | 夏、秋季采收，晒干。

| **功能主治** | 微酸、涩，平。消痈排脓，收敛止血。用于肺热咳嗽，咯血，腹泻，小儿消化不良；外用于疮疡久不收口，湿疹，口疮，扁桃体炎。

| **用法用量** | 内服煎汤，1 ~ 3 g。外用适量，研末撒；或研末调敷。

| **凭证标本号** | 441882190615017LY。

含羞草科 Mimosaceae 相思树属 *Acacia*

黑荆 *Acacia mearnsi* De Wilde

| 药 材 名 | 澳洲金合欢（药用部位：树皮。别名：黑儿茶）。

| 形态特征 | 乔木。高 9 ~ 15 m。小枝有棱，被灰白色短绒毛。二回羽状复叶，嫩叶被金黄色短绒毛，成长叶被灰色短柔毛；羽片 8 ~ 20 对，长 2 ~ 7 cm；小叶 30 ~ 40 对，排列紧密，线形，边缘、下面或两面均被短柔毛。头状花序圆球形，直径 6 ~ 7 mm，在叶腋排成总状花序或在枝顶排成圆锥花序；花序轴被黄色、稠密的短绒毛；花淡黄或白色。荚果长圆形，压扁，长 5 ~ 10 cm，种子间略收窄，被短柔毛，老时黑色；种子卵圆形，黑色，有光泽。花期 6 月，果期 8 月。

| 生境分布 | 生于海拔 120 ~ 1 800 m 阳坡的山腰、山脚地带。广东大部分地区有栽培。

| **资源情况** | 野生资源较少，栽培资源丰富。药材来源于野生和栽培。

| **采收加工** | 全年均可采收。

| **功能主治** | 止血。用于外伤出血。

含羞草科 Mimosaceae 相思树属 *Acacia*

羽叶金合欢 *Acacia pennata* (Linn.) Willd.

| 药 材 名 | 蛇藤（药用部位：根、老茎。别名：龙骨刺、臭菜、南蛇簕藤）。

| 形态特征 | 攀缘多刺藤本。小枝和叶轴均被锈色短柔毛。羽片 8 ~ 22 对；小叶 30 ~ 54 对，线形，长 5 ~ 10 mm，彼此紧靠，先端稍钝，基部平截，具缘毛，中脉靠近上边缘。头状花序圆球形，直径约 1 cm；总花梗长 1 ~ 2 cm，单生或 2 ~ 3 聚生，排成腋生或顶生的圆锥花序，被暗褐色柔毛；花萼近钟状，5 齿裂；花冠长约 2 mm；子房被微柔毛。果实带状，长 9 ~ 20 cm，无毛或幼时有极细柔毛，边缘稍隆起，呈浅波状；种子 8 ~ 12，长椭圆形而扁。花期 3 ~ 10 月，果期 7 月至翌年 4 月。

| 生境分布 | 常攀附于灌木或小乔木的顶部。分布于广东博罗及肇庆（市区）、

茂名（市区）、阳江（市区）、云浮（市区）等。

| 资源情况 | 野生资源一般，栽培资源一般。药材来源于野生和栽培。

| 采收加工 | 秋、冬季采收，晒干。

| 功能主治 | 苦、辛、微甘、涩，微温。祛风湿，强筋骨，活血止痛。用于脊椎损伤，腰脊、四肢风湿痹痛等。

| 用法用量 | 内服煎汤，15 ~ 30 g。

| 凭证标本号 | 440224180530026LY。

含羞草科 Mimosaceae 相思树属 *Acacia*

藤金合欢 *Acacia sinuata* (Lour.) Merr.

| 药 材 名 | 南蛇公（药用部位：全株或叶。别名：小样南蛇簕、小金合欢）。

| 形态特征 | 攀缘藤本。小枝、叶轴被灰色短茸毛，有散生、多而小的倒刺。托叶卵状心形，早落；二回羽状复叶，长 10 ~ 20 cm；羽片 6 ~ 10 对，长 8 ~ 12 cm；小叶 15 ~ 25 对，线状长圆形，上面淡绿色，下面粉白色，两面被粗毛或变无毛，具缘毛；中脉偏于上缘。头状花序球形，直径 9 ~ 12 mm，再排成圆锥花序，花序分枝被茸毛；花白色或淡黄色，芳香；花萼漏斗状；花冠稍突出。荚果带形，长 8 ~ 15 cm，边缘直或微波状，干时褐色，有种子 6 ~ 10。花期 4 ~ 6 月，果期 7 ~ 12 月。

| 生境分布 | 生于疏林或灌丛中。分布于广东翁源、乳源、乐昌、封开、大埔、

和平、阳山、连山、连州及深圳（市区）等。

| 资源情况 | 野生资源较少，栽培资源丰富。药材来源于野生和栽培。

| 采收加工 | 全年均可采收，多鲜用。

| 功能主治 | 甘、淡，凉。解毒消肿。用于腹痛，牙痛，口腔溃疡，外伤肿痛等。

| 用法用量 | 内服煎汤，鲜品 30 ~ 60 g；或捣汁冲酒。外用适量，鲜品捣搽；或取汁口含。

| 凭证标本号 | 441523190516004LY。

含羞草科 Mimosaceae 海红豆属 *Adenanthera*

海红豆 *Adenanthera pavonina* Linn. var. *microsperma* (Teijsm. et Binnend.) Nielsen

| 药 材 名 | 孔雀豆（药用部位：叶、种子。别名：相思格）。

| 形态特征 | 乔木。高 5 ~ 20 m。嫩枝被微柔毛。二回羽状复叶；叶柄和叶轴被微柔毛；羽片 3 ~ 5 对；小叶 4 ~ 7 对，互生，长圆形或卵形，两面均被微柔毛，具短柄。总状花序单生于叶腋或在枝顶排成圆锥花序，被短柔毛；花小，白色或黄色，有香味，具短梗；花萼与花梗同被金黄色柔毛；花瓣披针形，基部稍合生；雄蕊 10，与花冠等长或稍长。荚果狭长圆形，盘旋，长 10 ~ 20 cm，开裂后果瓣旋卷；种子近圆球形至椭球形，鲜红色，有光泽。花期 4 ~ 7 月，果期 7 ~ 10 月。

| 生境分布 | 生于山沟、溪边、林中。栽培于园庭。分布于广东徐闻、博罗、德庆、

惠东、郁南、高州、封开、海丰、英德、阳春、阳山及云浮（市区）、广州（市区）、茂名（市区）、清远（市区）、肇庆（市区）、珠海（市区）等。

| 资源情况 | 野生资源较少，栽培资源丰富。药材来源于野生和栽培。

| 采收加工 | 全年均可采收叶，秋、冬季采收成熟的果实，剥取种子，晒干。

| 药材性状 | 本品种子呈阔卵形或椭圆形，长 5.5 ~ 8 mm，表面鲜红色，光亮，一端可见种脐。

| 功能主治 | 种子，微苦、辛，微寒；有小毒。疏风清热，燥湿止痒，润肤养颜。用于面部黑斑，痤疮，头面游风，花斑癣。

| 用法用量 | 外用适量，研末涂。

| 凭证标本号 | 440783200102004LY。

含羞草科 Mimosaceae 合欢属 *Albizia*

楹树 *Albizia chinensis* (Osb.) Merr.

| 药 材 名 | 牛尾木（药用部位：树皮）。

| 形态特征 | 乔木。高达 30 m。小枝被黄色柔毛。托叶大，心形，早落。二回羽状复叶；羽片 6 ~ 12 对；总叶柄基部和叶轴上有腺体；小叶 20 ~ 35（~ 40）对，无柄，长椭圆形，先端渐尖，基部近平截，具缘毛，下面被长柔毛；中脉紧靠上缘。头状花序有花 10 ~ 20，生于密被柔毛的总花梗上，再排成顶生的圆锥花序；花绿白色或淡黄色，密被黄褐色茸毛；花萼漏斗状，有 5 短齿；花冠长约为花萼的 2 倍。荚果扁平，长 10 ~ 15 cm，幼时稍被柔毛，后毛脱落。花期 3 ~ 5 月，果期 6 ~ 12 月。

| 生境分布 | 多生于林中、旷野、谷地、河溪边等处。分布于广东翁源、徐闻及

广州（市区）、深圳（市区）、肇庆（市区）、惠州（市区）等。

| 资源情况 | 野生资源较少，栽培资源丰富。药材来源于野生和栽培。

| 采收加工 | 夏、秋季采收，晒干。

| 功能主治 | 淡、涩，平。固涩止泻，收敛生肌。用于肠炎，腹泻，痢疾。

| 用法用量 | 内服煎汤，9 ~ 15 g。

| 凭证标本号 | 440781190318023LY。

含羞草科 Mimosaceae 合欢属 *Albizia*

天香藤 *Albizia corniculata* (Lour.) Druce

| 药 材 名 | 藤山丝（药用部位：藤茎。别名：刺藤）。

| 形态特征 | 攀缘灌木或藤本。长约 20 m。幼枝稍被柔毛。叶柄下常有一下弯的粗短刺；托叶小，脱落；二回羽状复叶；羽片 2 ~ 6 对；总叶柄近基部有 1 腺体；小叶 4 ~ 10 对，长圆形或倒卵形，先端极钝或有时微缺，或具硬细尖，上面无毛，下面疏被微柔毛。头状花序有花 6 ~ 12，再排成顶生或腋生的圆锥花序；总花梗柔弱，疏被短柔毛；花萼与花冠被微柔毛；花冠白色；花丝长 1 cm。荚果带状，长 10 ~ 20 cm，扁平，无毛；种子 7 ~ 11，长圆形，褐色。花期 4 ~ 7 月，果期 8 ~ 11 月。

| 生境分布 | 生于旷野或山地疏林中，常攀附于树上。分布于广东大部分地区。

| 资源情况 | 野生资源较少，栽培资源丰富。药材来源于野生和栽培。

| 采收加工 | 全年均可采收，晒干。

| 功能主治 | 甘，平。行气散瘀，止血。用于跌打损伤，创伤出血。

| 用法用量 | 内服煎汤，25 ~ 50 g。

| 凭证标本号 | 440785180714057LY。

含羞草科 Mimosaceae 合欢属 *Albizia*

南洋楹 *Albizia falcataria* (Linn.) Baker ex Merr.

| 药 材 名 | 仁仁树（药用部位：树皮。别名：仁人木）。

| 形态特征 | 乔木。高可达 45 m。树干通直，嫩枝圆柱状或微有棱，被柔毛。托叶锥形，早落；羽片 6 ～ 20 对，上部的通常对生，下部的有时互生；总叶柄基部及叶轴中部以上羽片着生处有腺体；小叶 6 ～ 26 对，无柄，菱状长圆形，长 1 ～ 1.5 cm，宽 3 ～ 6 mm，先端急尖，基部圆钝或近截形；中脉偏于上边缘。穗状花序腋生，单生或数个组成圆锥花序；花初白色，后变黄色；花萼钟状；花瓣密被短柔毛，基部连合。荚果带形，长 10 ～ 13 cm，成熟时开裂；种子多数。花期 4 ～ 7 月。

| 生境分布 | 栽培种。广东中部以南大部分地区有栽培。

| 资源情况 | 栽培资源丰富。药材来源于栽培。

| 采收加工 | 全年均可采收，晒干或鲜用。

| 功能主治 | 淡、涩。固涩止泻，收敛生肌。用于吐泻，疮疡溃烂久不收口，外伤出血。

| 用法用量 | 内服煎汤，9 ~ 15 g。外用适量，鲜品捣敷。

| 凭证标本号 | 440882180512025LY。

含羞草科 Mimosaceae 合欢属 *Albizia*

合欢 *Albizia julibrissin* Durazz.

| 药 材 名 | 合欢皮（药用部位：茎皮、花。别名：绒花树、芙蓉花树、马樱花）。

| 形态特征 | 乔木。高可达 16 m。小枝有棱。嫩枝、花序和叶轴被绒毛或短柔毛。托叶线状披针形，早落；二回羽状复叶，总叶柄近基部及最顶部 1 对羽片着生处各有 1 腺体；羽片 4 ~ 12 对；小叶 10 ~ 30 对，线形至长圆形，向上偏斜，先端有小尖头，具缘毛；中脉紧靠上缘。头状花序于枝顶排成圆锥花序；花粉红色；花萼管状；花冠裂片三角形；花萼、花冠外均被短柔毛；花丝长 2.5 cm。荚果带状，长 9 ~ 15 cm，嫩荚有柔毛，老荚无毛。花期 6 ~ 7 月，果期 8 ~ 10 月。

| 生境分布 | 生于山坡。分布于广东乳源、乐昌等。广东乳源、乐昌等有栽培。

| 资源情况 | 野生资源较少，栽培资源丰富。药材来源于野生和栽培。

| 采收加工 | 全年均可采收，晒干。

| 功能主治 | 茎皮，甘，平。安神解郁，和血止痛。花，甘、苦，平。养心，开胃，理气，安神解郁。用于心烦，郁闷少眠。

| 用法用量 | 内服煎汤，6 ~ 12 g。外用适量，研末调敷。

含羞草科 Mimosaceae 合欢属 *Albizia*

山槐 *Albizia kalkora* (Roxb.) Prain

| 药材名 | 山合欢（药用部位：茎皮。别名：黑心树、夜蒿树）。

| 形态特征 | 灌木或小乔木。高 3 ～ 8 m。枝条暗褐色，被短柔毛，有显著皮孔。二回羽状复叶；羽片 2 ～ 4 对；小叶 5 ～ 14 对，长圆形，先端圆钝而有细尖头，基部不对称，两面均被短柔毛，中脉稍偏于上侧。头状花序 2 ～ 7，生于叶腋，或于枝顶排成圆锥花序；花初白色，后变黄色；花萼管状，5 齿裂；花冠中部以下连合，裂片披针形，花萼、花冠均密被长柔毛；雄蕊长 2.5 ～ 3.5 cm，基部连合。荚果带状，长 7 ～ 17 cm，深棕色，嫩荚密被短柔毛，老荚无毛；种子 4 ～ 12，倒卵形。花期 5 ～ 6 月，果期 8 ～ 10 月。

| 生境分布 | 生于山坡灌丛、疏林中。分布于广东始兴、乳源、徐闻、和平、连山、

英德、连州等。

| **资源情况** | 野生资源较少，栽培资源丰富。药材来源于野生和栽培。

| **采收加工** | 全年均可采收，晒干。

| **功能主治** | 甘，平。安神解郁，和血止痛。用于心神不安，失眠健忘，肺脓疡，咳脓痰，筋骨损伤，痈疖肿痛，风火眼疾，视物不清，咽喉肿痛。

| **用法用量** | 内服煎汤，3 ~ 9 g。

| **凭证标本号** | 440781190711025LY。

含羞草科 Mimosaceae 合欢属 *Albizia*

阔荚合欢 *Albizia lebbeck* (Linn.) Benth.

| 药 材 名 | 大叶合欢（药用部位：茎皮）。

| 形态特征 | 乔木。高 8 ~ 12 m。树皮粗糙；嫩枝密被短柔毛，后无毛。二回羽状复叶；总叶柄近基部及叶轴上羽片着生处均有腺体；羽片 2 ~ 4 对，长 6 ~ 15 cm；小叶 4 ~ 8 对，长椭圆形，先端圆钝或微凹，两面无毛或下面疏被微柔毛，中脉略偏于上缘。头状花序直径 3 ~ 4 cm；总花梗长 7 ~ 9 cm，聚生于叶腋；花芳香；花萼管状；花冠黄绿色；雄蕊白色或淡黄绿色。荚果带状，长 15 ~ 28 cm，扁平，麦秆色，光亮，常宿存；种子 4 ~ 12，椭圆形，棕色。花期 5 ~ 9 月，果期 10 月至翌年 5 月。

| 生境分布 | 栽培种。广东博罗及广州（市区）、深圳（市区）、肇庆（市区）

等有栽培。

| **资源情况** | 野生资源较少，栽培资源丰富。药材来源于野生和栽培。

| **采收加工** | 全年均可采收，晒干或鲜用。

| **功能主治** | 苦，平。消肿镇痛，收敛止泻。

| **用法用量** | 内服煎汤，10 ~ 15 g。外用适量，鲜品捣敷。

| **凭证标本号** | 441422190715242LY。

含羞草科 Mimosaceae 猴耳环属 *Archidendron*

猴耳环 *Archidendron clypearia* (Jack.) Nielsen

| 药 材 名 | 鸡心树（药用部位：叶、果实、种子。别名：围诞树）。

| 形态特征 | 乔木。高可达 10 m。小枝、叶柄、叶片上下均被黄褐色绒毛。托叶早落；二回羽状复叶；羽片 3 ～ 8 对；叶轴及叶柄近基部处有腺体，最下部羽片有小叶 3 ～ 6 对，最顶部羽片有小叶 10 ～ 16 对；小叶革质，斜菱形，上部最大，向下渐小，基部极不对称。头状圆锥花序腋生或顶生；花具短梗；花萼钟状，与花冠同密被褐色柔毛；花冠白色或淡黄色，雄蕊长约为花冠的 2 倍。荚果旋卷，边缘在种子间缢缩；种子 4 ～ 10，椭圆形或阔椭圆形，黑色，种皮皱缩。花期 2 ～ 6 月，果期 4 ～ 8 月。

| 生境分布 | 生于疏林或密林中。分布于广东乳源、开平、鹤山、恩平、徐闻、

信宜、鼎湖、封开、博罗、龙门、大埔、丰顺、五华、蕉岭、陆河、阳山、连山、饶平及广州（市区）、深圳（市区）、汕头（市区）、佛山（市区）、茂名（市区）等。

| 资源情况 | 野生资源较少，栽培资源丰富。药材来源于野生和栽培。

| 采收加工 | 夏、秋季采收，晒干或鲜用。

| 药材性状 | 本品叶互生，为二回羽状复叶，羽片常 3 ~ 8 对，有的多达 11 对；小叶常卷缩或破碎，易脱落，近革质，菱形，顶生的小叶最大，长 2 ~ 6 cm，上面深绿色至棕黄色，微有光泽，下面色较浅。气微，味微涩。

| 功能主治 | 微苦、涩，凉。清热解毒，凉血消肿。用于上呼吸道感染，咽喉炎，扁桃体炎，痢疾；外用于烫火伤，疮痈疖肿。

| 用法用量 | 内服煎汤，10 ~ 15 g。外用适量，干品研末调茶油涂；或鲜叶捣敷。

| 凭证标本号 | 441523190403039LY。

含羞草科 Mimosaceae 猴耳环属 *Archidendron*

亮叶猴耳环 *Archidendron lucidum* (Benth.) Nielsen

| 药 材 名 | 亮叶围涎树（药用部位：枝叶。别名：雷公凿、亮叶围诞树、围涎树）。

| 形态特征 | 乔木。高 2 ~ 10 m。小枝无刺，嫩枝、叶柄和花序均被褐色短茸毛。羽片 1 ~ 2 对；总叶柄近基部、每对羽片下和小叶片下的叶轴上均有腺体；下部羽片具 2 ~ 3 对小叶，上部羽片具 4 ~ 5 对小叶；小叶斜卵形，顶生的 1 对最大，对生，其余互生且较小。头状圆锥花序，有花 10 ~ 20；球形小花，腋生或顶生；花萼与花冠同被褐色短茸毛；花瓣白色，中部以下合生。荚果旋卷成环状，边缘在种子间缢缩；种子黑色，长约 1.5 cm，宽约 1 cm。花期 4 ~ 6 月，果期 7 ~ 12 月。

| 生境分布 | 多生于混交林或阔叶林中。分布于广东大部分地区。

| 资源情况 | 野生资源较少，栽培资源丰富。药材来源于野生和栽培。

| 采收加工 | 夏、秋季采收，晒干。

| 功能主治 | 微苦、辛，凉；有小毒。祛风消肿，凉血解毒，收敛生肌。用于风湿骨痛，跌打损伤，烫火伤，溃疡。

| 用法用量 | 内服煎汤，6 ~ 9 g。

| 凭证标本号 | 441422190121253LY。

含羞草科 Mimosaceae 猴耳环属 *Archidendron*

大叶合欢 *Archidendron turgidum* (Merr.) I. C. Nielsen [*Cylindrokelupha turgida* (Merr.) T. L. Wu]

| 药 材 名 | 鼎湖合欢（药用部位：根。别名：桂合欢、胀荚合欢）。

| 形态特征 | 乔木。高 4 ~ 9 m。嫩枝、叶轴密被锈色绒毛。二回羽状复叶，羽片 1 对；总叶柄近顶部及每对小叶着生处均有 1 腺体；小叶 2 ~ 3 对，纸质，长圆形至斜椭圆形，长 7 ~ 20 cm，先端具长或短的尖头，基部急尖或浑圆。头状圆锥花序腋生或顶生，有约 20 花，直径约 1.5 cm；花白色；花萼杯状，5 齿裂；花冠与萼片被白色绒毛。荚果膨胀，带状，长 7 ~ 20 cm，宽 2.5 ~ 3.5 cm，厚 1 ~ 1.5 cm；种子椭圆形，棕色，光滑。花期 4 ~ 5 月，果期 7 ~ 12 月。

| 生境分布 | 生于山沟林中。分布于广东恩平、高州、信宜、阳春、新兴及肇庆（市区）、云浮（市区）等。

| **资源情况** | 野生资源较少，栽培资源丰富。药材来源于野生和栽培。

| **采收加工** | 全年均可采收，晒干。

| **功能主治** | 止痛。用于腹痛。

| **用法用量** | 内服煎汤，10 ~ 15 g。

| **凭证标本号** | 440785180506079LY。

含羞草科 Mimosaceae 榼藤属 *Entada*

榼藤 *Entada phaseoloides* (Linn.) Merr.

| 药 材 名 | 过岗扁龙（药用部位：藤茎、种仁。别名：过江龙、眼镜豆、牛眼睛）。

| 形态特征 | 木质藤本。二回羽状复叶，长 10 ~ 25 cm；羽片通常 2 对，顶生 1 对羽片变为卷须；小叶 2 ~ 4 对，对生，革质，长椭圆形或长倒卵形，主脉稍弯曲，主脉两侧的叶面不等大。穗状花序长 15 ~ 25 cm；花白色，细小，略香；花萼阔钟状，具 5 齿；花瓣 5，基部稍连合；雄蕊稍长于花冠；花柱丝状。荚果长达 1 m，宽 8 ~ 12 cm，弯曲，扁平，木质，成熟时逐节脱落；种子扁圆形，直径 4 ~ 6 cm，暗褐色，成熟后种皮木质，有光泽，具网纹。花期 3 ~ 6 月，果期 8 ~ 11 月。

| 生境分布 | 生于山涧或山坡混交林中，攀缘于大乔木上。分布于广东大部分地区。

| 资源情况 | 野生资源较少，栽培资源丰富。药材来源于野生和栽培。

| 采收加工 | 藤茎，全年均可采收，洗净，切块片，蒸后晒干。种仁，冬、春季种子成熟时采收，晒干。

| 药材性状 | 本品藤茎为不规则块片，大小不等，厚 1 ~ 2 cm。外皮棕褐色或淡棕色，粗糙，有灰白色地衣斑块，具明显纵皱纹或纵沟纹，有点状皮孔和枝痕，一侧常有 1 棱脊状突起。切面皮部深棕色，有红棕色或棕黑色树脂状物渗出，木部棕色或浅棕色，有多数导管孔，环绕髓部有 1 圈红棕色树脂状物，位置偏于有棱脊的一侧。质坚硬，不易折断。气微，味微涩。以片大、色红、树脂状物多者为佳。

| 功能主治 | 藤茎，微苦、涩，平。祛风除湿，活血通络。用于风湿痹痛，跌打损伤，腰肌劳损，四肢麻木。种仁，微甘、涩，平；有毒。利湿消肿。用于风湿性关节炎，跌打损伤，四肢麻木。

| 用法用量 | 内服煎汤，9 ~ 30 g；或浸酒。外用适量，煎汤洗。种仁有毒，内服不宜过量。

| 凭证标本号 | 441422190217238LY。

含羞草科 Mimosaceae 银合欢属 *Leucaena*

银合欢 *Leucaena leucocephala* (Lam.) de Wit.

| 药 材 名 | 白合欢（药用部位：叶）。

| 形态特征 | 灌木或小乔木。高 2 ~ 6 m。幼枝、叶轴被柔毛。托叶小三角形；羽片 4 ~ 8 对，长 5 ~ 9 cm，最下 1 对羽片着生处有 1 黑色腺体；小叶 5 ~ 15 对，线状长圆形，先端急尖，基部楔形，中脉偏上缘。头状花序腋生，直径 2 ~ 3 cm；苞片早落；花白色；花萼先端具 5 细齿；花瓣狭倒披针形；雄蕊 10；苞片、花萼外面、花瓣外面、雄蕊均被柔毛。荚果带状，长 10 ~ 18 cm，先端凸尖，纵裂，被微柔毛；种子 6 ~ 25，卵形，褐色，扁平，光亮。花期 4 ~ 7 月，果期 8 ~ 10 月。

| 生境分布 | 生于低海拔的荒地或疏林中。分布于广东徐闻、梅县及广州（市区）、

深圳（市区）、珠海（市区）、汕头（市区）、湛江（市区）、肇庆（市区）、云浮（市区）等。

| 资源情况 | 野生资源较少，栽培资源丰富。药材来源于野生和栽培。

| 采收加工 | 全年均可采收，晒干或鲜用。

| 功能主治 | 收敛止血。用于疔疮脓肿。

| 用法用量 | 外用适量，鲜品捣敷。

| 凭证标本号 | 440523191001020LY。

含羞草科 Mimosaceae 含羞草属 *Mimosa*

含羞草 *Mimosa pudica* Linn.

| 药 材 名 | 感应草（药用部位：全草。别名：知羞草、喝呼草、怕丑草）。

| 形态特征 | 披散、亚灌木状草本。高可达 1 m。茎圆柱状，有散生、下弯的钩刺及倒生刺毛。托叶披针形，有刚毛；羽片和小叶触之即闭合而下垂；羽片通常 2 对；小叶 10 ~ 20 对，线状长圆形，先端急尖，边缘具刚毛。头状花序圆球形，直径约 1 cm，具长总花梗，腋生；花淡红色；花萼极小；花冠钟状，裂片 4，外面被短柔毛；雄蕊 4，伸出花冠外；花柱丝状，柱头小。荚果长圆形，扁平，稍弯曲，荚缘波状，具刺毛；种子卵球形。花期 3 ~ 10 月，果期 5 ~ 11 月。

| 生境分布 | 生于旷野荒坡草地。分布于广东大部分地区。

| 资源情况 | 野生资源较少，栽培资源丰富。药材来源于野生和栽培。

| 采收加工 | 夏、秋季采收，晒干。

| 功能主治 | 甘、涩，凉；有小毒。清热利尿，化痰止咳，安神止痛。用于感冒，小儿高热，急性结膜炎，支气管炎，胃炎，肠炎，尿路结石，疟疾，神经衰弱；外用于跌打肿痛，疮疡肿毒。

| 用法用量 | 内服煎汤，16 ~ 26 g。外用适量，捣敷。孕妇忌服。

| 凭证标本号 | 441523190514004LY。

苏木科 Caesalpiniaceae 缅茄属 *Afzelia*

缅茄 *Afzelia xylocarpa* (Kurz.) Craib.

| 药材名 | 细茄（药用部位：种子。别名：沔茄、木茄）。

| 形态特征 | 乔木。高 15 ~ 25 m。小叶 3 ~ 5 对，对生，卵形至近圆形，长 4 ~ 40 cm，纸质，先端圆钝或微凹，基部圆而略偏斜。花序各部密被灰黄绿色或灰白色短柔毛；苞片和小苞片宿存；花萼管长 1 ~ 1.3 cm，裂片椭圆形；花瓣淡紫色，倒卵形至近圆形；能育雄蕊 7，花丝长 3 ~ 3.5 cm，突出；花柱长而突出。荚果扁长圆形，长 11 ~ 17 cm，黑褐色，木质，坚硬；种子 2 ~ 5，卵形或近圆形，略扁，暗褐红色，有光泽，基部有一角质、坚硬的假种皮状种柄，其长略等于种子。花期 4 ~ 5 月，果期 11 ~ 12 月。

| 生境分布 | 生于村边及河旁。广东各地均有栽培。分布于广东高州及茂名（市

区）、湛江（市区）等。

| **资源情况** | 野生资源较少，栽培资源丰富。药材来源于野生和栽培。

| **采收加工** | 秋、冬季果实成熟后采摘，剥取种子，晒干。

| **功能主治** | 辛，平。清热解毒，消肿止痛。用于赤眼，眼生云翳，疮毒，火热牙痛。

| **用法用量** | 外用适量，酒、水磨涂。

苏木科 Caesalpiniaceae 羊蹄甲属 *Bauhinia*

火索藤 *Bauhinia aurea* Lévl.

| 药 材 名 | 牛蹄藤（药用部位：根、藤茎。别名：金毛羊蹄甲、金叶羊蹄甲、红绒毛羊蹄甲）。

| 形态特征 | 木质藤本。枝密被褐色茸毛；嫩枝具棱；卷须初时被毛，渐变秃净。叶厚纸质，近圆形，长 12 ~ 18（~ 23）cm，基部深或浅心形，上面除脉上有毛外，其余无毛或近无毛，下面被黄褐色茸毛。伞房花序顶生或侧生；花蕾密被褐色丝质茸毛；萼片披针形，开花时向下反折，外被毛；花瓣白色，匙形；能育雄蕊 3；子房密被褐色长柔毛，花柱上半部无毛，柱头盘状。荚果带状，长 16 ~ 30 cm，外面密被褐色茸毛，果瓣木质；种子 6 ~ 11，椭圆形，扁平。花期 4 ~ 5 月，果期 7 ~ 12 月。

| 生境分布 | 生于山坡或山沟岩石边灌丛中。分布于广东电白、阳春、阳西及阳江（市区）、茂名（市区）等。

| 资源情况 | 野生资源较少，栽培资源丰富。药材来源于野生和栽培。

| 采收加工 | 全年均可采收，晒干。

| 功能主治 | 苦、涩，温。祛风除湿，通络止痛。藤茎用于胃脘痛，肾虚腰痛，便频，风湿关节痛。

| 凭证标本号 | 441225180730110LY。

苏木科 Caesalpiniaceae 羊蹄甲属 *Bauhinia*

龙须藤 *Bauhinia championii* (Benth.) Benth.

|药 材 名| 九龙藤（药用部位：根、藤茎、叶、种子。别名：乌皮藤、百代藤、过江圆龙）。

|形态特征| 藤本，有卷须。嫩枝和花序薄被紧贴的小柔毛。叶纸质，卵形或心形，长 3 ~ 10 cm，先端锐渐尖、圆钝、微凹或 2 裂，基部截形、微凹或心形，上面无毛，下面被紧贴的短柔毛，渐变无毛或近无毛。总状花序腋生，有时与叶对生或顶生，长 7 ~ 20 cm；花蕾椭圆形，具凸头，与花萼、花梗同被灰褐色短柔毛；花瓣白色，匙形，外面中部疏被丝毛；能育雄蕊 3。荚果倒卵状长圆形或带状，长 7 ~ 12 cm，扁平，革质；种子 2 ~ 5，圆形，扁平。花期 6 ~ 10 月，果期 7 ~ 12 月。

| 生境分布 | 多生于混交林或阔叶林中。分布于广东大部分地区。

| 资源情况 | 野生资源较少，栽培资源丰富。药材来源于野生和栽培。

| 采收加工 | 藤茎，全年均可采收，切斜片或短段，晒干或鲜用。

| 药材性状 | 本品根呈圆柱形，稍扭曲，直径 0.6 ~ 1.5 cm。表面浅棕色，有纵向纹理和支根痕，弯曲处有横裂纹；质稍硬，断面灰黄色；气微，味苦。叶破碎，完整叶阔心形，长 3 ~ 10 cm，先端渐尖，基部浅心形，全缘；表面黄绿色，下面被毛茸，掌状脉 5 ~ 7 较明显；质脆。气微，味苦。

| 功能主治 | 根、藤茎，微苦、甘，平。祛风除湿，活血止痛，健脾理气。叶，苦、甘，平。利尿化瘀，理气止痛。种子，苦、辛，平。行气止痛，活血化瘀。

| 用法用量 | 内服煎汤，10 ~ 25 g，鲜品 50 ~ 100 g。

| 凭证标本号 | 441825191004009LY。

苏木科 Caesalpiniaceae 羊蹄甲属 *Bauhinia*

首冠藤 *Bauhinia corymbosa* Roxb. ex DC.

| 药 材 名 | 深裂叶羊蹄甲（药用部位：叶）。

| 形态特征 | 木质藤本。嫩枝、花序和卷须被红棕色粗毛；卷须单生或成对。叶纸质，近圆形，长 2 ~ 4 cm，先端深裂长达叶的 3/4，基部近平截或浅心形。伞房花序式的总状花序顶生于侧枝上，长约 5 cm；花芳香；花蕾卵形，急尖；萼片开花时反折；花瓣白色，有粉红色脉纹，阔匙形或近圆形，边缘皱曲；雄蕊 3，花丝淡红色，长约 1 cm。荚果带状长圆形，扁平，直或弯曲，长 10 ~ 25 cm，具果颈，果瓣厚革质；种子 10 余颗，长圆形，褐色。花期 4 ~ 6 月，果期 9 ~ 12 月。

| 生境分布 | 生于山谷疏林中或山坡阳处。分布于广东广宁、阳春及广州（市区）、珠海（市区）等。

| 资源情况 | 野生资源较少，栽培资源丰富。药材来源于野生和栽培。

| 采收加工 | 全年均可采收，鲜用。

| 功能主治 | 苦、涩，凉。清热利湿，解毒止痒。用于痢疾，湿疹，疥癣，疮毒。

| 用法用量 | 内服煎汤，10 ~ 30 g。外用适量，鲜品捣敷。

| 凭证标本号 | 441284191220599LY。

苏木科 Caesalpiniaceae 羊蹄甲属 *Bauhinia*

孪叶羊蹄甲 *Bauhinia didyma* L. Chen

| 药材名 | 燕子尾（药用部位：枝叶。别名：二裂片羊蹄甲、牛耳麻、飞机藤）。

| 形态特征 | 藤本。除花梗基部和腋芽略被红色短柔毛外全株无毛。枝稍呈“之”字形曲折；卷须单生。叶膜质，分裂至近基部，裂片斜倒卵形，长12 ~ 24 mm，先端圆钝，基部平截；基出脉每裂片3，网脉密集，两面明显。总状花序顶生于侧枝；花蕾椭圆形；萼片开花时反折；花瓣白色，阔倒卵形，具短柄；能育雄蕊3，花丝长约1 cm；花柱短，柱头盘状。荚果带状长圆形，扁平而薄，长约10 cm，两荚缝略加厚，果瓣革质。花期4 ~ 8月，果期6 ~ 12月。

| 生境分布 | 生于海拔100 ~ 500 m的山坡灌丛中或山谷溪边疏林中。分布于广东信宜、阳春及阳江（市区）等。

| 资源情况 | 野生资源较少，栽培资源丰富。药材来源于野生和栽培。

| 采收加工 | 全年均可采收，洗净，切碎，鲜用或晒干。

| 功能主治 | 苦，平。祛湿通络，解毒。用于风湿痹痛，疮疖，疱疹。

| 用法用量 | 内服煎汤，10 ~ 30 g；或浸酒。外用适量，煎汤涂搽；或捣敷。

| 凭证标本号 | 440785180715057LY。

苏木科 Caesalpiniaceae 羊蹄甲属 *Bauhinia*

粉叶羊蹄甲 *Bauhinia glauca* (Wall. ex Benth.) Benth.

| 药 材 名 | 双肾藤（药用部位：根、茎叶。别名：鄂羊蹄甲、拟粉叶羊蹄甲）。

| 形态特征 | 木质藤本。除花序稍被锈色短柔毛外其余无毛；卷须旋卷。叶纸质，近圆形，长 5 ~ 9 cm，2 裂达中部或更深裂，裂片卵形，先端圆钝，基部阔，心形至平截；基出脉 9 ~ 11。总状花序顶生或与叶对生；总花梗长 2.5 ~ 6 cm；花托长 12 ~ 15 mm；花瓣白色，倒卵形，具长柄，边缘皱波状，长 10 ~ 12 mm；能育雄蕊 3，花丝较花瓣长。荚果带状，薄，不开裂，长 15 ~ 20 cm，荚缝稍厚，具果颈；种子 10 ~ 20，在荚果中央排成一纵列，卵形，极扁平。花期 4 ~ 6 月，果期 7 ~ 9 月。

| 生境分布 | 生于山地疏林中或山谷背阴的密林或灌丛中。广东大部分地区有

栽培。

| 资源情况 | 野生资源较少，栽培资源丰富。药材来源于野生和栽培。

| 采收加工 | 根，秋季采挖，晒干。茎叶，夏、秋季采收，鲜用或晒干。

| 功能主治 | 苦、涩，平。收敛固涩，解毒除湿。用于咳嗽，咯血，吐血，便血，遗尿，尿频，带下，子宫脱垂，痢疾，痹痛，疝气，睾丸肿痛，湿疹，疮疖肿痛。

| 用法用量 | 内服煎汤，10 ~ 30 g，大剂量可用至 60 g。外用适量，煎汤洗；或捣敷。

| 凭证标本号 | 441523190516035LY。

苏木科 Caesalpiniaceae 羊蹄甲属 *Bauhinia*

薄叶羊蹄甲 *Bauhinia glauca* (Wall. ex Benth.) Benth. subsp. *hupehana* (Craib) T. Chen

| 药 材 名 | 双肾藤根（药用部位：根、叶。别名：马蹄、羊蹄藤、鄂羊蹄甲）。

| 形态特征 | 本种与粉叶羊蹄甲 *Bauhinia glauca* (Wall. ex Benth.) Benth. 的区别在于本种叶较薄，近膜质，分裂仅及叶长的 1/6 ~ 1/5；花托长 25 ~ 30 mm，为花萼裂片长的 4 ~ 5 倍；花瓣白色。花期 6 ~ 7 月，果期 9 ~ 12 月。

| 生境分布 | 生于山麓和沟谷的密林或灌丛中。分布于广东乐昌、连平、乳源、博罗、蕉岭、平远、英德、信宜等。

| **资源情况** | 野生资源较少，栽培资源丰富。药材来源于野生和栽培。

| **采收加工** | 全年均可采收，晒干。

| **功能主治** | 辛、甘，温。补肾固脱，补血，镇咳。

苏木科 Caesalpiniaceae 羊蹄甲属 *Bauhinia*

羊蹄甲 *Bauhinia purpurea* Linn.

| 药 材 名 | 紫羊蹄甲（药用部位：根、树皮、叶、花。别名：紫花羊蹄甲、玲甲花）。

| 形态特征 | 乔木。高 7 ~ 10 m。嫩枝略被毛，渐脱落。叶硬纸质，近圆形，长 10 ~ 15 cm，基部浅心形，先端分裂达叶长的 1/3 ~ 1/2，两面无毛或下面被微柔毛；基出脉 9 ~ 11。总状花序侧生或顶生，长 6 ~ 12 cm，被褐色绢毛；花蕾纺锤形，具 4 ~ 5 棱或狭翅；花萼佛焰苞状；花瓣桃红色，倒披针形，长 4 ~ 5 cm，具脉纹；能育雄蕊 3，花丝与花瓣等长。荚果带状，扁平，长 12 ~ 25 cm，略呈弯镰状，成熟时开裂，木质果瓣扭曲将种子弹出；种子近圆形，扁平，种皮深褐色。花期 9 ~ 11 月，果期 2 ~ 3 月。

| 生境分布 | 栽培种。广东各地均有栽培。

| 资源情况 | 栽培资源丰富。药材来源于栽培。

| 采收加工 | 夏、秋季采收根、树皮，秋、冬季采收花，晒干。叶鲜用。

| 功能主治 | 苦，寒。解毒清热。树皮用于烫伤，脓疮；叶用于咳嗽。

| 用法用量 | 内服煎汤，10 ~ 15 g。外用适量，鲜叶捣敷。

| 凭证标本号 | 441225181123013LY。

苏木科 Caesalpiniaceae 羊蹄甲属 *Bauhinia*

红毛羊蹄甲 *Bauhinia pyrrhoclada* Drake

| 药 材 名 | 九龙根（药用部位：根、茎叶。别名：羊蹄藤、红毛枝羊蹄甲）。

| 形态特征 | 木质藤本。嫩枝、叶背、叶柄、花序、花梗、花萼和荚果均密被赤褐色粗毛或茸毛。叶近革质，卵状圆形，长、宽均为 6 ~ 8.5 cm，基部心形，先端 2 裂达中部；基出脉 9 ~ 11；托叶镰状，极早落；叶柄长 2.5 ~ 3.5 cm。总状花序顶生，略呈金字塔形；花蕾卵形，钝，长 10 ~ 12 mm；花梗长 3 ~ 3.5 cm；萼片披针形，渐尖；花瓣白色，倒卵状椭圆形，长约 2 cm；能育雄蕊 3，花丝长约 2 cm，退化雄蕊 2 ~ 3。荚果倒披针状长圆形，扁平，长 10 ~ 18 cm。花期 6 月，果期 8 ~ 9 月。

| 生境分布 | 生于海拔 400 m 的山脊阳处。分布于广东德庆、封开。

| 资源情况 | 野生资源较少，栽培资源一般。药材来源于野生和栽培。

| 采收加工 | 根，全年均可采挖，洗净，切片，鲜用或晒干。

| 功能主治 | 微苦、甘，温。根，活血，通经。茎叶，祛风止痉。用于跌打损伤，风湿骨痛，心胃气痛。

| 用法用量 | 内服煎汤，9 ~ 15 g；或浸酒。

| 凭证标本号 | 441226141215070LY。

苏木科 Caesalpiniaceae 羊蹄甲属 *Bauhinia*

洋紫荆 *Bauhinia variegata* Linn.

| 药 材 名 | 羊蹄甲（药用部位：根、树皮、叶、花。别名：宫粉紫荆、弯叶树、红紫荆）。

| 形态特征 | 落叶乔木。幼嫩部分常被灰色短柔毛。枝广展，硬而稍呈“之”字形曲折。叶近革质，阔卵形至近圆形，长 5 ~ 9 cm，基部心形，先端 2 裂达叶长的 1/3，两面无毛或下面略被灰色短柔毛。总状花序侧生或顶生，被灰色短柔毛；花蕾纺锤形；花萼佛焰苞状；花瓣倒卵形或倒披针形，长 4 ~ 5 cm，紫红色或淡红色，杂以黄绿色及暗紫色的斑纹；能育雄蕊 5，花丝长约 4 cm。荚果扁平带状，长 15 ~ 25 cm，具长柄及喙；种子 10 ~ 15，扁圆形。

| 生境分布 | 栽培种。广东各地均有引种栽培。

| 资源情况 | 栽培资源丰富。药材来源于栽培。

| 采收加工 | 夏、秋季采收根、树皮、叶，秋、冬季采收花。

| 功能主治 | 根，苦、涩，平。健脾祛湿，止血。用于咯血，消化不良。树皮，苦、涩，平。健脾祛湿。用于消化不良，急性胃肠炎。叶，淡，凉。止咳化痰，通便。用于咳嗽，便秘。花，淡，凉。清热解毒，止咳。用于肝炎，肺炎，支气管炎。

| 用法用量 | 内服煎汤，10 ~ 15 g。外用适量，鲜叶捣敷。

| 凭证标本号 | 440783200312034LY。

苏木科 Caesalpiniaceae 羊蹄甲属 *Bauhinia*

白花洋紫荆 *Bauhinia variegata* Linn. var. *candida* (Roxb.) Voigt

|药材名| 白花宫粉羊蹄甲（药用部位：根、茎皮、叶、花。别名：大白花）。

|形态特征| 本种与洋紫荆 *Bauhinia variegata* Linn. 的区别在于本种花瓣白色，近轴的 1 花瓣或有时全部花瓣均杂以淡黄色的斑块；花无退化雄蕊；叶下面通常被短柔毛。

|生境分布| 栽培种。广东各地均有栽培。

|资源情况| 栽培资源丰富。药材来源于栽培。

|采收加工| 根、茎皮、叶，全年均可采收，晒干。花，春季采摘。

| **功能主治** | 根，强壮，驱虫。用于消化不良，蛔虫病。

苏木科 Caesalpiniaceae 云实属 *Caesalpinia*

刺果苏木 *Caesalpinia bonduc* (Linn.) Roxb.

| 药 材 名 | 大托叶云实（药用部位：叶、种子）。

| 形态特征 | 有刺藤本。各部均被黄色柔毛；刺直或弯曲。叶长 30 ~ 45 cm；叶轴有钩刺；羽片 6 ~ 9 对，对生，基部有 1 刺；托叶大，脱落；小叶着生处常有小钩刺 1 对；小叶 6 ~ 12 对，膜质，长圆形，先端圆钝而有小凸尖，基部斜。总状花序腋生，花序梗长；苞片外折，开花时脱落；花瓣黄色，最上面 1 片有红色斑点，倒披针形；花丝短。荚果革质，长圆形，长 5 ~ 7 cm，先端有喙，膨胀，外具细长针刺；种子 2 ~ 3，近球形，铅灰色，有光泽。花期 8 ~ 10 月，果期 10 月至翌年 3 月。

| 生境分布 | 生于山地林中。分布于广东大部分地区。

| **资源情况** | 野生资源较少，栽培资源丰富。药材来源于野生和栽培。

| **采收加工** | 叶，夏、秋季采收，晒干或鲜用。

| **功能主治** | 苦，寒。叶，清热解毒，祛瘀止痛。用于急慢性胃炎，胃溃疡，痈疮疖肿。种子，活血止痛，解毒消肿。治肝功能失调，急慢性胃炎，胃溃疡，痈疮疖肿，消化不良，便秘。

| **用法用量** | 内服煎汤，10 ~ 15 g。外用适量，鲜叶捣敷。

| **凭证标本号** | 440785180325130LY。

苏木科 Caesalpiniaceae 云实属 *Caesalpinia*

华南云实 *Caesalpinia crista* Linn. [*Caesalpinia nuga* Ait.]

| 药 材 名 | 南天藤（药用部位：根、茎叶。别名：假老虎簕、虎耳藤、双角龙）。

| 形态特征 | 木质藤本。树皮黑色，有少数倒钩刺。二回羽状复叶，长 20 ~ 30 cm；叶轴上有黑色倒钩刺；羽片 2 ~ 3 对；小叶 4 ~ 6 对，均对生，革质，卵形或椭圆形，先端圆钝，有时微缺，基部阔楔形或钝，两面无毛，叶面有光泽。总状花序长 10 ~ 20 cm，复排列成顶生的大型圆锥花序；花芳香；花瓣 5，其中 4 黄色，卵形，上面 1 片具红色斑纹；雄蕊略伸出。荚果斜阔卵形，革质，长 3 ~ 4 cm，膨胀，具网脉，先端有喙；种子 1，扁平。花期 4 ~ 7 月，果期 7 ~ 12 月。

| 生境分布 | 生于海拔 400 ~ 1 500 m 的山地林中。分布于广东大部分地区。

| 资源情况 | 野生资源较少，栽培资源丰富。药材来源于野生和栽培。

| 采收加工 | 夏、秋季采收，根切片，晒干。

| 功能主治 | 苦，凉。清热解毒，利尿通淋。用于急、慢性胃炎，胃溃疡，痈疮疖肿。

| 用法用量 | 内服煎汤，6 ~ 9 g。外用适量，捣敷。

| 凭证标本号 | 441523190517017LY。

苏木科 Caesalpiniaceae 云实属 *Caesalpinia*

云实 *Caesalpinia decapetala* (Roth) Alston

| 药 材 名 | 天豆（药用部位：根、叶、种子。别名：水皂角、马豆、铁场豆）。

| 形态特征 | 藤本。树皮暗红色。枝、叶轴和花序均被柔毛和钩刺。二回羽状复叶，长 20 ~ 30 cm；羽片 3 ~ 10 对，对生，基部有刺 1 对；小叶 8 ~ 12 对，膜质，长圆形，两端近圆钝。总状花序顶生，长 15 ~ 30 cm；花梗长 3 ~ 4 cm，在花萼下具关节；花瓣黄色，圆形或倒卵形，盛开时反卷；雄蕊与花瓣近等长。荚果长圆状舌形，长 6 ~ 12 cm，脆革质，栗褐色，有光泽，沿腹缝线膨胀成狭翅，成熟时沿腹缝线开裂，先端具尖喙；种子 6 ~ 9，椭球状，种皮棕色。花期 4 ~ 11 月，果期 6 月至翌年 3 月。

| 生境分布 | 生于多石山坡灌丛中及丘陵、平原、河旁等。广东各地均有分布。

| 资源情况 | 野生资源较少，栽培资源丰富。药材来源于野生和栽培。

| 采收加工 | 种子，秋季果实成熟时采收果实，剥取种子，晒干。

| 药材性状 | 本品种子长圆形，长约 1 cm，宽约 6 mm。外皮棕黑色，有纵向灰黄色纹理及横向裂缝状环圈。种皮坚硬，剥开后内有 2 棕黄色子叶。气微，味苦。

| 功能主治 | 根，苦、辛，平。解毒除湿，消肿。用于伤风感冒头痛，筋骨酸痛、麻木，陈伤。叶，苦、辛，凉。除湿解毒，活血消肿。种子，辛，温。解毒除湿，止咳化痰，杀虫。

| 用法用量 | 内服煎汤，9 ~ 15 g；或入丸、散剂。

| 凭证标本号 | 441422190331126LY。

苏木科 Caesalpiniaceae 云实属 *Caesalpinia*

大叶云实 *Caesalpinia magnifoliolata* Metc.

| **药材名** | 铁藤根（药用部位：根）。

| **形态特征** | 有刺藤本。小枝、叶柄与小叶柄被锈色短柔毛。二回羽状复叶；羽片 2 ~ 3 对；小叶 4 ~ 6 对，革质，长圆形，长 4 ~ 15 cm，两端圆钝，上面无毛，下面有短柔毛。总状花序腋生或圆锥花序顶生；花黄色；花瓣 5，长约 10 mm，具短柄；雄蕊 10，花丝长约 1 cm；花柱长约 1 cm，柱头平截。荚果近圆形而扁，长 3.5 ~ 4 cm，背缝线向两侧扩张成龙骨状的狭翅，果瓣木质，棕色，表面有粗网脉；种子 1，近圆形，直径 2 cm，极扁，棕黑色。花期 4 月，果期 5 ~ 6 月。

| **生境分布** | 生于海拔 500 ~ 1 300 m 的灌丛中。分布于广东封开、罗定及深圳（市区）等。

| 资源情况 | 野生资源较少，栽培资源丰富。药材来源于野生和栽培。

| 采收加工 | 夏、秋季采收，晒干。

| 功能主治 | 甘、辛，温。活血消肿。用于急、慢性胃炎，胃溃疡，痈疮疖肿。

| 用法用量 | 内服煎汤，10 ~ 15 g；或浸酒。

苏木科 Caesalpiniaceae 云实属 *Caesalpinia*

小叶云实 *Caesalpinia millettii* Hook. et Arn.

| 药 材 名 | 假楠（药用部位：根）。

| 形态特征 | 有刺藤本。各部被锈色短柔毛。叶长 19 ~ 20 cm；叶轴具成对的钩刺；羽片 7 ~ 12 对；小叶 15 ~ 20 对，互生，长圆形，先端圆钝，基部斜截形。圆锥花序腋生，长达 30 cm；花梗长 15 mm，被稀疏短柔毛；萼片 5；花瓣黄色，近圆形，最上面 1 片较小；雄蕊长约 1 cm；雌蕊较雄蕊略长，柱头平截。荚果倒卵形，背缝线直，具狭翅，被短柔毛，革质，成熟时沿背缝线开裂；种子 1，肾形，红棕色，长约 11 mm，有光泽，具环纹。花期 8 ~ 9 月，果期 12 月。

| 生境分布 | 生于山脚灌丛中或溪水旁。分布于广东从化、始兴、翁源、台山、怀集、高要、博罗、英德等。

| 资源情况 | 野生资源较少，栽培资源丰富。药材来源于野生和栽培。

| 采收加工 | 夏、秋季采收，切片，晒干。

| 功能主治 | 甘，温。祛风除湿，消食化积，健脾和胃。用于胃病，消化不良，风湿痹痛。

| 用法用量 | 内服煎汤，10 ~ 15 g。

| 凭证标本号 | 441882190417005LY。

苏木科 Caesalpiniaceae 云实属 *Caesalpinia*

喙荚云实 *Caesalpinia minax* Hance

| 药材名 |

南蛇簕（药用部位：根、茎、叶、种仁。别名：石莲子、苦石莲）。

| 形态特征 |

有刺藤本。各部被短柔毛。二回羽状复叶长可达 45 cm；托叶锥状而硬；羽片 5 ~ 8 对；小叶 6 ~ 12 对，椭圆形或长圆形，两面沿中脉被短柔毛。总状花序或圆锥花序顶生；萼片 5，密生黄色绒毛；花瓣 5，白色，有紫色斑点，倒卵形，外面和边缘有毛；雄蕊 10，花丝下部密被长柔毛；子房密生细刺，花柱稍超出雄蕊。荚果长圆形，长 7.5 ~ 13 cm，先端有喙，果瓣表面密生针状刺，有种子 4 ~ 8；种子椭圆形，与莲子相仿，一侧稍洼，有环状纹，种子在狭的一端。花期 4 ~ 5 月，果期 7 月。

| 生境分布 |

生于海拔 400 ~ 1 500 m 的山沟、溪旁或灌丛中。分布于广东翁源、台山、德庆、罗定、英德、中山及梅州（市区）、河源（市区）、阳江（市区）、深圳（市区）、广州（市区）、云浮（市区）等。

| 资源情况 | 野生资源较少，栽培资源丰富。药材来源于野生和栽培。

| 采收加工 | 根、茎、叶，全年均可采收。种仁，秋季采收，晒干。

| 功能主治 | 根、茎、叶用于感冒发热，风湿性关节炎，跌打损伤，骨折，疮疡肿毒，皮肤瘙痒，毒蛇咬伤；种仁用于急性胃肠炎，痢疾，膀胱炎。

| 用法用量 | 内服煎汤，9 ~ 15 g。外用适量茎、叶，鲜品捣敷；或煎汤洗。

| 凭证标本号 | 441422190414047LY。

苏木科 Caesalpiniaceae 云实属 *Caesalpinia*

洋金凤 *Caesalpinia pulcherrima* (Linn.) Sw.

| 药材名 | 蛱蝶花（药用部位：花、根、茎皮、叶。别名：黄蝴蝶、金凤花）。

| 形态特征 | 灌木或小乔木。枝光滑，绿色或粉绿色，散生疏刺。二回羽状复叶长 12 ~ 26 cm；羽片 4 ~ 8 对，对生；小叶 7 ~ 11 对，长圆形或倒卵形，先端凹缺，有时具短尖头，基部偏斜。总状花序近伞房状，顶生或腋生，长达 25 cm；花梗长 4.5 ~ 7 cm；花托凹陷成陀螺形；花瓣橙红色或黄色，圆形，边缘皱波状；花丝红色，远伸出花瓣外，被毛；花柱长，橙黄色。荚果狭而薄，倒披针状长圆形，长 6 ~ 10 cm，无翅，先端有长喙，无毛，不开裂，成熟时黑褐色；种子 6 ~ 9。花果期几乎全年。

| 生境分布 | 栽培种。广东中部、南部有栽培。

| **资源情况** | 栽培资源丰富。药材来源于栽培。

| **采收加工** | 全年均可采收。

| **功能主治** | 甘、淡，平。花、叶，活血，通经。根、茎皮，解表，发汗。

苏木科 Caesalpiniaceae 云实属 *Caesalpinia*

苏木 *Caesalpinia sappan* Linn.

| 药 材 名 | 苏方木（药用部位：红色心材。别名：苏方、苏枋）。

| 形态特征 | 乔木。高达 6 m。具疏刺，除老枝、叶下面和荚果外，多少被细柔毛。枝上的皮孔密而显著。二回羽状复叶长 30 ~ 45 cm；羽片 7 ~ 13 对，对生；小叶 10 ~ 17 对，紧靠，以斜角着生于羽轴上。圆锥花序顶生或腋生；萼片 5，下面 1 片呈兜状；花瓣黄色，阔倒卵形，最上面 1 片基部带粉红色；雄蕊稍伸出；花柱细长。荚果木质，稍压扁，近长圆形，长约 7 cm，上角有外弯或上翘的硬喙，不开裂，红棕色，有光泽；种子 3 ~ 4，长圆形，稍扁，浅褐色。花期 5 ~ 10 月，果期 7 月至翌年 3 月。

| 生境分布 | 生于山地林中。广东连山、罗定、徐闻及广州（市区）、珠海（市区）、

茂名（市区）、肇庆（市区）等有栽培。

| 资源情况 | 野生资源较少，栽培资源丰富。药材来源于野生和栽培。

| 采收加工 | 全年均可采收，砍取树龄 5 年以上的树干或粗大枝干，削去外皮及白色边材，选取红色心材，截为长段，晒干。

| 药材性状 | 本品呈圆柱形或半圆柱形，常弯曲，近树头部的有疙瘩状结节，长 10 ~ 100 cm，直径 3 ~ 12 cm。表面黄红色或棕红色，嫩枝色浅，有刀削痕和纵裂纹。质坚硬，难折断。劈断面木纹细致，黄红色或棕红色，断面颜色随树龄增大而加深。横切面有明显的年轮，髓部色较深，有时有发亮的星状晶体；纵切面有细纵向条纹，并有发亮的横格纹。气微，味微涩。

| 功能主治 | 甘、咸、微辛，平。活血祛瘀，消肿止痛。用于跌打损伤，骨折筋伤，瘀滞肿痛，血滞经闭，产后瘀阻腹痛，痛经，心腹疼痛，痈肿疮毒。

| 用法用量 | 内服煎汤，3 ~ 9 g。外用适量，研末撒。月经过多者及孕妇慎服。

苏木科 Caesalpiniaceae 云实属 *Caesalpinia*

鸡嘴簕 *Caesalpinia sinensis* (Hemsl.) Vidal

| 药 材 名 | 石南龙（药用部位：根、茎、叶。别名：南茄）。

| 形态特征 | 藤本。主干和小枝具倒钩刺；嫩枝上多具锈色柔毛，老时无毛或近无毛。二回羽状复叶；叶轴上有刺；羽片 2 ~ 3 对，长 30 cm；小叶 2 对，长圆形至卵形，上面无毛，稍有光泽，下面沿中脉有少量柔毛；侧脉约 20 对，明显。圆锥花序腋生或顶生；花瓣 5，黄色；雄蕊 10，花丝长约 1 cm；雌蕊稍长于雄蕊。荚果革质，压扁，近圆形，长约 4.5 cm，表面有明显网脉，栗褐色，腹缝线稍弯曲，具狭翅，先端有喙；种子 1，近圆形，压扁，直径约 2 cm。花期 4 ~ 5 月，果期 7 ~ 8 月。

| 生境分布 | 生于灌丛中。分布于广东乐昌、阳春及肇庆（市区）等。

| **资源情况** | 野生资源较少，栽培资源丰富。药材来源于野生和栽培。

| **采收加工** | 全年均可采收。

| **功能主治** | 根、茎，清热解毒，消肿止痛，止痒。叶，止泻。用于痢疾。

| **用法用量** | 内服煎汤，15 ~ 20 g。

| **凭证标本号** | 441523190921036LY。

苏木科 Caesalpiniaceae 云实属 *Caesalpinia*

春云实 *Caesalpinia vernalis* Champ.

| 药 材 名 | 乌爪簕藤（药用部位：种子、根）。

| 形态特征 | 有刺藤本。各部被锈色绒毛。二回羽状复叶；叶轴长 25 ~ 35 cm，羽片 8 ~ 16 对，长 5 ~ 8 cm；小叶 6 ~ 10 对，对生，革质，卵状披针形或卵形，先端急尖，基部圆形，上面无毛，有光泽。圆锥花序生于上部叶腋或顶生；萼片倒卵状长圆形，下面 1 片较其他的大，长约 1 cm；花瓣黄色，上面 1 片较小，外卷，有红色斑纹。荚果斜长圆形，长 4 ~ 6 cm，木质，黑紫色，有皱纹，先端具喙；种子 2，斧形，一端截形稍凹，有光泽，种脐在阔截形的一端。花期 4 月，果期 12 月。

| 生境分布 | 生于山沟湿润的砂土上或岩石旁。分布于广东增城、乳源、怀集、

博罗、惠东、龙门、海丰、饶平及深圳（市区）等。

| 资源情况 | 野生资源较少，栽培资源丰富。药材来源于野生和栽培。

| 采收加工 | 冬季采收。

| 功能主治 | 种子，辛，温；有小毒。祛痰止咳，止痢。根，解表散寒，祛风活络。

| 凭证标本号 | 440781190827012LY。

苏木科 Caesalpiniaceae 腊肠树属 *Cassia*

翅荚决明 *Cassia alata* Linn.

| 药材名 | 对叶豆（药用部位：叶。别名：非洲木通）。

| 形态特征 | 直立灌木。高 1.5 ～ 3 m。在靠腹面的叶柄和叶轴上有 2 纵条棱，有狭翅；叶长 30 ～ 60 cm；有小叶 6 ～ 12 对，薄革质，倒卵状长圆形，先端圆钝而有小短尖头，基部斜截形，下面叶脉明显。花序顶生和腋生；花序梗长 10 ～ 50 cm；花直径约 2.5 cm；花瓣黄色，有紫色脉纹；上部 3 雄蕊退化，7 雄蕊发育，下面 2 雄蕊的花药大。荚果长条状，长 10 ～ 20 cm，每果瓣的中央顶部有直贯至基部的翅，翅纸质，具圆钝的齿；种子 50 ～ 60，扁平，三角形。花期 11 ～翌年 1 月，果期 12 ～翌年 2 月。

| 生境分布 | 生于疏林中或较干旱的山坡上。分布于广东大部分地区。

| 资源情况 | 野生资源较少，栽培资源丰富。药材来源于野生和栽培。

| 采收加工 | 夏、秋季选晴天采摘，洗净，鲜用或晒干。

| 药材性状 | 本品多完整或有破碎。小叶矩圆形，先端钝，长 5 ~ 15 cm，宽 5 ~ 7 cm，有细尖，基部阔圆形，并在一边偏大；下表面主脉凸出。叶黄绿色；硬革质。叶轴两边有狭翅。气微，味苦。

| 功能主治 | 苦，寒。祛风燥湿，止痒缓泻。用于湿疹，皮肤瘙痒，牛皮癣，神经性皮炎，疱疹，疮疖肿疡，便秘。

| 用法用量 | 外用适量，鲜品捣汁擦。

| 凭证标本号 | 445222190921011LY。

苏木科 Caesalpiniaceae 腊肠树属 *Cassia*

腊肠树 *Cassia fistula* Linn.

| 药 材 名 | 婆罗门皂荚（药用部位：果实。别名：猪肠豆、波斯皂荚）。

| 形态特征 | 乔木。高可达 15 m。树皮幼时光滑，灰色，老时粗糙，暗褐色。叶长 30 ~ 40 cm，有小叶 3 ~ 4 对，对生，薄革质，阔卵形或长圆形，先端短渐尖而钝，基部楔形，全缘，幼嫩时两面被微柔毛，老时无毛；叶脉纤细，在两面均明显。总状花序长达 30 cm，疏散，下垂；萼片开花时向后反折；花瓣黄色，倒卵形，具明显的脉；雄蕊 10，其中 3 具长花丝，高出于花瓣。荚果圆柱形，长 30 ~ 60 cm，黑褐色，不开裂，有 3 槽纹；种子 40 ~ 100，为横隔膜所分开。花期 6 ~ 8 月，果期 10 月。

| 生境分布 | 栽培种。广东中部、西南部有栽培。

| 资源情况 | 栽培资源丰富。药材来源于栽培。

| 采收加工 | 果实成熟时采收，晒干。

| 药材性状 | 本品为干燥荚果，圆柱形，长 30 ~ 60 cm，直径 1.5 ~ 2 cm，先端尖，基部有时具木质状的果柄；表面暗褐色，平滑而带光泽，腹缝线及背缝线明显。果皮薄，硬而木质状。内面有多数横隔，每隔有种子 1，具长而暗色的珠柄，附着于腹缝线。

| 功能主治 | 苦，寒；有小毒。清热通便，化滞止痛。用于便秘，胃脘痛，疳积等。

| 用法用量 | 内服煎汤，4 ~ 8 g。

苏木科 Caesalpiniaceae 腊肠树属 *Cassia*

望江南 *Cassia occidentalis* Linn.

| 药 材 名 | 野扁豆（药用部位：茎、叶、种子）。

| 形态特征 | 高大草本或灌木。高 0.8 ~ 1.5 m。枝条有棱。根黑色。叶长约 20 cm；叶柄近基部有腺体 1；小叶 4 ~ 5 对，膜质，卵形至卵状披针形，先端渐尖，有小缘毛；小叶柄揉之有腐败气味；托叶早落。伞房状总状花序，腋生和顶生，长约 5 cm；苞片早脱；花瓣黄色，卵形，先端圆；可育雄蕊 7。荚果带状镰形，褐色，压扁，长 10 ~ 13 cm，稍弯曲，边色较淡，加厚，有尖头；果柄长 1 ~ 1.5 cm；种子 30 ~ 40，种子间有薄隔膜。花期 4 ~ 8 月，果期 6 ~ 10 月。

| 生境分布 | 生于平缓旷地、村边或丘陵的疏林中。分布于广东大部分地区。

| 资源情况 | 野生资源较少，栽培资源丰富。药材来源于野生和栽培。

| 采收加工 | 茎、叶，夏季植株生长旺盛时采收，阴干或鲜用。种子，秋季果实成熟后，拔取全株，晒干，待荚壳裂开后，打取种子，筛去泥沙，簸去果壳、枝叶等杂质，晒干。

| 功能主治 | 茎、叶，甘、寒；有小毒。解毒。用于蛇咬伤。种子，清肝明目，健胃润肠。用于目赤肿痛，头晕头涨，消化不良，胃痛，腹痛，痢疾，便秘。

| 用法用量 | 内服煎汤，6 ~ 9 g，鲜品 15 ~ 30 g；或捣汁。外用适量，鲜叶捣敷。

| 凭证标本号 | 440783200328013LY。

苏木科 Caesalpiniaceae 紫荆属 *Cercis*

紫荆 *Cercis chinensis* Bge.

| 药 材 名 |

紫荆根（药用部位：根或根皮）、紫荆皮（药用部位：茎皮）、紫荆木（药用部位：心材）、紫荆花（药用部位：花）、紫荆果（药用部位：果实）。

| 形态特征 |

丛生或单生灌木。高 2 ~ 5 m。树皮和小枝灰白色。叶纸质，近圆形或三角状圆形，长 5 ~ 10 cm，先端急尖，基部浅心形至深心形，叶缘膜质透明；叶柄略带紫色。花紫红色或粉红色，簇生于老枝和主干上，越上部幼嫩枝条则花越少，通常先于叶开放，嫩枝或幼株上的花与叶同时开放，花长 1 ~ 1.3 cm；龙骨瓣基部具深紫色斑纹。荚果扁狭长形，长 4 ~ 8 cm，翅宽约 1.5 mm，喙细而弯曲，两侧缝线对称或近对称，具果颈；种子 2 ~ 6，阔长圆形，黑褐色，光亮。

| 生境分布 |

生于密林或石灰岩地区。分布于广东乳源及广州（市区）等。

| 资源情况 |

野生资源较少，栽培资源丰富。药材来源于

野生和栽培。

| 采收加工 |

紫荆根：全年均可采收，挖取根，洗净，根皮鲜用，根切片晒干。

紫荆木：全年均可采收，切片，晒干。

紫荆果：5 ~ 7 月采收，晒干。

| 功能主治 |

紫荆根：破瘀活血，消痈解毒。用于月经不调，瘀滞腹痛，痈肿疮毒，痄腮，狂犬咬伤。

紫荆皮、紫荆木：活血，通淋，解毒。用于月经不调，瘀滞腹痛，小便淋沥涩痛。

紫荆花：清热凉血，通淋解毒。

紫荆果：甘、微苦，平。止咳平喘，行气止痛。用于咳嗽痰多，哮喘，心口痛。

| 用法用量 |

紫荆根：内服煎汤，6 ~ 12 g。外用适量，捣敷。

紫荆皮：内服煎汤，6 ~ 15 g；或浸酒；或入丸、散剂。外用适量，研末调敷。

紫荆木：内服煎汤，9 ~ 15 g。

紫荆花：内服煎汤，3 ~ 6 g。外用适量，研末敷。

紫荆果：内服煎汤，6 ~ 12 g。

苏木科 Caesalpiniaceae 山扁豆属 *Chamaecrista*

大叶山扁豆 *Chamaecrista leschenaultiana* (Candolle) O. Degener

| 药 材 名 | 短叶决明(药用部位：全草或根。别名：地油甘、牛旧藤、铁箭矮陀)。

| 形态特征 | 一年生或多年生亚灌木状草本。高 30 ~ 80 cm。茎直立，分枝；嫩枝密生黄色柔毛。叶长 3 ~ 8 cm，在叶柄的上端有 1 圆盘状腺体；小叶 14 ~ 25 对，线状镰形，两侧不对称，中脉靠近叶的上缘；托叶线状锥形，宿存。花序腋生，有 1 或数花；萼片 5，长约 1 cm，带状披针形，外面疏被黄色柔毛；花冠橙黄色，花瓣稍长于萼片或与萼片等长；雄蕊 10，或有时 1 ~ 3 退化。荚果扁平，长 2.5 ~ 5 cm，有 8 ~ 16 种子。花期 6 ~ 8 月，果期 9 ~ 11 月。

| 生境分布 | 生于山地路旁的灌丛或草丛中。分布于广东茂名(市区)、湛江(市区)、雷州半岛等。

| **资源情况** | 野生资源较少，栽培资源丰富。药材来源于野生和栽培。

| **采收加工** | 夏、秋季采收全草，秋季采收根，除去杂质，洗净，晒干。

| **功能主治** | 微苦，平。消食化积，健脾利湿。用于宿食不消，泄泻，小儿疳积，水肿，脚气胀满。

| **用法用量** | 内服煎汤，9 ~ 15 g。

徐永福提供

苏木科 Caesalpiniaceae 山扁豆属 *Chamaecrista*

山扁豆 *Chamaecrista mimosoides* Standl.

| 药 材 名 | 含羞草决明（药用部位：全草。别名：小扁豆）。

| 形态特征 | 一年生或多年生亚灌木状草本。高 30 ~ 60 cm，多分枝；枝条纤细，被微柔毛。叶长 4 ~ 8 cm，在叶柄的上端和最下 1 对小叶的下方有 1 圆盘状腺体；小叶 20 ~ 50 对，线状镰形，先端短急尖，两侧不对称，中脉靠近叶的上缘；托叶线状锥形，有明显肋条，宿存。花序腋生；花萼长 6 ~ 8 mm，外被疏柔毛；花瓣黄色，略长于萼片；雄蕊 10，5 长 5 短，相间而生。荚果镰形，扁平，长 2.5 ~ 5 cm，果柄长 1.5 ~ 2 cm；种子 10 ~ 16。花果期通常 8 ~ 10 月。

| 生境分布 | 生于坡地或空旷地的灌丛或草丛中。分布于广东大部分地区。

| 资源情况 | 野生资源较少，栽培资源丰富。药材来源于野生和栽培。

| 采收加工 | 夏、秋季采收，晒干。

| 药材性状 | 本品为干燥全草。根细长，须根发达，外表棕褐色，质硬，不易折断。茎多分枝，呈黄褐色或棕褐色，被短柔毛。叶卷曲，下部的叶多脱落，黄棕色至灰绿色，质脆易碎；托叶锥尖。气微，味淡。以叶多者为佳。

| 功能主治 | 甘、微苦，平。清热解毒，健脾利湿，通便。用于肾炎性水肿，口渴，咳嗽痰多，习惯性便秘，毒蛇咬伤。

| 用法用量 | 内服煎汤，15 ~ 30 g；或代茶饮。

苏木科 Caesalpiniaceae 凤凰木属 *Delonix*

凤凰木 *Delonix regia* (Boj.) Raf.

| 药 材 名 | 红花楹（药用部位：树皮。别名：火凤凰、红楹、火树）。

| 形态特征 | 乔木。高超过 20 m。二回羽状复叶，长 20 ~ 60 cm；叶柄长 7 ~ 12 cm，上面具槽，基部膨大；羽片对生，15 ~ 20 对；小叶 25 对，对生，长圆形，两面被绢毛，全缘；中脉明显。伞房状总状花序顶生或腋生；直径 7 ~ 10 cm，鲜红色至橙红色；花梗长 4 ~ 10 cm；花托盘状或短陀螺状；花瓣 5，红色，具黄色及白色花斑，开花后反卷。荚果带形，扁平，长 30 ~ 60 cm，稍弯曲，暗红褐色，成熟时黑褐色，先端有宿存花柱；种子 20 ~ 40，横长圆形，平滑，坚硬，黄色染有褐斑。花期 6 ~ 7 月，果期 8 ~ 10 月。

| 生境分布 | 栽培种。分布于广东大部分地区。

| 资源情况 | 栽培资源丰富。药材来源于栽培。

| 采收加工 | 夏、秋季采收，切段，晒干。

| 功能主治 | 甘、淡，寒。平肝潜阳。用于高血压。

| 用法用量 | 内服煎汤，3 ~ 10 g。

| 凭证标本号 | 445224190330019LY。

苏木科 Caesalpiniaceae 格木属 *Erythrophleum*

格木 *Erythrophleum fordii* Oliv.

| 药 材 名 |

孤坟柴（药用部位：茎皮、种子。别名：赤叶木、斗登风）。

| 形态特征 |

乔木。高约 10 m。嫩枝、幼芽和总花梗被铁锈色短柔毛。叶互生，二回羽状复叶；羽片通常 3 对，对生或近对生，长 20 ~ 30 cm，每羽片有小叶 8 ~ 12；小叶互生，卵形或卵状椭圆形，两侧不对称，全缘。穗状圆锥花序长 15 ~ 20 cm；花萼钟状，外面被疏柔毛；花瓣 5，淡黄绿色，内面和边缘密被柔毛；雄蕊 10，长为花瓣的 2 倍。荚果长圆形，扁平，长 10 ~ 18 cm，厚革质，有网脉；种子长圆形，稍扁平，长 2 ~ 2.5 cm，种皮黑褐色。花期 5 ~ 6 月，果期 8 ~ 10 月。

| 生境分布 |

生于山地密林或疏林中。分布于广东紫金、博罗、怀集、封开、郁南、信宜及广州（市区）、肇庆（市区）、云浮（市区）等。

| 资源情况 |

野生资源较少，栽培资源丰富。药材来源于野生和栽培。

| 采收加工 | 全年均可采收茎皮，秋、冬季采收种子。

| 功能主治 | 辛，平；有毒。强心，益气活血。用于心气不足所致气虚血瘀证。

| 用法用量 | 内服煎汤，1 ~ 3 g。

| 凭证标本号 | 441324180804006LY。

苏木科 Caesalpiniaceae 皂荚属 *Gleditsia*

小果皂荚 *Gleditsia australis* Hemsl.

| 药材名 | 小果皂荚（药用部位：果实）。

| 形态特征 | 乔木。高 3 ~ 20 m。枝褐灰色，具长 3 ~ 5 cm 的褐紫色圆锥状粗刺。叶为一回或二回羽状复叶，具羽片 2 ~ 6 对，长 10 ~ 18 cm；小叶 5 ~ 9 对。花杂性，淡绿色或绿白色，常数朵成束组成分枝的总状花序或圆锥花序；花序长可达 28 cm，腋生或顶生，雄花序的花多而密集，两性花序的花少而稀疏。荚果条状长圆形，压扁，长 6 ~ 12 cm，劲直或稍弯，果瓣革质，干时棕黑色，种子着生处明显鼓起，先端具小凸起；种子 5 ~ 12，椭圆形至长圆形，稍扁，深棕色至棕黑色，光滑。花期 6 ~ 10 月，果期 11 月至翌年 4 月。

| 生境分布 | 生于海拔 500 m 以下的山坡缓坡、山谷林中或路旁水边向阳处。分

布于广东乐昌、乳源、阳山、高州、平远及茂名（市区）等。

| 资源情况 | 野生资源较少，栽培资源丰富。药材来源于野生和栽培。

| 采收加工 | 果实成熟后采摘，晒干或鲜用。

| 功能主治 | 苦，寒。解毒消肿，驱虫。

| 用法用量 | 内服煎汤，10 ~ 15 g。

| 凭证标本号 | 440981150809022LY。

苏木科 Caesalpiniaceae 皂荚属 *Gleditsia*

华南皂荚 *Gleditsia fera* (Lour.) Merr.

| 药 材 名 | 华南皂荚（药用部位：果实）。

| 形态特征 | 落叶乔木。高 3 ~ 42 m。枝灰褐色，具分枝粗刺；刺长达 13 cm，基部圆柱形。一回羽状复叶，长 11 ~ 18 cm，叶轴具槽；小叶 5 ~ 9 对，纸质至近革质，两侧不对称，上面深褐色，具光泽。花杂性，绿白色，常数朵成小聚伞花序，组成密集、腋生或顶生、长 7 ~ 16 cm 的总状花序。荚果扁平，长 13.5 ~ 26 cm，劲直或稍弯，果瓣革质，嫩果密被棕黄色短柔毛，老时毛渐脱落呈深棕色至黑褐色，先端具喙；种子多数，卵形至长圆形，扁平或凸透镜状，光滑，棕色至黑棕色。花期 4 ~ 5 月，果期 6 ~ 12 月。

| 生境分布 | 生于海拔 80 ~ 1 000 m 的山地缓坡、山谷混交林中或村边路旁向阳

处。分布于广东始兴、曲江、翁源、英德、高要、台山、徐闻及广州（市区）等。

| 资源情况 | 野生资源较少，栽培资源丰富。药材来源于野生和栽培。

| 采收加工 | 夏、秋季采摘，晒干。

| 功能主治 | 苦、辛，温；有小毒。豁痰开窍，杀虫止痒。用于中风昏迷，口噤不语，疥疮，顽癣。

| 用法用量 | 内服煎汤，0.5 ~ 1.5 g；或入丸、散剂。外用适量，煎汤洗；或捣敷；或烧存性，研末调敷。

| 凭证标本号 | 441882180510001LY。

苏木科 Caesalpiniaceae 皂荚属 *Gleditsia*

皂荚 *Gleditsia sinensis* Lam.

| 药 材 名 |

猪牙皂、皂角（药用部位：茎刺、果实、种子）。

| 形态特征 |

落叶乔木。高达 15 m。树干和分枝上均有分叉的粗大棘刺。叶为一回羽状复叶，长 10 ～ 18 cm；叶柄基部肿胀；小叶 4 ～ 8 对，长卵形或有时长椭圆形，边缘具细锯齿；网脉明显，在两面凸起。花黄白色，杂性同株，排成总状花序；花序腋生或顶生，长 5 ～ 14 cm；花萼钟状，有 4 卵状披针形的裂片；花瓣 4，卵形或长椭圆形。荚果坚韧革质，条形，长 12 ～ 30 cm，先端有喙，棕紫色，被白粉，果颈长 1 ～ 3.5 cm；种子多数，长椭圆形，棕褐色。花期 3 ～ 5 月，果期 5 ～ 12 月。

| 生境分布 |

生于路旁、溪边、宅旁或向阳处。分布于广东乐昌、乳源、连州、高要等。

| 资源情况 |

野生资源较少，栽培资源丰富。药材来源于野生和栽培。

| 采收加工 | 茎刺，全年均可采收，将茎刺削下，晒干或趁鲜切片晒干。果实，秋季果实成熟变黑时采摘，晒干。

| 药材性状 | 本品完整的茎刺有多数分枝，主刺长 3 ~ 15 cm 或更长，主刺基部直径 0.6 ~ 1 cm，有数个向四周伸展的分刺，分枝长 2 ~ 7 cm；表面紫棕色，尖部红棕色，平滑，略具光泽；质坚硬，不易折断。纵切或斜切的薄片厚 1 ~ 3 mm，木质部黄白色，髓大而疏松，淡灰棕色；质脆易折断。气微，味淡。以片薄、刺多、表面红棕色、有光泽者为佳。

| 功能主治 | 辛、咸，温；有小毒。茎刺，消肿托毒，排脓，杀虫。用于痈肿，疮毒。果实，祛风痰，通关窍，除湿毒，杀虫。种子，润燥通便，祛风消肿。

| 用法用量 | 内服煎汤，6 ~ 9 g。外用适量，煎汤洗；或研末调敷。

苏木科 Caesalpiniaceae 肥皂荚属 *Gymnocladus*

肥皂荚 *Gymnocladus chinensis* Baill.

喻勋林提供

| 药 材 名 |

肉皂角（药用部位：树皮、根、种子、果实。别名：肥皂树、肥猪子）。

| 形态特征 |

落叶乔木。无刺，高达 5 ~ 12 m。树皮灰褐色，具明显的白色皮孔；当年生小枝被锈色或白色短柔毛，后变光滑无毛。二回偶数羽状复叶，长 20 ~ 25 cm，5 ~ 10 对；叶轴具槽，被短柔毛；小叶互生，8 ~ 12 对，小叶片长圆形，两端圆钝，两面被绢质柔毛。总状花序顶生，被短柔毛；花杂性，白色或带紫色，有长梗，下垂；花瓣长圆形，先端钝，较萼片稍长，被硬毛。荚果长圆形，长 7 ~ 10 cm，扁平或膨胀，先端有短喙，有种子 2 ~ 4；种子近球形而稍扁，黑色，平滑无毛。8 月结果。

| 生境分布 |

生于山坡杂木林中、村边或岩石旁。分布于广东从化、乳源、大埔、阳山、连州等。

| 资源情况 |

野生资源较少，栽培资源丰富。药材来源于野生和栽培。

| 采收加工 | 树皮、根、种子，秋、冬季采收，晒干。

| 药材性状 | 本品果实长椭圆形，长 7 ~ 10 cm，宽 3 ~ 4 cm，先端有短喙，扁平或肥厚，外表紫棕色，光滑无毛，内有种子 2 ~ 4。种子近球形，稍扁，黑色，直径约 2 cm。气辛，味辛辣。以肥厚饱满者为佳。

| 功能主治 | 辛，温。祛风除湿，活血消肿。用于风湿痹痛，跌打损伤，疔疮肿毒。

| 用法用量 | 内服煎汤，1.5 ~ 3 g；或入丸、散剂。外用适量，捣敷；或研末撒；或调涂。

喻勋林提供

苏木科 Caesalpiniaceae 仪花属 *Lysidice*

仪花 *Lysidice rhodostegia* Hance

| 药 材 名 |

铁罗伞（药用部位：根、叶。别名：单刀根）。

| 形态特征 |

小乔木。高 2 ~ 5 m。小叶 3 ~ 5 对，纸质，长椭圆形或卵状披针形；侧脉纤细，近平行，在两面明显。圆锥花序长 20 ~ 40 cm；苞片、小苞片粉红色，卵状长圆形或椭圆形；萼管比花萼裂片长 1/3 或过之，花萼裂片长圆形，暗紫红色；花瓣紫红色，阔倒卵形，连柄长约 1.2 cm，先端圆而微凹。荚果倒卵状长圆形，长 12 ~ 20 cm，基部 2 缝线不等长，腹缝线较长而弯拱，开裂，果瓣常呈螺旋状卷曲；种子 2 ~ 7，长 2.2 ~ 2.5 cm，长圆形，褐红色，边缘不增厚，种皮较薄而脆。花期 6 ~ 8 月，果期 9 ~ 11 月。

| 生境分布 |

生于河边或杂木林中。分布于广东封开、德庆、五华、和平、连山、高州及广州（市区）、茂名（市区）、肇庆（市区）、阳江（市区）、云浮（市区）等。

| 资源情况 |

野生资源较少，栽培资源丰富。药材来源于

野生和栽培。

| 采收加工 | 夏、秋季采收，晒干或鲜用。

| 功能主治 | 苦、辛，温；有小毒。活血散瘀，消肿止痛。根用于风湿痹痛，跌打损伤；根、叶外用于外伤出血。

| 用法用量 | 内服煎汤，根 9 ~ 15 g，或浸酒。外用适量，根研末敷；或叶鲜品捣敷。

| 凭证标本号 | 441226170612029LY。

苏木科 Caesalpiniaceae 老虎刺属 *Pterolobium*

老虎刺 *Pterolobium punctatum* Hemsl.

| 药材名 | 蚰蛇利（药用部位：枝、叶。别名：崖婆勒、倒钩藤、石龙花）。

| 形态特征 | 攀缘灌木。高 3 ~ 10 m。小枝具棱，具散生短钩刺。叶轴长 12 ~ 20 cm；叶柄生成对黑色托叶刺；羽片 9 ~ 14 对，狭长；羽轴长 5 ~ 8 cm，上面具槽；小叶片 19 ~ 30 对，对生，狭长圆形，基部微偏斜，两面被黄色毛；小叶柄具关节。总状圆锥花序被短柔毛，长 8 ~ 13 cm，顶生或腋生；花瓣稍长于花萼，倒卵形；雄蕊 10，伸出，花丝长 5 ~ 6 cm。荚果长 4 ~ 6 cm，发育部分菱形，翅一边直，另一边弯曲，光亮，颈部具宿存的花柱；种子单一，椭圆形，扁。花期 6 ~ 8 月，果期 9 月至翌年 1 月。

| 生境分布 | 生于山坡疏林路旁石上。分布于广东始兴、乳源、乐昌、南雄、宝安、

和平、阳春、阳山、连山、连州、郁南等。

| 资源情况 | 野生资源较少，栽培资源丰富。药材来源于野生和栽培。

| 采收加工 | 夏、秋季采收，晒干。

| 功能主治 | 苦、涩，凉。清热解毒，止咳，散风除湿，消肿定痛。用于疔疮肿痛，肺热咳嗽，咽痛，风湿痹痛，牙痛，跌打损伤。

| 用法用量 | 内服煎汤，10 ~ 30 g。外用适量，煎汤洗。

| 凭证标本号 | 440281200707015LY。

苏木科 Caesalpiniaceae 无忧花属 *Saraca*

中国无忧花 *Saraca dives* Pierre

| 药 材 名 | 无忧花（药用部位：树皮、叶。别名：四方木、袈裟树、无忧树）。

| 形态特征 | 乔木。高 5 ~ 20 m。叶具圆柱状短粗柄，复叶有小叶 5 ~ 6 对，嫩时略带紫红色，下垂，近革质，长椭圆形、长卵形或倒卵状长圆形，长 15 ~ 35 cm，两面光滑无毛；基部 1 对小叶常较小；侧脉 7 ~ 11 对，纤细，在下面微凸起。花序腋生，大而披散；花具短梗，多而密集，橙黄色（包括花梗、苞片、花萼及雄蕊），后变红色，两性或单性。荚果暗褐色，长 22 ~ 30 cm，宽 5 ~ 7 cm，扁平，开裂，果瓣卷曲；种子 5 ~ 9，形状不一，扁平，两面中央均有 1 浅凹槽。花期 4 ~ 5 月，果期 7 ~ 10 月。

| 生境分布 | 生于海拔 200 ~ 1 000 m 的密林或疏林中，常见于河流或溪谷两旁。

分布于广东广州（市区）、湛江（市区）、深圳（市区）等。

| 资源情况 | 野生资源较少，栽培资源丰富。药材来源于野生和栽培。

| 采收加工 | 树皮，全年均可采收，切片，晒干。叶，秋季采收，鲜用或晒干。

| 功能主治 | 苦、涩，平。祛风止痛，止咳。树皮用于风湿骨痛，跌打肿痛；叶用于跌打肿痛。

| 用法用量 | 树皮，内服煎汤，25 ~ 50 g；或浸酒。外用适量，研末调酒炒热敷。叶，外用适量，鲜品捣敷。

苏木科 Caesalpiniaceae 决明属 *Senna*

槐叶决明 *Senna sophera* (L.) Roxb.

| 药 材 名 | 茳芒决明（药用部位：根、种子。别名：望江南）。

| 形态特征 | 高大草本或灌木。高 1 ~ 3 m，植株无毛。叶长 7 ~ 18（~ 21）cm；叶柄长 3 ~ 5 cm，叶柄离节部 5 ~ 10 mm 处具 1 钻形腺体；小叶 5 ~ 10 对，较小，椭圆状披针形，长 1.7 ~ 4.2 cm，宽 0.7 ~ 2 cm，先端锐尖或短渐尖。伞房花序腋生；花较少；花序梗长 1 ~ 2 cm；苞片卵形，长约 5 mm；花瓣黄色。荚果较短，长 5 ~ 10 cm，初时扁而稍厚，成熟时近圆柱形而多少膨胀；种子 30 ~ 40，卵球形，压扁。花期 7 ~ 9 月，果期 10 ~ 12 月。

| 生境分布 | 生于山坡和路旁。广东北部等有栽培。

| **资源情况** | 野生资源较少，栽培资源丰富。药材来源于野生和栽培。

| **采收加工** | 种子，10 ~ 11 月果实成熟时采收，剪下荚果，晒干，打出种子，晒干。

| **药材性状** | 本品根呈圆柱状，主根发达；外表棕黄色；质硬。

| **功能主治** | 苦，寒。消炎，止痛，健胃。

| **用法用量** | 内服煎汤，15 ~ 40 g。外用适量，煎汤熏洗。

| **凭证标本号** | 441224181011026LY。

苏木科 Caesalpiniaceae 决明属 *Senna*

黄槐决明 *Senna surattensis* (N. L. Burm.) H. S. Irwin & Barneby

| 药 材 名 | 黄槐（药用部位：叶）。

| 形态特征 | 灌木或小乔木。高 5 ~ 7 m。小枝有肋条；树皮颇光滑，灰褐色；嫩枝、叶轴、叶柄被微柔毛。叶长 10 ~ 15 cm；叶轴及叶柄呈扁四方形，在叶轴最下 2 或 3 对小叶之间和叶柄上部有棍棒状腺体 2 ~ 3；小叶 7 ~ 9 对，长椭圆形或卵形，下面粉白色，被长柔毛，全缘。总状花序腋生；萼片卵圆形，有 3 ~ 5 脉；花瓣鲜黄色至深黄色，卵形至倒卵形；雄蕊 10，最下 2 雄蕊有较长花丝。荚果扁平，带状，开裂，长 7 ~ 10 cm，先端具喙，具果颈，果柄明显；种子 10 ~ 12，有光泽。花果期几乎全年。

| 生境分布 | 栽培种。广东各地均有栽培。

| **资源情况** | 栽培资源丰富。药材来源于栽培。

| **采收加工** | 夏、秋季采收，晒干。

| **功能主治** | 甘、苦，寒。清凉，解毒，润肠，泻下导滞。

| **用法用量** | 内服煎汤，10 ~ 15 g。

| **凭证标本号** | 440783200425014LY。

苏木科 Caesalpiniaceae 决明属 *Senna*

决明 *Senna tora* (Linn.) Roxb.

| 药 材 名 | 草决明（药用部位：种子。别名：假花生、假绿豆、马蹄决明）。

| 形态特征 | 一年生亚灌木状草本。高 1 ~ 2 m。叶长 4 ~ 8 cm；叶轴上每对小叶间有棒状腺体 1；小叶 3 对，膜质，倒卵形或长椭圆形，先端圆钝，有小尖头，基部渐狭，偏斜，上面被稀疏柔毛，下面被柔毛；托叶线状，被柔毛，早落。花腋生；总花梗长 6 ~ 10 mm；花梗长 1 ~ 1.5 cm，丝状；萼片稍不等大，外被柔毛；花瓣黄色，下面 2 花瓣略长；能育雄蕊 7，花丝短于花药。荚果纤细，近四棱形，两端渐尖，长达 15 cm，膜质；种子约 25，菱形，光亮。花果期 8 ~ 11 月。

| 生境分布 | 生于山坡、旷野及河滩沙地上。广东各地均有分布。

| 资源情况 | 野生资源较少，栽培资源丰富。药材来源于野生和栽培。

| 采收加工 | 秋、冬季采收成熟果实，晒干，打下种子，除去杂质。

| 药材性状 | 本品略呈四方形或短圆柱形，两端近平行，稍倾斜，长 3 ~ 7 mm，宽 2 ~ 4 mm。表面绿棕色或暗棕色，平滑有光泽，背腹面各有一凸起的棱线，棱线两侧各有一淡黄色的线形凹纹。质坚硬，不易破碎。横切面可见薄的种皮和 2 呈“S”形折曲的黄色子叶。气微，味微苦。以颗粒饱满、色绿棕色者为佳。

| 功能主治 | 苦，凉。清肝明目，轻泻，解毒止痛。用于头痛眩晕，目赤昏花，胃痛，胁痛，肝炎，高血压，结膜炎，便秘，皮肤瘙痒，毒蛇咬伤等。

| 用法用量 | 内服煎汤，9 ~ 15 g。

| 凭证标本号 | 440781191105003LY。

苏木科 Caesalpiniaceae 酸豆属 *Tamarindus*

酸豆 *Tamarindus indica* Linn.

| 药 材 名 | 罗望子（药用部位：果实。别名：酸角、酸梅）。

| 形态特征 | 乔木。高 10 ~ 25 m。树皮暗灰色，不规则纵裂。小叶 10 ~ 20 对，长 1.3 ~ 2.8 cm，长圆形，先端圆钝或微凹，基部圆而偏斜，两面无毛。总状花序；花少数，黄色或杂以紫红色条纹；总花梗和花梗被黄绿色短柔毛；萼管檐部裂片披针状长圆形，花后反折；花瓣倒卵形，与花萼裂片近等长，边缘波状，有折皱；雄蕊长 1.2 ~ 1.5 cm，花药椭圆形，长 2.5 mm。荚果圆柱状，肿胀，棕褐色，长 5 ~ 14 cm，直或弯拱，常不规则缢缩；种子 3 ~ 14，褐色，有光泽。花期 5 ~ 8 月，果期 12 月至翌年 5 月。

邢福武提供

邢福武提供

邢福武提供
邢福武提供

| 生境分布 | 栽培种。分布于广东徐闻及湛江（市区）等。

| 资源情况 | 栽培资源丰富。药材来源于栽培。

| 采收加工 | 秋、冬季采收，晒干。

| 功能主治 | 甘、酸，凉。清热解暑，消食化积。用于中暑，食欲不振，小儿疳积，妊娠呕吐，便秘。

| 用法用量 | 内服煎汤，15 ～ 30 g。

| 附　　注 | 本种喜光热，能够适应干旱炎热的环境。